As chances que a vida dá

As chances que a vida dá

Elisa Masselli

As chances que a vida dá
Elisa Masselli

5ª edição – Novembro de 2024
5-11-24-200-30.410

Coordenação editorial: Ronaldo A. Sperdutti
Preparação: Sandra Regina Fernandes
Projeto gráfico e arte da capa: Vivá Comunicare
Impressão: Renovagraf

DADOS INTERNACIONAIS DE CATALOGAÇÃO NA PUBLICAÇÃO
(CIP) (CÂMARA BRASILEIRA DO LIVRO, SP, BRASIL)

Masselli, Elisa
As chances que a vida dá / Elisa Masselli. -- São Paulo:
Lúmen Editorial, 2014.

ISBN 978-85-7813-156-2

1. Espiritismo 2. Romance espírita I. Título.

14-10341 CDD-133.93

Índices para catálogo sistemático:
1. Romances espíritas: Espiritismo 133.93

Av. Porto Ferreira, 1031 - Parque Iracema
CEP 15809-020 - Catanduva-SP
17 3531.4444 | 17 99257.5523

www.lumeneditorial.com.br | atendimento@lumeneditorial.com.br
www.boanova.net | boanova@boanova.net

Sumário

O começo

Selma acordou e, após alguns minutos, levantou-se, tomou café e saiu. Precisava ir até o centro da cidade, onde compraria algumas coisas no mercado. Estava casada fazia quinze anos com Roberto e tinha um filho, Carlos, com treze anos de idade. Saiu de casa e foi caminhando em direção à rua principal. A cidade era pequena e todo o comércio estava naquela rua. Nela também ficava o único armazém que vendia de tudo, desde alimentos até alguns móveis e utensílios domésticos.

Enquanto caminhava, pensava:

Preciso comprar alimentos para preparar o almoço. Roberto e Carlos saíram cedo e, quando chegarem, estarão com muita fome.

Tranquila, continuou caminhando e pensando:

Estou vivendo uma fase muito boa na minha vida. Roberto está feliz trabalhando como contador e gerente na empresa de laticínios, e Carlos também, pois foi escolhido para jogar futebol e está treinando muito. Apesar de tudo o que aconteceu, consegui reerguer a minha vida e estou muito contente. Acho que quando não temos o que fazer só nos resta recomeçar.

Caminhando devagar, chegou ao armazém, comprou o que precisava e saiu, carregando uma sacola. Continuou caminhando e olhando as vitrines. Não havia muitas lojas, mas mesmo assim, sempre que passava por lá, gostava de apreciar. Ela conhecia todas as vitrines que quase nunca mudavam, mas gostava de olhar, sempre esperando uma mudança qualquer. O dia estava quente, tanto que seus cabelos negros que caíam até os ombros, por causa do calor e do suor, começaram a grudar em seu pescoço e rosto. Ela continuou andando e olhando para as vitrines e parou diante de uma delas onde havia um espelho. Ao ver a sua imagem refletida, viu o rosto molhado pelo suor e os cabelos, também molhados, que estavam junto ao pescoço, rosto e testa. O vestido branco estampado com pequenas flores azuis e rosas também estava molhado junto ao pescoço e nas mangas, e sentiu que a combinação também estava grudada em seu corpo. Sem maquiagem alguma, percebeu que estava com olheiras. Ao ver sua imagem refletida, começou a rir e a pensar:

Imagine se minha mãe me visse assim... Ela que sempre foi tão preocupada com a aparência, com sua imagem, teria um ataque...

Continuou andando e, ainda sorrindo, parou em frente a uma vitrine que nunca havia visto.

Esta loja é nova, nunca a vi antes...

Na vitrine estavam em exposição três vestidos, lindos, de festa. Selma parou e ficou olhando. Olhou por alguns segundos um e depois o outro. De repente, uma sombra tomou conta do seu olhar e um pensamento surgiu:

Esses vestidos me fizeram lembrar daquela noite e do baile, onde estávamos tão felizes e que terminou de maneira tão triste...

Uma lágrima se formou em seus olhos. Com a mão, molhada pelo suor, tentou secar as lágrimas e continuou andando. Não olhou mais para vitrine alguma. Seu pensamento estava naquela noite de muitos anos atrás. Caminhou alguns minutos e ouviu uma voz:

– Selma! Selma! Não pode ser, é você mesma?

Ao ouvir aquela voz, Selma estremeceu e voltando-se, surpresa, quase gritou:

– Flora! Você aqui?

Flora correu para ela de braços abertos. Abraçaram-se, mas Flora afastou-se rapidamente e, rindo, disse:

– O que aconteceu com você, Selma? Está horrível! Já imaginou o que sua mãe diria se a visse assim?

Constrangida, Selma tentou rir:

– Realmente, você tem razão, Flora! Agora mesmo, quando passei em frente a uma vitrine e vi o meu reflexo nela, pensei exatamente isso. Minha mãe morreria de tristeza.

– Pode ter certeza. Eu não sabia que você estava morando nesta cidade. Quanto tempo faz que veio para cá?

– Mais de quinze anos.

– Tanto tempo assim? Você está aqui desde aquela noite?

– Sim e não me mudei nunca mais.

– Você se casou, tem filhos?

Selma sorriu:

– Sim, me casei alguns meses depois de ter chegado aqui e tenho um filho com treze anos.

– Que maravilha! Ainda bem que a sua vida continuou. Sua mãe sabe que você está nesta cidade?

A mesma sombra que havia passado pelo rosto de Selma quando ela viu os vestidos na vitrine voltou a surgir e uma lágrima quis se formar. Rapidamente ela respirou fundo, secou os olhos com as mãos e respondeu:

– Não, acredito que não.

– Isso é uma pena. Mas assim que eu for para lá vou contar a ela.

– Não, Flora! Por favor, não faça isso!

– Por que, não, Selma? Já se passou tanto tempo. Sua mãe deve estar preocupada por não saber onde e como você está.

– Não, não quero! – Selma disse, irritada.

– Está bem, não precisa ficar tão nervosa.

– Desculpe-me, Flora, mas não quero me lembrar daquele tempo. Estou bem e diria até que feliz aqui, longe de tudo aquilo e de todos.

– Está bem. Nunca poderia imaginar que a encontraria aqui e vivendo dessa maneira!

– Nem eu imaginaria encontrar você. O que está fazendo aqui nesta cidade perdida no fim do mundo?

– Minha mãe faleceu e eu recebi a herança. Como sabe, meus pais tinham muito dinheiro e propriedades. Quando ela morreu, como nunca me casei nem tive filhos e me vi sozinha naquela casa imensa, fiquei triste e percebi que estava começando a me deprimir. Então resolvi que precisava sair da nossa cidade e procurar outro lugar para repensar a minha vida. Como não sabia para onde ir, peguei um mapa do estado e coloquei sobre a mesa; fechei os olhos e percorri com o dedo; quando parei, abri os olhos e o meu dedo estava sobre esta cidade. Sorri e resolvi que precisava conhecê-la. Cheguei aqui há dois meses, gostei da cidade e resolvi abrir uma loja de vestidos de noiva e roupas de festa.

– Aquela loja nova de roupas de festa é sua?

– Sim. Assim que cheguei aqui vi que não havia nenhuma loja desse tipo.

– Aqui? Não tinha mesmo. É uma cidade muito pequena, acho que você não vai ter muito sucesso. Festas são raras, e os vestidos de noiva são todos feitos por uma costureira.

– Foi por ela ser pequena que gostei. Ela vai crescer e posso crescer junto. Não preciso de dinheiro, só quero ter algo que seja meu e um lugar, tranquilo como este, para viver. E agora que te encontrei ficou melhor ainda! Estou feliz, Selma, por ter encontrado você! Selma tentou sorrir:

– Também estou feliz por ter encontrado você, Flora.

– Moro naquela casa grande da esquina. Qualquer dia desses podemos jantar. Venha com seu marido e seu filho! Onde você mora?

– Vamos, sim, qualquer noite a gente pode jantar na sua casa ou você pode vir na nossa. Moro na esquina, mas na rua de trás. Você está morando sozinha?

– Não, a Esmeralda veio comigo. Sabe que ela praticamente me criou e não permitiria que eu viesse sozinha.

– Esmeralda ainda está com você?

– Sim. Ela nunca quis me abandonar e confesso que não sei o que seria da minha vida sem ela.

– Ela sempre cuidou muito bem de você.

– De nós, Selma. Sempre cuidou muito bem de mim, da Arlete e de você.

Novamente a sombra se formou no rosto de Selma, Flora percebeu:

– Nunca entendi o motivo de você ter largado tudo e desaparecido. Foi muito triste o que aconteceu. Sempre que me lembro, volto a sofrer, mas não acho que foi motivo para você ter desaparecido. O que aconteceu realmente, Selma?

– É uma longa história, Flora. Qualquer dia desses podemos conversar com mais tranquilidade e eu te conto tudo.

– Tem razão. Agora, morando aqui, teremos mais tempo para conversar. E você vai poder matar essa minha curiosidade.

Selma sorriu:

– Já conversamos muito! Preciso ir até a loja e ver como estão as coisas. Contratei uma moça, mas percebi que ela nada entende de festas e de vendas. Precisa de treinamento.

– Você é perfeita nesses assuntos. Sempre gostou tanto de festas!

– Verdade, Selma. Foi por isso mesmo que abri a loja, porque gosto.

– Também preciso ir embora, tenho de preparar o almoço. Logo mais meu marido e meu filho vão chegar e eles sempre chegam famintos. Até mais, Flora!

Flora sorriu e, mandando um beijo para Selma, continuou andando em direção à loja. Selma foi andando no lado oposto, pensando:

Ainda bem que ela não sabe o que aconteceu. Não gostaria de me lembrar do passado, mas pelo visto isso não vai ser possível. Tomara que possamos continuar convivendo em paz.

Quando chegou em frente à loja, Flora olhou para trás e ainda pôde ver Selma, que dobrava a esquina. Com os olhos faiscando de raiva e de ódio, pensou:

Vou destruir você e essa sua família linda! Você vai pagar por tudo o que nos fez, a mim e a Arlete! Não perde por esperar.

Imediatamente duas entidades se aproximaram, e rodopiando à sua volta, rindo, uma delas disse:

– Isso mesmo, Flora! Ela merece sofrer muito e nós vamos ajudar você! Ela pensou que bastava fugir, se esconder neste fim de mundo, e tudo seria esquecido. Mas isso não vai acontecer! Ela vai pagar por tudo que fez, ora se vai!

Uma vida feliz

Selma continuou caminhando. Estava surpresa e preocupada com aquele encontro:

Como isso pôde acontecer? Depois de tanto tempo, como Flora veio parar aqui nesta cidade perdida e tão longe de casa? Ela parece bem em relação a mim, mas será que está mesmo? Eu, durante todo esse tempo, tentei esquecer, embora não tenha conseguido totalmente. Tentei esquecer e outros problemas da minha vida fizeram com que eu não pensasse tanto nisso. Nada que eu fizesse poderia mudar o que aconteceu. Estão todos mortos e eu fui a culpada. Disso nunca poderei fugir.

Sorriu e continuou pensando:

Devo estar delirando, alucinando. Flora não teria como saber o que aconteceu. Como nenhuma das pessoas que estavam naquela festa percebeu. A vinda dela para esta cidade foi, sim, apenas coincidência.

Olhou para o relógio que carregava em seu pulso:

Estou atrasada para preparar o almoço. Preciso me apressar.

Acelerou o passo e em poucos minutos estava em casa. Assim que entrou colocou a sacola que carregava sobre a mesa. Enquanto tirava da sacola as coisas que havia comprado, pensava:

Como e por que Flora apareceu nesta cidade? Eu estava tão bem, tranquila, levando a minha vida. Feliz ao lado do Roberto e do Carlos. Tenho medo que a presença dela possa fazer com que toda essa tranquilidade desapareça. Por que o passado voltou?

Depois de tirar tudo da sacola, lavou as mãos e começou a cozinhar e a pensar:

Nunca disse ao Roberto ou ao Carlos quem eu era e de onde vim. Quando nos conhecemos, inventei uma história e ele acreditou. Depois nunca mais falamos sobre esse assunto. Preciso conversar com Flora e pedir que não conte coisa alguma sobre o meu passado. Só não entendo como ela veio parar aqui. Esta cidade é tão distante e pequena, nunca pensei que um dia isso poderia acontecer.

Mesmo nervosa e preocupada, terminou de preparar o almoço. Estava terminando de colocar os pratos sobre a mesa quando eles chegaram, se aproximaram dela e, um de cada lado, a beijaram no rosto. Ela retribuiu os beijos e, enquanto eles iam lavar as mãos, continuou colocando os pratos. Alguns minutos depois, voltaram e sentaram-se.

Enquanto comiam, Carlos, feliz, disse:

– Mamãe, já contei ao papai. Hoje à tarde vou jogar na equipe de basquete! Como sabem, semana passada fiz um teste, e o técnico hoje disse que fui aprovado!

– Parabéns, meu filho! Vai se sair bem!

– Também, com essa altura, você só poderia ser jogador de basquete! – Roberto disse, rindo.

Selma e Carlos também riram. Roberto continuou falando:

– Para que o dia seja perfeito, também tenho uma boa notícia!

Selma e Carlos, com curiosidade, olharam para ele, que continuou:

– A empresa, durante o ano, teve um lucro enorme e resolveu agradecer os funcionários dando um aumento de salário. Com esse aumento, vamos poder viajar! Já podemos fazer o roteiro da viagem!

– Que maravilha, papai!

– Parabéns, Roberto!

– Nossa vida está perfeita, não está, Selma?

– Claro que está. O que mais posso desejar? Tenho um marido que me ama e a quem eu amo e um filho que só me traz felicidade! Tenho, sim, uma vida perfeita e só posso agradecer a Deus por isso.

Parou de falar e pensou:

Será que mereço tanta felicidade? Claro que não. Depois de tudo o que fiz, não mereço mesmo...

Ele sorriu e continuaram comendo.

Quando terminaram, Roberto, levantando-se, disse:

– Agora preciso trabalhar. Aumento de salário significa aumento de trabalho, mas que faço com toda a vontade do mundo. Adoro o meu trabalho e a empresa que tanto já nos deu.

Selma, rindo, também se levantou e, abraçada ao marido, acompanhou-o até o portão. Lá, ele beijou de leve seus lábios e, rindo, se afastou.

Ela, sorrindo, ficou olhando até que ele desapareceu quando virou a esquina. Entrou em casa e foi até a sala de visitas, onde Carlos assistia televisão.

Olhou para o filho e, sorrindo, perguntou:

– A que horas você vai treinar, Carlos?

– Às três horas e vou ficar até as cinco. Estou feliz e nervoso, mãe.

– Nervoso, por quê?

– Não sei. Estou com medo de não conseguir.

– Não pense assim, claro que vai conseguir! Você foi escolhido porque o técnico achou que tem futuro. Vá para o treino e faça tudo o que puder e souber. Você vai conseguir!

– É verdade, mamãe! Adoro basquete!

– Assim que se fala, meu filho! Agora, preciso ir ao orfanato, as meninas estão esperando por mim, estamos preparando a exposição de fim de ano. Elas trabalharam e se dedicaram tanto! Precisamos fazer com que tudo dê certo.

– Claro que vai dar! Há quanto tempo a senhora faz esse trabalho?

– Nem sei, há mais de dez anos. Comecei quando você era pequenininho.

– Então, não sei por que acha que pode não dar certo. Sempre deu!

– Verdade. Nossa exposição a cada ano que passa fica melhor, mas desta vez é diferente. Eu e Marília estamos esperançosas de conseguir dinheiro para construir mais uma ala e assim podermos atender a mais crianças.

– As mães dos meus amigos gostam da senhora e a respeitam pois sabem da sua dedicação ao orfanato.

– Não me preocupo com isso; só quero que as meninas tenham o trabalho reconhecido, já que foi feito com tanto carinho. Aquelas meninas precisam desse incentivo. Agora, preciso ir. Tenho medo de não terminarmos a tempo.

– Pare com isso, mamãe! Ainda falta mais de um mês! Vai dar tempo de tudo ficar pronto!

– Verdade, Carlos, sempre deu. Agora estou indo. Depois você me conta como foi o treino.

Carlos sorriu e voltou os olhos para a televisão.

Ela saiu e na rua permitiu que lágrimas caíssem por seu rosto. Com as mãos secou os olhos e, enquanto caminhava, foi pensando:

Minha vida é tão boa, tão perfeita! Tenho Roberto, um marido maravilhoso, e Carlos que é tudo na minha vida. Sei que não tenho motivo para me queixar, não sei por que estou triste, achando que alguma coisa de ruim pode acontecer e toda essa felicidade desaparecer.

Sorriu e continuou andando e pensando:

Pare com isso, Selma! Nada de mal vai acontecer! Tudo vai continuar como está. Vá cuidar das suas meninas.

Depois de caminhar por quinze minutos, chegou a um grande portão, abriu e entrou. Assim que as crianças a viram chegando, correram ao seu encontro e todas juntas a rodearam. As pequenas se agarraram às suas pernas, o que dificultava sua caminhada.

Ela, rindo, abraçou a todas e, com dificuldade, conseguiu entrar na casa e foi recebida por uma senhora que também a recebeu com um sorriso.

– Ainda bem que chegou, Selma! As meninas estão ansiosas pelo dia da exposição.

– Também estou, Marília. Saí logo depois do almoço, nem lavei a louça. Vamos para o galpão.

Ela, Marília e as meninas foram para um galpão que havia nos fundos do quintal.

Lá dentro havia duas mesas grandes e compridas e, sobre elas, vários tecidos e linhas. As meninas sentaram-se nos bancos também de madeira que estavam ao lado da mesa, Selma sentou-se em uma das pontas da mesa e as meninas, uma a uma, foram trazendo suas peças para que ela olhasse.

Selma foi olhando uma a uma, elogiando e corrigindo.

Assim que terminou de olhar todas as peças, Selma se levantou e, sorrindo, disse:

– Vocês sabem que o dinheiro que vamos arrecadar com a venda dessas peças vai ajudar Marília com a manutenção do orfanato e, quem sabe, até construir uma nova ala para que mais crianças possam vir morar aqui. Por isso, precisam ser feitas com muito amor e carinho. Enquanto eu não estiver aqui, Sandra, por ser a mais velha, você vai ficar encarregada de ajudar as meninas. Assim, não perderemos tempo, e as peças ficarão lindas e todas serão vendidas:

– Pode ficar tranquila, dona Selma, vou cuidar de tudo. Também, se não cuidar, minha mãe vai ficar muito braba, não vai, mãe?

– Claro que se você não ajudar vou ficar preocupada e muito nervosa, Sandra. Você sabe o quanto dona Marília nos ajudou quando viemos para cá. Você tinha apenas seis anos e ela nos acolheu, deu estudo, e agora você está se preparando para ir para a faculdade. Tudo graças a ela.

– Não diga isso, Rita. Você tem me ajudado durante todos esses anos. Sem você, provavelmente não teríamos o orfanato.

Marília sorriu. Após algum tempo, saíram do galpão e foram para o escritório de Marília. Entraram e sentaram-se:

– Então, Selma, como estão os trabalhos? Você acha que ficarão prontos na data?

– Ficarão sim. As meninas estão motivadas. Elas sabem que, como acontece todos os anos, a exposição trará pessoas que, ao conhecerem o orfanato, ajudarão com algo mais além da contribuição com a compra das peças. Estou esperançosa, Marília!

– Exatamente o que precisamos, esperança! Você sabe que desde que você chegou à cidade e ao orfanato tem nos ajudado muito. Não tem sido fácil, as despesas aumentam todo mês.

– Sei disso, mas não podemos desanimar.

– Você com seu otimismo de sempre, Selma...

– Anime-se, Marília! Vai dar tudo certo! Alguma vez você ficou sem dinheiro para cuidar das suas meninas?

– Não. Algumas vezes fiquei nervosa e assustada, mas, de alguma maneira o dinheiro sempre chegou. Isso aconteceu quando você apareceu aqui querendo conhecer o orfanato.

Selma sorriu:

– Você não me falou isso. O que estava acontecendo?

– Eu não podia dizer, pois você veio apenas visitar o orfanato. Estava desesperada sem saber o que fazer. A comida estava desaparecendo da dispensa. Acho que você foi enviada por Deus.

– Nunca imaginei que você pensasse isso, Marília, pois eu sempre achei que você tinha sido um anjo na minha vida.

– Eu? Por quê?

– Naquela manhã em que vim aqui, a tia de meu marido, minha grande e única amiga, após ficar por muito tempo doente, morreu. Fiquei muito triste e me sentia só e desprotegida, mesmo tendo Roberto e Carlos, que ainda era pequeno. Eu sentia muito sua falta, do seu sorriso e de suas palavras. Não sentia prazer algum e só chorava. Naquela manhã, como sempre fazia, fui até a padaria comprar pão e leite para que eu e Roberto pudéssemos tomar café antes de ele ir trabalhar. Estava aguardando ser atendida quando ouvi uma moça perguntar a outra que também esperava:

– Como estão as coisas lá no orfanato, Rita?

– Dona Marília não comenta, mas ela anda muito preocupada. Chegaram muitas crianças e é preciso muito dinheiro para manter todas elas.

– Mas dona Marília é rica, Rita!

– Sim, ela mantém o lugar com seu próprio dinheiro, mas não pode assumir tudo sozinha. Seria preciso que alguém surgisse ou alguma coisa acontecesse para ajudá-la.

– *Ninguém ajuda?*

– *Algumas pessoas sim, mas não é o suficiente. Todos os dias, venho aqui na padaria buscar pão para o café da manhã. Seu Antônio já ajuda há muito tempo.*

– *Ainda bem.*

– Eu estava ouvindo a conversa delas, Marília, e nem percebi que havia chegado a minha vez. Seu Antônio, ao perceber que eu estava distraída, disse:

– *Chegou sua vez, senhora.*

– Envergonhada, olhei para ele e pedi pão e leite. Depois, saí apressada sem olhar para as mulheres que conversavam.

– Foi assim que ficou sabendo do orfanato, Selma?

– Foi, sim, Marília. Saí dali e, enquanto voltava para casa, ia pensando. Senti uma vontade enorme de conhecer um orfanato, saber como era. Sabia que existiam, mas nunca me preocupei. Em casa e enquanto tomávamos café, contei a Roberto o que havia acontecido e terminei dizendo:

– *Sempre ouvi falar sobre orfanatos, mas nunca conheci nenhum. Tenho uma enorme curiosidade de conhecer.*

– Roberto, sabendo que eu andava triste, sem vontade de coisa alguma, disse:

– *Por que não vai visitar esse orfanato e assim aplacar sua curiosidade?*

– *Você acha que posso ir? Será que vão me receber?*

– *Só vai saber indo. Vá até lá e, quem sabe, possa ajudar de alguma maneira.*

– *Será? Ajudar?*

– *Não sei, mas não custa tentar.*

– *Vou fazer isso. Logo depois do café e após dar um jeito aqui em casa, vou com Carlos até lá.*

– Terminamos de tomar café, Marília. Roberto, após me beijar e se despedindo, foi para o trabalho. Carlos, que ainda dormia, acordou. Cuidei dele e não entendia o motivo, mas estava me sentindo bem e não tinha mais vontade de chorar. Depois de cuidar da casa e de Carlos, saí e vim para cá. O resto você já sabe.

– Sei sim e como sei. – Marília disse rindo.

Selma também riu. Marília continuou:

– Nunca vou me esquecer daquele dia. Rita tinha razão, naquele dia eu estava realmente muito preocupada. As crianças estavam chegando. Eu já havia gastado uma boa quantia do meu dinheiro. Meus pais e sogros me ajudavam, mas não podia pedir mais. Eu havia assumido o orfanato, precisava encontrar uma maneira de cuidar dele. Quando você chegou e começamos a conversar, senti que poderíamos trabalhar juntas. Depois de conversarmos por algum tempo, você veio com a ideia de pedir que seu marido conversasse com o dono do laticínio para quem ele trabalha para conseguir leite e derivados para as crianças.

– Ele conversou e conseguiu. Não precisamos mais nos preocupar com leite e pão.

– Depois, fomos falar com o dono do armazém e conseguimos alimentos. Fomos aos sítios e conseguimos ovos e verduras. Em pouco tempo não precisávamos mais nos preocupar com a alimentação das crianças.

– Verdade, Marília. Tudo mudou rapidamente.

– Isso mesmo, Selma. Depois, você veio com a ideia de ensinar as meninas a costurar e a bordar para que fizéssemos uma exposição onde os trabalhos pudessem ser vendidos. Fizemos isso e hoje é um sucesso.

– Depois daquele dia não tive mais tempo para ficar chorando e sofrendo. Não que eu tenha me esquecido da minha amiga, mas conhecendo-a como conhecia sabia que estava feliz com o que eu estava fazendo.

– Sabe, Selma, já há algum tempo venho estudando uma doutrina que fala muito da importância de nos doarmos aos outros, da caridade.

– Não foi pensando nisso que vim para cá, apenas tinha curiosidade de saber como funcionava um orfanato, mas acho que o que disse é verdade mesmo, pois foi somente depois de me dedicar às crianças que a minha dor, minha tristeza, passou.

– A doutrina ensina que quando nascemos um anjo amigo vem nos acompanhando e fica ao nosso lado por toda a vida. Acho que, naquele dia, eu estava em desespero e você sofrendo, então o meu anjo se uniu ao seu e nos aproximou. O melhor de tudo é que deu certo! – Marília disse rindo.

– Você está falando da Doutrina Espírita?

– Sim. Por que, você conhece?

– Mais ou menos. Minha amiga também seguia essa doutrina e me falou a respeito da necessidade que temos de fazer caridade. Disse, também, algumas coisas que não sei se aceito ou não, como reencarnação. Acho que é difícil aceitar que tivemos outras vidas. Parece mais ficção científica.

– Bem, qualquer dia conversaremos a esse respeito, Selma. O que importa é que tenho fé de estarmos fazendo a coisa certa e, por isso, tudo vai dar certo.

– Então, precisamos manter a fé. O seu trabalho é muito importante. Ainda tem muito a fazer.

– Estou preocupada, Selma.

– Preocupada com que, Marília?

– Já estou com quase cinquenta anos, Selma. Estou ficando velha...

– Velha coisa nenhuma! Você tem ainda muito que trabalhar! Aliás, nós temos! Agora vou para o galpão acompanhar o trabalho das meninas.

Dizendo isso, levantou-se e sob o olhar e o sorriso de Marília saiu do escritório e voltou para o galpão.

Rancor desmedido

Enquanto isso, Flora olhou para o relógio e assustada pensou:

Fiquei tão envolvida com as lembranças do passado e em como me vingar de Selma que nem vi o tempo passar e esqueci de ir almoçar. Esmeralda deve estar preocupada, ela não tem ideia de que encontrei Selma. Vou agora!

Avisou Nádia, a moça que trabalhava na loja, e foi para casa almoçar.

Foi recebida por Esmeralda:

– Ainda bem que chegou, Flora. Estava preocupada.

– Preocupada, por que, Esmeralda?

– Já são quase duas horas da tarde e você não veio para o almoço.

– Sabe que a loja está sendo inaugurada e tem muito trabalho para que fique da maneira que eu quero.

– Você já almoçou?

– Não, Esmeralda. Hoje o dia foi complicado e só agora pouco me dei conta da hora do almoço. Quero que minha loja seja um sucesso!

– Sei disso, mas sei também que você não veio para esta cidade por causa da loja. Você tem muito dinheiro, não precisa trabalhar para viver.

– Não vamos mais falar a esse respeito. Você sabe por que eu vim e o que pretendo fazer.

– Sei sim e estou triste por isso. O ódio, o rancor e a vingança só fazem mal a você mesma, Flora, e nada vai mudar o que aconteceu e nada, nunca mais, voltará a ser como antes. Viva sua vida e deixe que Selma viva a dela.

Flora largou a bolsa sobre o sofá da sala e, enquanto caminhava, foi dizendo:

– Não venha com essa conversa. Estou muito feliz por finalmente estar aqui. Vou lavar minhas mãos e depois almoçar.

Assim que entrou no banheiro, olhou no espelho e, com muita raiva, pensou:

Achou que ia se esconder de mim, Selma, vindo para esta cidade no fim do mundo, que quase nem aparece no mapa, mas eu a encontrei e você vai pagar por seu crime e por tudo que nos fez sofrer!

Lavou as mãos e voltou para junto de Esmeralda, que já havia colocado a comida sobre a mesa.

– Está tudo bem, Flora?

– Melhor do que imaginei, Esmeralda! Finalmente, encontrei Selma. – Respondeu sorrindo e com o olhar cheio de ódio.

– Encontrou? Ela está bem?

– Quando a vi custei a acreditar que fosse ela. Garanto que você também iria se assustar, pois ela nem de longe é a mesma Selma que conhecemos. Ela estava vestida com roupas simples, com os cabelos em desalinho e uma sacola na mão. Parecia uma pessoa comum do povo ou uma empregada doméstica. Disse que ia preparar o almoço para o marido e o filho.

– Ela está casada e tem um filho?

– Sim. Não prestei muita atenção, mas parece que ele tem treze anos.

– Está vendo, Flora? Ela está casada e tem um filho. Selma recomeçou a vida, enquanto você ficou parada sem nada construir, dominada pelo ódio. Ainda há tempo. Siga adiante e tente recomeçar sua vida. O que Selma fez está feito e não há como mudar.

– Você sabe o que vim fazer aqui, Esmeralda. Aliás, o que tenho feito todo esse tempo. Estive procurando por ela e finalmente a encontrei! Agora que a encontrei, nada vai fazer com que eu mude de ideia. Vou fazer com que pague por tudo que nos fez sofrer!

Disse isso demonstrando um ódio profundo nos olhos e na voz. Não imaginava que, ao dizer isso, as duas entidades que estavam ao seu lado gargalharam e uma delas disse:

– Isso mesmo, Flora! Você a encontrou, chegou a hora da sua e da minha vingança! Ela precisa pagar!

– Pare com isso, Flora! Já disse milhões de vezes que esse desejo de vingança só faz mal a você mesma!

– Pare você, Esmeralda! Também já disse milhões de vezes que não adianta! Vou me vingar!

– Você tem dinheiro, poderia ter continuado sua vida, se casado e tido filhos, uma família; mas não fez isso, pelo contrário: só tem no pensamento essa vingança inútil que nada vai acrescentar à sua vida. Vamos voltar para casa, Flora! Livre-se desse mal que está ao seu lado e comece a viver!

– Tem razão, Esmeralda! Tenho muito dinheiro e, se for preciso, usarei cada centavo para fazer com que a vida de Selma seja destruída! Por favor, não toque mais nesse assunto, a não ser que seja para me ajudar!

– Está bem. Você sabe que eu jamais faria alguma coisa para ver você sofrer...

– Sei disso e espero que, se não quiser me ajudar, ao menos não atrapalhe! Agora preciso comer, estou faminta!

Sentou-se e começou a comer. Enquanto comia, não percebeu que estava envolvida em uma nuvem densa e negra e que as entidades continuavam ali ao seu lado, rindo e felizes, rodopiando à sua volta.

Tomada de decisão

Os dias foram passando. Selma não queria se encontrar com Flora; queria que seu passado continuasse onde esteve até agora: guardado, bem guardado. Por isso evitava ir à rua principal onde estava a loja de Flora e sempre que precisava de alguma coisa fazia uma lista e pedia que Carlos ou Roberto fosse até lá e trouxesse. Roberto estranhou:

– O que está acontecendo, Selma? Parece que você não quer mais fazer compras para casa. Tem algum motivo especial pra isso?

Pega de surpresa por aquela pergunta, ficou algum tempo sem responder. Depois de alguns segundos, sorrindo, mentiu:

– Não tem motivo algum, Roberto. Você sabe que o dia da exposição está chegando, temos muito trabalho para que tudo fique pronto. Preciso ficar mais tempo com as meninas, por isso pedi a vocês que me ajudassem. Tem algum problema?

– Não tem problema, Selma. Quando voltar do trabalho passo por lá. Somente estranhei, você sempre fez as compras, nunca deixou que eu fizesse, dizia que eu não sabia escolher.

– Selma tentou sorrir:

– E não sabe mesmo, mas agora estou precisando de sua ajuda. Pode continuar me ajudando?

Ele não respondeu, sorriu e abraçando-a pela cintura beijou seus lábios e chamou:

– Carlos, vamos embora! Está na hora!

Carlos, que estava no quarto preparando-se para ir à escola, saiu, ainda passando as mãos pelos cabelos.

Acompanhados por Selma, assim que chegaram ao portão, beijaram seu rosto e foram embora.

Selma ficou olhando até que desapareceram na esquina. Enquanto olhava, pensava:

Não posso contar a verdade. Eles nunca me perdoarão.

Como fazia todos os dias, voltou para dentro da casa para pegar feijão e arroz. Cozinhava pela manhã, antes de sair, e na hora do almoço só fazia a mistura e a salada. Fazendo isso, poderia ficar mais tempo com as meninas. Ao abrir o armário, porém, notou que não havia mais arroz. Preocupada, pensou:

Não posso ir agora fazer compras, as meninas estão me esperando. Vou até o orfanato e, quando sair, passo rápido pelo armazém.

Chegou ao orfanato, examinou o trabalho que estava sendo feito e, feliz, disse:

– Meninas, os trabalhos estão muito bons! Vocês sabem que na nossa exposição virão muitas pessoas de outras cidades, futuras mamães e noivas que querem comprar o enxoval. Tenho certeza de que ao verem essas peças tão lindas vão ficar encantadas e comprarão tudo! A arrecadação vai ser muito boa!

As meninas, como não poderia deixar de ser, riram felizes.

O tempo passou tão rápido que Selma nem percebeu. Olhou o relógio e lembrou-se que precisava comprar arroz. Tinha medo de encontrar Flora, mas não tinha como evitar. Despedindo-se das meninas e de Marília, saiu apressada e pensando:

Já são onze horas, preciso ir ao armazém e preparar o almoço. Roberto e Carlos chegarão ao meio-dia e meio. Mas antes preciso ir ao armazém.

Acelerou os passos. Chegou ao armazém e comprou o que precisava. Já estava saindo quando encontrou Flora e Esmeralda, que entravam. Assim que a viram, Flora sorriu e Esmeralda abriu os braços:

– Selma, minha filha, quanto tempo...

Selma, por alguns segundos, ficou sem saber o que fazer. Depois abriu os braços e as duas se abraçaram com muita saudade.

– Como você está linda! Ainda parece aquela mesma menina de antes!

– Qual nada, Esmeralda! Já se passaram quinze anos e o tempo não protege ninguém. Estou mais velha, sim! – Disse rindo.

– Claro que sim, mas continua linda como sempre foi. Flora disse que havia encontrado você e fiquei feliz.

– Também fiquei, Selma, mas não nos encontramos mais. Ficamos de jantar juntas com a sua família, mas você nunca mais apareceu.

– Verdade, Flora. É porque estou envolvida em um trabalho no orfanato e não tenho tido tempo para coisa alguma. Quando esse trabalho terminar, poderemos nos encontrar.

– Que espécie de trabalho?

Animada, Selma contou sobre a exposição. Assim que terminou, Flora, sorrindo, disse:

– Que ótimo, Selma! Quer dizer que aquilo que aprendemos no colégio está servindo para ajudar essas meninas?

– Está, sim, Flora. E você se lembra que, apesar de vocês não gostarem, eu adorava bordar e costurar?

– Claro que me lembro, e até hoje não entendo como você podia gostar daquele trabalho! Ainda bem que eu tinha Matilde para fazer por mim! Eu achava aquilo uma perda de tempo, nunca teríamos onde usar. Embora as freiras dissessem que poderíamos fazer o nosso enxoval de casamento e dos nossos filhos, para mim não fazia sentido algum. Eu sabia que quando isso acontecesse eu teria dinheiro para ir até a Ilha da Madeira comprar um belo enxoval de casamento e um mais lindo ainda para o meu bebê, sem ter de ficar bordando.

– Verdade, Flora, pensávamos assim. Mas hoje o que aprendi está servindo para ajudar a essas crianças.

– Parabéns, Selma! Você se tornou uma pessoa muito boa, diferente daquela que conhecemos.

– Mas são elas que me ajudam, Esmeralda. Depois que comecei a trabalhar no orfanato encontrei um sentido para minha vida e sou, sim, diferente da Selma que conheceram. Estou muito feliz.

– Não entendo o que está dizendo. Flora me disse que você está casada e tem um filho. Eles não preenchiam a sua vida?

– Claro que sim. Mas quando conheci o orfanato, senti que poderia trabalhar ali e fazer muita coisa.

Esmeralda olhou para Flora e, sorrindo, disse:

– Você pode ajudar também, Flora. Pode doar uma quantia em dinheiro para o orfanato e, assim, ajudar as crianças. Quando ajudamos alguém, na realidade estamos ajudando a nós mesmas.

– Claro que sim, Esmeralda. Vou mandar uma quantia para que você use como quiser, Selma.

– Obrigada, Flora, doações são sempre bem-vindas. Mas, por favor, antes de dar o dinheiro, quero que vá até o orfanato para conhecer as crianças e o trabalho que estamos fazendo. Assim, você aproveita e entrega o dinheiro para Marília, a diretora do orfanato.

– Vou fazer isso, só que precisa ser esta semana.

– Esta semana, por que Flora?

– Estamos indo embora. Como você disse, esta cidade não comporta uma loja como a minha, e já estou com muito prejuízo. Acho melhor voltar para minha casa e pensar em outra coisa para empregar o meu dinheiro.

– Você vai embora, Flora?

– Vou sim, Selma. Minha loja não tem futuro aqui, sendo assim não tenho mais o que fazer. Durante esse tempo em que estou nesta cidade não consegui entender como você consegue morar aqui e não entendo como pode estar feliz aqui, depois de ter tido a vida que sempre teve.

– Estou feliz aqui, Flora. Tenho meu marido, meu filho e o orfanato. Isso é tudo que preciso para ser feliz.

– Você se conforma com pouco. Eu quero mais, muito mais.

– A vida me ensinou a valorizar o que realmente tem valor.

– Bom para você. Só sinto por não ter conhecido seu marido e seu filho, mas não vai faltar oportunidade. Quem sabe um dia vocês não nos visitam, não é, Esmeralda?

– Verdade, Selma. Quando for nos visitar convidaremos sua mãe e faremos uma surpresa! Sei que ela ficará muito feliz!

– Por favor, Esmeralda, não conte a minha mãe nem a ninguém que me encontrou. Estou bem e feliz aqui longe de tudo e de todos.

– Você contou ao seu marido o motivo de ter vindo para cá?

– Não, Flora. Ele nunca perguntou coisa alguma a respeito da minha vida e eu não achei necessário contar. Estamos bem.

– Acho que fez bem, talvez ele não entendesse.

Selma se calou e olhou para Esmeralda, que disse:

– Vamos deixar essa história pra lá, Flora. De nada vai adiantar lembrar o passado. Você está bem e feliz, Selma, é isso que importa.

– Tem razão, Esmeralda. Estou bem e feliz.

Flora, tentando não demonstrar o ódio que estava sentindo, sorrindo, disse:

– Vamos, Esmeralda, temos muito a fazer. Precisamos preparar a mudança.

Abraçaram-se. Selma foi embora, Flora e Esmeralda entraram no armazém para comprar algumas coisas.

Depois de comprar e pagar, saíram do armazém. Na rua, Esmeralda, ainda surpresa, perguntou:

– Vamos embora mesmo, Flora?

– Vamos, Esmeralda. Cansei de ficar nesta cidade.

– Está dizendo que desistiu de se vingar? Que perdoou?

Flora soltou uma gargalhada:

– Isso mesmo. Como você sempre disse, estou perdendo um tempo enorme me dedicando a essa vingança. Vamos embora e vou retomar minha vida, que parou desde aquele dia. Selma está feliz com seu marido e seu filho, enquanto eu estou aqui triste e sem ninguém.

– Como estou feliz em ouvir você dizer isso, Flora. Graças a Deus, você entendeu que vingança não vale a pena e só faz sofrer a quem a deseja.

– Depois de conversar com Selma a respeito do orfanato, tive uma ideia: hoje à tarde, vamos até lá. Quero dar um cheque para ajudar essas meninas.

– Vai dar dinheiro para o orfanato?

– Vou, sim, Esmeralda. Perdi muito tempo, tenho tanto dinheiro que nem sei o que fazer com ele e nada melhor do que se fazer o bem. O dinheiro que vou dar não vai fazer falta alguma.

– Estou muito feliz por você ter tomado essa decisão. Agora, vamos para casa. Depois do almoço vou começar a empacotar as coisas e guardar outras nas malas.

– Isso mesmo e, enquanto isso, vou ao orfanato. Não quer ir comigo?

– Pensando bem, acho que vou, sim. Quero ver o que Selma está fazendo. Parece que é um trabalho muito bom.

– Está bem. Agora, vamos almoçar, estou morrendo de fome. Depois, quando voltarmos do orfanato, eu ajudo você na arrumação da mudança. Só vou levar algumas roupas; os móveis e tudo o mais vou doar para alguém.

– Você mudou mesmo, Flora. Graças a Deus!

Voltaram para casa. Assim que chegaram e colocaram as compras sobre a mesa, Esmeralda, preocupada, perguntou:

– O que está acontecendo, Flora?

– Sobre o que você está falando, Esmeralda?

– Sobre essa sua mudança de comportamento...

– Está falando sobre a nossa volta para casa?

– Sim. Como pode, de repente, querer voltar? Você passou todos esses anos somente pensando em encontrar Selma e se vingar, e agora que a encontrou simplesmente vai embora? Assim, sem nada fazer? Está muito estranho...

– Estranho por quê? Tem razão, passei todo esse tempo só querendo vingança e você tentando me demover dessa ideia, agora que fiz o que sempre me pediu está achando ruim?

– Não estou achando ruim; pelo contrário, estou achando muito bom, só não estou entendendo. Sempre que eu dizia que vingança não levaria a lugar algum, você ficava nervosa e dizia que só iria descansar no dia em que se vingasse, e agora do nada quer ir embora e deixar que Selma continue sua vida?

– Tem razão, Esmeralda. Eu ficava braba, quando você dizia que a culpa não era só dela; mas agora, vendo que ela está bem e vivendo uma vida simples que eu nem sonharia viver, dedicando sua vida a cuidar dessas meninas órfãs, acho que ela merece continuar aqui e ser feliz. Você sempre teve razão. Eu, realmente, perdi muito tempo; mas agora está na hora de voltar para casa e retomar minha vida. Por conta dessa vingança nunca me interessei por rapaz algum, não me casei, não tive filhos. Selma continuou sua vida e tem o que eu nunca tive ou terei. Agora chega, Esmeralda. Resolvi fazer o que você sempre disse. Vou deixar a vingança por conta de Deus.

– Se você estiver dizendo a verdade, fico muito feliz. Vamos para casa, você vai começar uma nova vida que, vai ver, será só de felicidade!

– Claro que estou dizendo a verdade, Esmeralda! Por que enganaria a você, que esteve ao meu lado desde criança, que praticamente me criou e sempre soube o que eu sinto? Quando chegarmos em casa, você vai ver que vou ser outra pessoa. Cansei de perder tanto tempo somente pensando na vingança. Entendi, finalmente, que isso só me fez mal.

Esmeralda, feliz, levantou os olhos e disse:

– Obrigada, meu Deus, por ela, finalmente, ter entendido como estava errada.

– Agora vamos preparar as malas, Esmeralda. Quero me mudar amanhã mesmo.

– Amanhã? Pensei que seria durante a semana.

– A princípio achei que seria assim, mas depois pensei bem e acho que quanto mais rápido nos mudarmos melhor será.

Esmeralda sorriu, beijou o rosto de Flora e foi para seu quarto preparar suas malas.

A história de Marília

Enquanto isso, Selma chegou a sua casa e, rapidamente, preparou o almoço. Estava tranquila com a partida de Flora, embora um pouco preocupada, com medo que ela contasse a sua mãe que a havia encontrado. Roberto e Carlos chegaram na hora de sempre, e almoçaram.

Depois do almoço, antes mesmo que eles saíssem, ela se despediu e foi para o orfanato. Tinha muito trabalho junto às meninas e queria que tudo ficasse perfeito. Sabia que a exposição era um evento da cidade mas que atraía pessoas de cidades vizinhas. Sabia que muitas pessoas importantes e com dinheiro viriam não só para comprar as peças de roupas mas também para darem doações que eram importantes para a manutenção do orfanato.

Chegou ao orfanato e, como sempre, foi recebida com muito carinho. Embora se esforçasse para não se apegar às meninas, não conseguia. Amava cada uma delas e muitas vezes sofreu quando alguém foi adotada, mesmo sabendo que para aquela menina era a melhor coisa que podia acontecer.

Estava ali por algumas horas quando, surpresa, viu que Flora e Esmeralda entravam no galpão, acompanhadas por Marília. Sorrindo, foi ao encontro delas, que abriram os braços, e se abraçou a elas, dizendo:

– Que surpresa, Flora! Não pensei que, realmente, você viria aqui no orfanato!

– Eu disse que viria, não disse? Pois bem, estou aqui. – Disse rindo.

Marília se aproximou e deu para Selma um pacote. Selma o abriu e viu que havia muitos maços de notas. Surpresa, olhou para Marília e perguntou:

– Que dinheiro é este, Marília? Quanto tem aqui?

Marília, não conseguindo evitar a alegria e emoção que estava sentindo, respondeu:

– Sua amiga doou para o orfanato. Aí tem vinte mil!

Selma olhou espantada para Flora, que sorria.

– Vinte mil, Flora?

– Sim. Você sabe que tenho muito dinheiro e que essa quantia nada significa para mim, ao passo que para o orfanato é muito valiosa.

– Você não imagina como! Com este dinheiro e o que vamos arrecadar com a exposição, vamos poder construir mais uma ala e, assim, poderemos atender a mais meninas, não é, Marília? Temos quinze meninas e não temos espaço para mais.

Marília estava tão emocionada que sua voz quase não saiu:

– Vamos sim, Selma! Finalmente, Deus ouviu nossas preces e o nosso sonho vai se realizar!

Selma devolveu o dinheiro para Marília:

– Guarde esse dinheiro, Marília. Depois da exposição vamos ver quanto temos e planejar a nova ala.

Marília pegou o dinheiro e, feliz, se afastou. Selma disse:

– Entrem aqui no galpão e vejam o trabalho das meninas.

Entraram. Flora e Esmeralda se admiraram com a quantidade de meninas que estavam ali. As meninas, ao verem entrar aquelas pessoas estranhas, levantaram-se. Selma, sorrindo, disse:

– Meninas, estas são minhas amigas e estão aqui para conhecer vocês e o nosso trabalho.

Algumas meninas sorriram; outras, tímidas, abaixaram os olhos.

Acompanhadas por Selma, Flora e Esmeralda se aproximaram da grande mesa e começaram a olhar os trabalhos: roupinhas de recém--nascidos, colchas e lençóis para noivas com bordados lindíssimos e caprichados. Elas ficaram encantadas com a perfeição dos trabalhos. Esmeralda, admirada, disse:

– Estes trabalhos são lindos! Qualquer noiva ou futura mãe ao vê-los não poderá deixar de querer comprar! São feitos pelas meninas mesmo? Elas são tão pequenas!

– São, Esmeralda. Eu fui ensinando e elas aprenderam com facilidade. Sabem como é importante para o orfanato termos dinheiro.

– Qual é a idade delas?

– A menina menor tem doze anos. A maior é Sandra, filha de Rita, tem dezessete anos e já vai para a faculdade. Marília a mostrou para vocês?

– Mostrou, sim. Notei que vocês só cuidam de meninas, por quê? Não há meninos órfãos precisando de abrigo?

– Claro que há, Flora, mas não temos espaço. Esta casa pertencia a Marília, quando seu marido morreu e como nunca teve filhos, ela doou para que se transformasse em um orfanato. O sonho dela e agora o meu é construirmos outra ala para que possamos cuidar de meninos também. Com o dinheiro da exposição e, agora, com o que você nos deu, acredito que esse sonho possa ser concretizado.

– Fico feliz por ter ajudado. Como vocês fazem para cuidar de todas essas meninas? De onde vem o dinheiro para manter o orfanato?

– Esta cidade é cercada por fazendas, os fazendeiros nos ajudam mandando alimentos. Temos carne, frutas e verduras, além do leite que chega todos os dias. Além disso, algumas pessoas nos doam dinheiro, do qual usamos uma parte para outras despesas e a outra parte guardamos para a construção.

– Pensando bem, Esmeralda, o que acha de mandarmos todo mês uma quantia para ajudar com as despesas?

– Esse dinheiro vai ser muito bem empregado, Flora. E ajudando as crianças estaremos ajudando a nós mesmos.

– Está falando sério, Flora? – Selma perguntou, entre admirada e feliz.

– Claro que sim, Selma. O trabalho de vocês é muito bonito e precisa ser ajudado. Quando eu voltar para casa, vou ao banco ver como andam minhas finanças e reservar um dinheiro para que possa ser doado todos os meses. Assim, além de construírem a ala dos meninos, terão uma ajuda para poder mantê-los.

– Que felicidade você está me dando, Flora! Nem sei como agradecer!

– Não precisa agradecer. Estou vendo que você tem uma vida aqui e que é bem produtiva, se posso ajudar...

– Selma, preparei um chá para tomarmos enquanto conversamos. – Marília retornou e disse sorrindo.

– Que ótimo, Marília!

Olhou para Flora e Esmeralda e perguntou:

– Vamos até a sala?

– Vamos sim. – Flora respondeu, sorrindo.

Saíram do galpão e entraram na casa pela porta da cozinha, que era enorme. Depois de passarem por um corredor, entraram em uma sala que também era bem grande. Em um dos cantos da sala havia uma mesa e sobre ela uma toalha branca com um bordado delicado e lindo. Sobre ela, xícaras e bandejas com pães, bolos e salgadinhos. Marília apontou os lugares em que deviam se sentar e, depois, sentou-se também.

Depois de sentadas, começaram a tomar o chá e a comer as guloseimas.

Enquanto comiam, Flora falou:

– Selma disse que esta casa era sua e que você a doou para que fosse criado o orfanato, Marília.

– Verdade.

– Por que fez isso?

– É uma longa história, Flora.

– Estou curiosa, não quer nos contar?

– Não sei. É uma história como outra qualquer, sem muita graça.

– Não me parece que seja. Alguém que doa uma casa para que se transforme em um orfanato não é assim tão comum. Você deve ter tido um motivo muito sério para fazer isso.

– Realmente, tive.

– Conte-nos, Marília! Temos tempo. Só vamos nos mudar amanhã, hoje temos toda a tarde livre.

O olhar de Marília se perdeu no horizonte. Depois de alguns segundos, voltou a falar:

– Vou contar. Mas se ficarem cansadas basta dizer que eu paro na hora.

– Acredito que não vamos ficar cansadas, mas se isso acontecer eu mesma peço para você parar. – Flora disse rindo.

– Está bem, vamos lá. Embora eu e o meu marido tenhamos nascido nesta cidade, só nos conhecemos quando eu tinha dezesseis anos e ele dezessete. Eu estava indo para a escola e, como estava atrasada, corria. Ele também, atrasado, corria logo atrás. Foi quando uma de minhas amigas de classe chamou:

– *Marília, espere!*

– Ao ouvir a voz dela parei e me voltei. Ele não teve tempo de parar e nos trombamos violentamente. Para que eu não caísse, ele me abraçou, rindo, e nos olhamos nos olhos. Foi olhar e se apaixonar. Como dizem, foi amor à primeira vista. – Disse sorrindo.

– Que encontro lindo, Marília...

– Verdade! Selma, até hoje, quando me lembro, fico emocionada. Pareceu que o destino estava esperando aquele momento para que nos encontrássemos.

– Deve ter sido o destino mesmo. Dizem que ele tem uma maneira própria para fazer com que as pessoas se encontrem.

– Não sei se isso é verdade, Selma; mas que esse encontro foi estranho, foi. – Flora disse sorrindo.

– Continue, Marília!

– Vou continuar, Selma. Depois de alguns segundos abraçados e nos olhando, eu me soltei e ele perguntou:

– *Você estuda aqui?*

– Achei aquela pergunta meio boba, pois eu estava correndo em direção à escola.

– *Sim, faço o segundo ano de magistério, quero ser professora, e você?*

– *Estou no último ano do colegial. Depois, vou fazer faculdade de Medicina.*

– *Medicina? Mas aqui não tem faculdade.*

– *Sei disso, depois que me formar vou ter de ir para a Capital. Depois de seis anos vou voltar.*

– *Vai mesmo? Não acha melhor morar na Capital? Esta cidade é tão pequena...*

– *É pequena, mas é a minha cidade e gosto de morar aqui.*

– *Por que Medicina?*

– *Meu pai é médico aqui da cidade, e antes dele meu avô também foi.*

– *Você é filho do doutor Alencar?*

– *Sim. Você conhece meu pai?*

– *Quem não conhece seu pai? Ele é o único médico da cidade!*

– *Verdade. Eu, algumas vezes, me esqueço disso.*

– Bia, a amiga que ainda estava ali, só que um pouco distante, se aproximou:

– *Marília, estamos atrasadas, você não vai entrar?*

– Naquele momento, o que eu queria mesmo era continuar conversando com ele, mas sabia que não era possível, então respondi:

– *Vamos, sim.*

– Quando estava me afastando, ele disse:

– *Vou esperar por você na saída. Precisamos continuar a nossa conversa.*

– Ao ouvir aquilo, meu coração bateu mais forte. Queria ficar ali, mas sabia que não podia. Apenas acenei com a cabeça dizendo que sim.

– Nesse dia, você conseguiu acompanhar a aula, Marília?

– Claro que não, Esmeralda. Não consegui parar um minuto de pensar nele e nos seus lindos olhos. Quando a aula terminou, apressada, saí da sala e nem me lembrei de Bia, que me chamou:

– *Marília, espere! Estou guardando meu material.*

– *Não dá para esperar, Bia. Tenho um compromisso!*

– Ela começou a rir:

– *Sei bem que compromisso é esse.*

– Também ri e me afastei quase correndo, precisava saber se ele estava me esperando. Quando saí pela porta, olhei para o lugar onde tínhamos nos encontrado, mas ele não estava ali. Fiquei tão decepcionada que quase chorei. Bia se aproximou:

– *Ele não está esperando por você, Marília?*

– Olhei para ela e, triste, respondi.

– *Não, ele não está aqui. Acho que estava brincando. Vamos embora.*

– Eu estava de costas para a porta, ela de frente. Quando eu ia me virar Bia, rindo, disse:

– *Ele está vindo, Marília, e correndo!*

– Meu corpo todo estremeceu. Passei a mão pelos meus olhos para que ele não percebesse que eu estava chorando. Virei a cabeça por cima dos ombros no momento exato em que ele se aproximou:

– *Desculpe-me, o professor atrasou o final da aula. Faz tempo que está aqui?*

– *Não, acabei de chegar. Estava esperando pela Bia. Ela chegou e já íamos embora.*

– Não sei por que menti. Acho que estava envergonhada. Ele não percebeu e perguntou:

– *Ainda não sei seu nome. O meu é Péricles e já sabe que sou filho do doutor Alencar.*

– *O meu é Marília e sou filha do juiz Lourenço.*

– *Filha do juiz? Como nunca vi você antes? Devemos ter ido a várias festas da cidade!*

– Comecei a rir.

– *Verdade, mas não me lembro de ter visto você. Não saio muito de casa, meus pais não deixam. Só saio com a Bia. Não é, Bia?*

– Fiquei surpresa, Bia não estava mais ali. Eu estava tão envolvida com ele que nem percebi quando ela foi embora. Ele também não havia percebido e, rindo, disse:

– *Vamos embora? Que caminho você faz para ir para casa?*

– *Eu moro em uma casa lá na praça, perto do fórum.*

– *Moro do outro lado, mas posso acompanhar você até em casa?*

– *Claro que sim!*

– Naquele dia começamos a namorar. Ele me levou até a porta da minha casa. Durante o caminho foi me contando de suas aulas e como estava ansioso para o dia em que pudesse ir para a Capital. Eu fiquei ouvindo, mas não conseguia prestar atenção no que dizia. Estava encantada com aquele rosto tão lindo e aqueles olhos brilhantes.

– Não acredito! Você está falando a verdade? Ficou boba mesmo? – Selma perguntou, rindo.

– Fiquei, sim. Não se esqueçam de que eu tinha dezesseis anos. – Marília disse, também rindo, e continuou falando:

– Quando chegamos ao meu portão, ele pegou na minha mão, olhou nos meus olhos e disse:

– *Fiquei encantado assim que vi você, e olhe que nunca me interessei por menina alguma. Meu pensamento sempre esteve só nos meus estudos. Por isso, quero perguntar a você: quer ser minha namorada?*

– Fiquei sem saber o que responder. Ele voltou a repetir:

– *Você quer ser minha namorada?*

– Não sei.

– *Como não sabe?*

– Não sei, nunca namorei...

– Não gostou de mim?

– *Gostei, gostei muito, só não sei o que fazer...*

– *Já que gostou, vamos namorar?*

– Não sei, preciso falar com meus pais.

– *Eu converso com seu pai. Acredito que eles permitirão.*

– Ele estava segurando minha mão, quando minha mãe saiu da casa e nos viu. Ela se assustou, ficou parada e apenas disse:

– *Marília! Tudo bem com você?*

– Eu, ainda perplexa com tudo o que estava acontecendo, olhei para ela, mas não consegui responder. Assim que a viu, Péricles, sorrindo, soltou minha mão, abriu o portão e caminhou até ela. Estendeu a mão e disse sorrindo:

– *Meu nome é Péricles, sou filho do doutor Alencar. Conheci sua filha e desejo começar um namoro sério com ela.*

– Minha mãe, assim perplexa como eu, ficou ali, olhando para mim e para ele, mas não conseguiu dizer uma palavra sequer. Na porta, que estava aberta, meu pai apareceu e, parecendo nervoso, olhou para mim e perguntou:

– *O que está acontecendo aqui, Marília?*

– Péricles se voltou para ele e disse:

– *Como já disse para sua esposa, Excelência, meu nome é Péricles, sou filho do doutor Alencar. Conheci sua filha e desejo iniciar um namoro sério com ela. Podemos conversar?*

– Meu pai, surpreso, olhou para mim e perguntou:

– *O que tem a dizer a esse respeito, Marília?*

– Fiquei sem saber o que dizer. Eu queria namorar com ele, mas sabia que meus pais não deixariam. Ao ver que eu não respondia, meu pai olhou para Péricles e disse:

– *Você é atrevido, rapaz. Entre, vamos conversar.*

– Ao ouvir aquilo, respirei fundo. Conhecia meu pai e soube na hora que ele havia aceitado Péricles. Entramos e nos sentamos em dois sofás que havia na sala. Baixou um silêncio profundo que, embora durasse apenas alguns minutos, para mim e acredito que para todos pareceu uma eternidade. Para quebrar o silêncio, Péricles falou:

– *Como disse, conheci sua filha e desejo iniciar um namoro.*

– Em seguida contou como foi o nosso encontro e terminou dizendo:

– *Sei que o senhor vai dizer que somos muito jovens, mas não se preocupe com isso. Vou me formar este ano e como quero ser médico igual ao meu pai preciso ir para a Capital. O senhor sabe que aqui não tem faculdade.*

– Meu pai olhou para mim e para minha mãe, sorriu e disse:

– *Berta, peça que seja colocado mais um prato na mesa. Esse jovem vai almoçar conosco.*

– Péricles olhou para mim e sorriu. Eu, embora ainda um pouco nervosa com aquela situação, também sorri. Meu pai perguntou:

– Vamos almoçar, rapaz. Logo mais preciso ir para o fórum.

– *Desculpe-me, senhor, mas hoje não pode ser. Minha mãe está me esperando para o almoço e, se eu não chegar, ela vai enlouquecer. Sabe como é, sou filho único.*

– *Está certo, mas qualquer dia desses vamos almoçar. Aliás, vou conversar com seu pai para que ele e sua mãe venham também.*

– *Ele vai ficar feliz, senhor. Sempre fala muito bem a seu respeito.*

– Levantou-se, estendeu a mão para meu pai e depois para minha mãe e, sorrindo, disse:

– *Preciso ir embora, mas à noite eu volto para podermos conversar mais.*

– *Será bem-vindo. Marília, acompanhe o rapaz até o portão.*

– Eu estava feliz por toda aquela conversa. Sabia que meus pais haviam aceitado Péricles e que iam permitir o nosso namoro. Daquele dia em diante começamos a namorar. Ele me esperava, todos os dias, na saída da escola e me acompanhava até em casa. Só nos víamos na escola, porque ele estava estudando para prestar o vestibular. Mesmo assim, a cada dia nosso amor foi aumentando. O fim de ano chegou. Eu passei para o terceiro ano e ele terminou o colegial e precisava ir para a Capital. Foi difícil, mas sabíamos que era preciso. No dia em que ele foi embora eu o acompanhei até a rodoviária. Ficamos ali por um bom tempo esperando. O ônibus chegou e, antes de entrar, ele disse:

– *Você sabe que eu, se pudesse, não iria, mas é preciso. Desde pequeno quero ser médico. Estou pedindo que tenha paciência, vou escrever todos os dias contando como estou passando e espero que escreva também. Nas férias eu venho e poderemos ficar mais tempo juntos. Seis anos passam depressa e eu vou estudar muito para me formar e, assim, poder voltar logo. Promete que vai me esperar?*

– Eu estava tão emocionada e triste que não consegui responder, apenas o abracei e beijei com todo carinho e amor. Ele entendeu, correspondeu ao meu beijo e depois abraçou meus pais e os dele que também estavam ali. Entrou no ônibus que, logo depois, saiu devagar e eu fiquei ali, vendo-o desaparecer. Voltei para casa e chorei muito.

– Ele cumpriu a promessa, escreveu todos os dias? – Selma perguntou:

– Claro que não, Selma. Foi impossível com tanto para estudar, embora quisesse não havia tempo, mas veio em todas as férias e fins de semana prolongados.

– Perguntei porque achei que ia ser mesmo complicado.

As três riram. Marília continuou:

– Eu me formei no ano seguinte. Estava animada com a minha festa de formatura e feliz por ter me tornado professora, pois aquele era o meu sonho desde criança. O dia da festa estava próximo e eu muito feliz porque, além de ser uma noite especial, também estaria com ele. Mandei fazer um vestido lindo verde-claro. Ficava me imaginando naquele vestido, na música e eu em seus braços dançando a noite toda. Em uma tarde, estava em meu quarto lendo quando o telefone tocou. Como o livro estava em uma parte emocionante não me preocupei em atender. Depois de algumas chamadas e vendo que ninguém atendia, me levantei e fui até a sala. Peguei o telefone e atendi:

– Alô.

– Alô, Marília! Que bom que está em casa!

– Péricles! Não imaginei que fosse você! Só me telefona aos domingos...

– Sei disso, mas tenho algo para dizer que, sei, vai deixá-la triste.

– O que aconteceu?

– Não vou poder ir ao seu baile.

– O quê?

– Sinto muito, mas é isso o que ouviu.

– Por que não vai poder vir ao baile? Você prometeu...

– Eu pretendia ir, mas fiquei sabendo hoje que justamente no fim de semana que vai ser o seu baile vai haver um simpósio com vários médicos famosos. Eu não posso faltar, porque além de receber uma nota por comparecer, ouvir a palestra deles vai ser muito bom para o meu histórico escolar e aprendizado. Preciso aprender o máximo que puder. Quero ser um bom médico.

– Mas, Péricles, é a minha formatura! Estou sonhando e esperando por esse dia.

– Eu sei disso, Marília, mas não posso faltar. É muito importante.

– O meu baile não é?

– Claro que é. Estou arrasado, mas não tem outra maneira. Sei que você vai estar linda e que será muito cumprimentada. Na semana seguinte do baile, vou até aí e poderemos passar horas e horas juntos.

– Ele não veio ao seu baile, Marília?

– Não, Flora.

– Você não ficou braba?

– Fiquei triste, mas não braba. Eu sabia que, para ele, estudar era muito importante, pois assim não repetiria o ano e poderia voltar mais cedo para casa e para mim. – Marília respondeu sorrindo e continuou:

– O dia do baile chegou. Embora triste, me arrumei, coloquei o meu lindo vestido e, olhando para o espelho, sorri e me senti linda. Quando faltava meia hora para eu sair, o telefone tocou e, desejando que fosse ele, corri para atender:

– *Alô!*

– *Alô, Marília! Já está pronta para o baile?*

– *Estou, e linda!* – Respondi sorrindo.

– Sinto muito por não poder estar aí, mas prometo que, quando nos casarmos, para compensar esse dia vou fazer você muito feliz!

– Sei disso. Vou continuar esperando por você.

– Fui para o baile e, na medida do possível, me diverti. Apesar de tudo, estava feliz por ter conseguido o meu diploma. Sabia que o dia em que eu seria feliz ao lado dele estava chegando.

Enquanto comiam e tomavam chá, as três ouviam com atenção Marília contar sua história.

Quando terminou de tomar o último gole de chá, colocou a xícara sobre o pires e os dois sobre a mesa e continuou falando:

– Aquela era a primeira vez em que moças recebiam o diploma de professora, o que para todas nós era muito importante. Ser professora era o ideal das filhas de pessoas de posses da cidade, era motivo de orgulho para os pais e ainda é. Foi então que o prefeito, sabendo que haveria muitas professoras no final do ano, resolveu construir mais uma escola, e foi lá que fui dar aula.

– Assim que se formou já foi dar aula, Marília?

– Sim, Selma. Era o que eu mais queria, e como não havia muitas professoras porque algumas, assim como aconteceu com Péricles, foram embora da cidade para poderem fazer a faculdade, outras se casaram e também foram embora. Da minha turma só sobraram cinco professoras que foram contratadas imediatamente.

– Como foi dar aula sendo tão jovem e inexperiente?

– No começo, confesso que foi difícil, Esmeralda; mas com o tempo fui me acostumando e depois de alguns meses não tive mais problema algum. Ensinar foi o melhor que poderia ter acontecido comigo. Com tanto trabalho, não tive tempo de me desesperar com a falta de Péricles. Continuamos a nos ver nas férias e nos fins de semana prolongados e a nos falar todos os domingos por telefone.

– Deve ter sido difícil essa separação, já que se gostavam tanto.

– Foi sim, Flora, mas teria sido pior se eu não estivesse trabalhando. Além do mais, eu contava os anos, os meses e os dias que faltavam para ele se formar. O tempo demorou em passar, até que, finalmente, ele se formou. A nossa alegria foi imensa. Para o baile de sua formatura comprei outro lindo vestido. E, ao contrário do que havia acontecido na minha formatura, eu, minha família e a dele fomos para a Capital e participamos do baile. Eu estava feliz e orgulhosa, porque embora algumas vezes eu tivesse duvidado do amor dele por mim, sempre acreditei que um dia nos casaríamos. No dia seguinte ao baile, voltamos para cá. Eu e Péricles estávamos felizes e sonhando com nosso futuro. Dois dias depois que voltamos, ele pediu que sua mãe fizesse um jantar para mim e meus pais. Ela atendeu feliz e prontamente:

– Está bem, vou fazer, mas posso saber por que você quer esse jantar?

– Preciso fazer um comunicado e quero que todos estejam presentes.

– Está bem, mas não pode adiantar do que se trata?

– Não, mamãe! É uma surpresa!

– Surpresa? Espero que seja boa.

– Para mim é muito boa; não sei se vai ser para a senhora, nem sei se vai gostar.

– Não vou gostar, por quê?

– Eu disse que não sei se a senhora vai gostar. Não disse que não vai gostar. Talvez goste.

– Pare com isso, conte logo!

– Ele, rindo, saiu da sala e foi para seu quarto. Sua mãe, intrigada, ficou imaginando que surpresa poderia ser aquela. Conversou com o marido e marcou um almoço para o domingo seguinte. Fiquei feliz com o convite e, rindo, respondi:

– *Domingo é um bom dia, Péricles. Os meus pais e os seus poderão conversar a respeito do nosso namoro.*

O pai de Péricles estaria de folga, embora, como médico, nunca sabia quando ficaria em casa pois poderia ser chamado a qualquer momento. Ele trabalhava no único e pequeno posto de saúde que havia na cidade. Conversei com meus pais e disse que não sabia qual seria essa surpresa, e não menti, realmente não sabia.

– Não ficou preocupada, Marília? Não imaginou que ele poderia querer desmanchar o namoro?

Marília começou a rir:

– Não, Flora! Nem por um minuto imaginei isso. Havíamos esperado por tanto tempo que não seria justo se isso acontecesse.

– Pois se fosse eu teria feito uma história terrível na minha cabeça. – Flora disse, rindo.

Marília, também rindo, continuou falando:

– Ainda bem que eu não tenho muita imaginação para criar histórias.

Voltaram a tomar chá e a comer os doces e salgadinhos que estavam sobre a mesa. Depois, Marília continuou:

– No domingo eu e meus pais fomos para a casa de Péricles, e tanto dona Maristela, a mãe de Péricles, como seu pai nos receberam de forma muito amável. Dona Maristela havia preparado um almoço delicioso, o que nos mostrou o carinho com que ela havia preparado. Durante o almoço nos deliciamos e conversamos sobre vários assuntos. Péricles, que sempre falou muito, contou algumas coisas que havia acontecido durante o tempo em que estudou na faculdade. Depois do almoço e após comermos a sobremesa, fomos para a sala de estar. Péricles, sempre muito carinhoso, disse:

– *Sente-se ao meu lado, mamãe. Vou contar a surpresa que a senhora está tão curiosa para saber.*

– *Não só ela, mas todos nós, meu filho.*

– *Sei disso, papai, por isso vou ser breve. Eu e Marília conversamos e resolvemos marcar o nosso casamento para o ano que vem.*

– *Ano que vem? Tão cedo, meu filho?*

– Eu disse que a senhora podia não gostar, mas já esperamos muito. Está na hora.

– Mas vocês são ainda tão jovens!

– Ele começou a rir, abraçou e beijou a mãe que, emocionada, disse:

– Sabe, meu filho, não sei o que estou sentindo por saber que você vai sair de casa, mas, ao mesmo tempo, estou tranquila por saber que escolheu a moça certa e que vai iniciar uma nova família. Espero que vocês sejam muito felizes, a única coisa que me preocupa é que vocês são ainda muito jovens.

– Não somos tão jovens assim, mamãe. Agora é a hora certa.

– Meus pais também estavam surpresos pela rapidez com que tudo aconteceu:

– Bem, também achamos que vocês são muito jovens e que poderiam esperar mais algum tempo, mas se acham que está na hora, o que vamos fazer? Gosto de você, Péricles, e sei que vai fazer minha filha muito feliz, e isso é o que importa.

– Obrigado, Excelência, e pode ter certeza de que é isso mesmo que vai acontecer, eu e Marília vamos ser muito felizes.

– Eu também estava surpresa, pois Péricles não havia me dito que faria aquilo. Olhei para ele, que sorriu. Também sorri e fiquei calada, pois, no fundo, bem lá no fundo, era isso o que eu queria: me casar e ser feliz.

– Péricles segurou minha mão:

– Vamos ser felizes, Marília. Pode ter certeza disso.

– Aquele ano foi dedicado à preparação do casamento. Como minha mãe não queria que eu fosse para muito longe, meu pai, que tinha comprado este terreno, conversou com meu sogro e os dois construíram esta casa, que fica na esquina da praça, bem perto da casa de meus pais. No dia em que fui ver a casa onde íamos morar, me espantei com o tamanho.

– Quatro quartos, papai? Para que tantos? E esta sala tão grande, para que, papai?

– Para os meus netos, vou querer muitos e que tenham uma vida feliz e confortável. Nesta sala, eles vão poder brincar e correr à vontade sem perigo de se machucarem.

– Como nossas famílias eram conhecidas e respeitadas, nosso casamento foi lindo e um acontecimento na cidade. Nossa lua de mel foi em Paris.

– Vocês foram para Paris, Marília?

– Fomos, sim, Flora. Foram vinte dias de sonho e de felicidade, que nunca mais vou me esquecer.

– Que maravilha, Marília! Nunca estive em Paris; aliás, pensando bem, nunca fui para lugar algum.

– Nunca viajou, Flora?

– Não, nunca, Selma.

– Não entendo isso, Flora. Você sempre teve dinheiro, por que nunca quis viajar, conhecer o mundo?

Esmeralda, demonstrando tristeza, foi quem respondeu:

– Flora nunca se interessou realmente em viajar. Sempre teve outras coisas para pensar e planejar.

– Esmeralda sempre foi exagerada. Nunca viajei porque nunca senti vontade. Gosto de ficar em casa, lendo, ouvindo rádio. Gosto da solidão. Viajar é muito complicado: avião, hotel, malas; mas agora estou pensando, talvez eu planeje uma viagem para Paris. Você vai comigo, não vai, Esmeralda?

– Claro que sim, Flora. Sempre estive ao seu lado e vou continuar até quando Deus quiser. Estou feliz por você, finalmente, resolver continuar com a sua vida que está parada há tanto tempo.

– Vou mudar totalmente, Esmeralda. Você vai ver. Finalmente, entendi o que você sempre me falou. Realmente perdi muito tempo.

– Que bom, Flora. Até que enfim você resolveu começar a viver a vida!

– Bem, continue contando sua história, Marília. O que aconteceu depois que se casaram?

– Vou continuar, Flora. Desde que Péricles voltou para a cidade, com seu diploma, começou a atender pacientes ao lado do pai, mas teve dificuldades, porque as pessoas, por ele ser muito jovem, não confiavam na sua capacidade. Porém, aos poucos, ele foi conquistando clientes. Depois de dois anos de casados eu ainda não havia engravidado, o que chamou a atenção não só minha e de Péricles como também de toda a família, que sempre vinha com aquela pergunta:

– *Ainda não está grávida, Marília? Não quer um filho? Quando as crianças vão chegar?*

– No começo, não dei muita atenção. Mas, com o tempo, e vendo que não engravidava, aquela pergunta começou a me incomodar. Resolvemos ir para a Capital para eu me consultar com um colega de Péricles que havia se especializado em obstetrícia. Depois de alguns exames foi constatado que não tínhamos problema algum e que, a qualquer momento, poderíamos engravidar. Voltamos para a cidade e continuamos com a nossa vida, eu como professora e ele como médico. Até hoje não entendi o porquê de nunca ter tido um filho, já que não havia problemas, mas eu e Péricles sempre vivemos muito bem e fomos felizes. Vivemos juntos por dezoito anos. Algumas empresas vieram para cá, então a cidade cresceu e passou a não depender mais somente dos fazendeiros que moravam ao seu redor. Um jovem prefeito foi eleito e mudou a cidade completamente, criando pontos turísticos, o que atraiu muitas pessoas, assim como aconteceu com você, Selma.

– Verdade, Marília. Quando cheguei aqui estava perdida, nem imaginava o que ia acontecer com a minha vida.

Selma disse isso olhando para Flora e Esmeralda, que também olharam para ela. Marília, sem imaginar o que havia acontecido na vida daquelas três mulheres, continuou:

– Péricles se dedicava muito ao seu trabalho, porque assim como cuidava dos fazendeiros e de suas famílias, das pessoas de posses da cidade, também cuidava do mais humilde agricultor e de todas as pessoas que o procurassem.

– O que aconteceu com ele, Marília?

Certa manhã, sentiu forte dor no estômago, mas não ligou, disse que era apenas um mal-estar, tomou um antiácido e foi para o posto de saúde. Durante vários dias a dor voltou e ele não ligou. Como em casa de ferreiro o espeto é de pau, quando resolveu se consultar e fazer alguns exames já era tarde, estava com câncer no estômago. Fomos para a Capital para que ele fizesse um tratamento, que não deu resultado. Depois de seis meses ele morreu e me deixou sozinha. Sofri muito, fiquei sem chão e não sabia como continuar minha vida sem ele. A única coisa que eu queria era também morrer para poder ir ao seu encontro. Não entendia por que um homem como ele, que sempre se dedicou a ajudar a quem precisava, poderia morrer tão cedo.

– Verdade, Marília. Por tudo o que está nos contando, a morte dele não foi certa nem justa.

– Pensei exatamente isso, Flora. Ele era muito novo e tinha muito o que fazer. Por mais que eu tentasse, jamais conseguiria entender.

– Deve ter sido difícil mesmo, Marília. Não consigo imaginar o que seria da minha vida sem Roberto.

– Foi, sim, Selma. Tanto que cheguei a pensar que não conseguiria mais seguir em frente. Não conseguia mais lecionar, coisa que, depois de Péricles, era o que eu mais amava. Eu me vi nesta casa imensa que tinha sido construída para abrigar crianças que nunca vieram. Vivia chorando e me revoltei contra tudo, até contra Deus. Passava as noites acordada e dormia pouco durante o dia. Quando acordada, sempre perguntava a Deus:

– *Por que levou o meu amor? Logo ele que passou sua vida ajudando a todos que precisavam e o procuravam? Um homem tão jovem e feliz? Enquanto outras pessoas, más e egoístas, continuavam vivendo? Não está certo, não!*

– Deve ter sido muito difícil mesmo, Marília.

– Foi, sim, Flora. Eu não entendia nem aceitava como a vida, para mim, era tão injusta e não queria mais viver. Todos os meus sonhos e desejos tinham sido enterrados com Péricles. Fiquei assim por mais de dois meses. Meus pais tentaram me animar. Vieram em casa, queriam que eu fizesse uma viagem para me distrair, mas eu não queria coisa alguma. Queria só chorar e pensar em Péricles sem parar. Não consegui voltar à escola. Não sentia mais prazer em lecionar, em preparar as crianças para o futuro, porque sabia que se preparar e estudar de nada adiantaria, pois a qualquer momento elas poderiam morrer. Aqueles foram dias muito difíceis.

– Imagino como deve ter sido, Marília...

– Pois é, Esmeralda. A gente tinha tantos sonhos, tantos desejos. Eu e Péricles havíamos planejado tantas coisas, viagens que faríamos, mas que sempre foram adiadas para depois e que nunca mais seriam realizadas, tantas conquistas para alcançar e, de repente, tudo se acaba e a vida perde o sentido.

– Como eu disse, não consigo me ver sem Roberto e Carlos. Quanto tempo demorou para você voltar à sua vida normal, Marília?

– Quase seis meses. Embora eu não quisesse, pois não tinha a mínima vontade de receber ninguém ou mesmo de conversar, mas as pessoas insistiam em me visitar. Professoras da escola, minhas amigas, preparavam as crianças, que vinham até aqui, faziam versinhos, cantavam musiquinhas; mas nem aquilo, embora eu tenha achado lindo, me comoveu e me tirou daquela situação em que eu me encontrava. Meu único desejo era ficar ali, quieta, somente esperando a morte chegar. Muitas pessoas vieram me visitar. Minha mãe estava sempre ali, tentando me animar, mas, por mais que ela e todos tentassem, nada conseguia me tirar daquela apatia, daquele desejo de ficar sozinha e de só pensar nele. A única que não veio foi minha sogra. Eu, quando pensava nela, entendia, sabia que assim como eu ela devia estar sofrendo muito, pois se eu havia perdido o meu marido, ela tinha perdido um filho e, para uma mãe, não existe dor maior e não há como aceitar. Sabia que se para mim estava sendo tão difícil, para ela era pior. Ela não tinha como aceitar. Ela sempre gostou de mim e também me tratou como filha. Achei que ela não tinha vindo porque não queria que eu a visse sofrendo. Em uma manhã, eu estava deitada, sem vontade de me levantar, tomar banho ou ao menos sair para o quintal para respirar ar puro, quando a porta se abriu, e ela, minha sogra, acompanhada por minha mãe, entrou no quarto. Tanto uma como a outra tinham a chave da minha casa. Eu já estava ali por vários dias, com a janela fechada, pois só queria ficar no escuro, quieta, apenas deitada no lado da cama em que Péricles dormia. Queria ficar sentindo seu cheiro, sua presença. Achava que se fizesse aquilo poderia estar ao lado dele. Quando as vi, estremeci, me sentei na cama e perguntei:

– O que estão fazendo aqui?

– Levante-se, Marília. Viemos tomar um café com você! Olhe como o dia está lindo! É um presente de Deus para todos nós. Quem está feia é

você! Este quarto e você estão com um mau cheiro horrível e precisando de sol, de ar puro!

– Enquanto dizia isso, abriu as cortinas e o sol invadiu meu quarto. Por estar no escuro durante muito tempo, fui obrigada a fechar os olhos. Depois, rindo, perguntou:

– *Não está feliz em nos ver?*

– Na realidade eu não estava feliz, pois não estava disposta a ver ninguém, mas não podia ser mal educada com ela, que sempre me tratou com tanto carinho, como filha. Antes de responder, com a claridade do sol consegui vê-la perfeitamente. Fiquei ali, parada, olhando para ela e tentando entender o que estava acontecendo. Ela estava linda, maquiada, com os cabelos arrumados e com um lindo vestido de uma estampa colorida. Olhando para ela, pensei:

Essa mulher não pode estar dessa maneira, depois de ter perdido o filho. Como ela pode estar tão bem? A dor deve tê-la deixado louca!

– Ela, sem saber o que eu estava pensando, voltou a perguntar:

– *Não está feliz em nos ver, Marília?*

– *Claro que estou, dona Maristela, mas só um pouco intrigada.*

– *Intrigada com o quê?*

– *A senhora, desde que Péricles morreu, nunca tinha vindo me visitar.*

– *Nem você foi me visitar. Esqueceu de que eu sou a mãe dele e que também poderia estar sofrendo?*

– Envergonhada, tentei me defender:

– *Ele era meu marido e a senhora sabe como eu o amava...*

– *Verdade, mas eu sou a mãe e o amo muito também.*

– *Não estou entendendo, a senhora está falando como se ele não tivesse morrido...*

– *Na realidade, ele não morreu, somente voltou para o seu verdadeiro lar e está esperando chegar o nosso dia. A morte não existe, Marília, é apenas uma viagem que todos nós teremos, um dia, de fazer.*

– Revoltada, gritei:

– *Como a senhora pode estar assim?*

– *Assim como, Marília?*

– Toda maquiada, com os cabelos arrumados e com esse vestido estampado com cores vivas. Nem parece que perdeu seu filho, assim como perdi meu marido!

– Ela, olhando nos meus olhos, respondeu:

– Eu não perdi meu filho e você não perdeu seu marido. Ele apenas fez uma viagem para um lugar para onde todos nós, um dia, iremos também.

– O que a senhora está dizendo? Enlouqueceu?

– Não estou louca, só vejo a morte de uma maneira diferente de você. Para mim ela é uma ilusão, não existe. E Péricles continua vivo, só que vivendo em outra dimensão. Sonhei com ele esta noite, estava lindo e feliz ao lado de minha irmã, Zenaide.

– Por causa de um sonho a senhora acha que ele está vivo?

– Ela sorriu, se aproximou e me pegando pelos braços fez com que eu me levantasse e foi dizendo:

– Venha tomar um banho, vai se sentir melhor.

– Eu me levantei e, sem ter opção, entrei no banheiro, abri o chuveiro e fiquei lá por muito tempo. Ainda não estava entendendo o que estava acontecendo e pensei:

Preciso fazer o que elas querem, senão não irão embora.

– Quando terminei de tomar banho, realmente, me senti melhor. Fui até a cozinha e encontrei a mesa posta e as duas conversando animadamente. Devagar e desconfiada, entrei. Assim que minha mãe me viu, sorrindo, disse:

– Venha, minha filha, sente-se. Preparamos o café da maneira que você gosta. Eu trouxe bolo e pão e Maristela trouxe frutas. Você precisa se alimentar, está muito abatida.

– Sentei-me, coloquei café com leite na xícara, peguei um pedaço do bolo de laranja que minha mãe sabia que eu gostava e, em silêncio, comecei a comer e a beber. Eu não entendia o que estava acontecendo, por isso me calei. Só queria que fossem embora. Elas, ao contrário de mim, enquanto comiam e bebiam, conversavam alegremente. Eu continuava sem entender aquela situação que, para mim, parecia sem cabimento. Minha sogra disse:

– *Sabe, Marília, eu e sua mãe estivemos conversando e resolvemos fazer uma viagem por vinte ou trinta dias pela Europa. Ir até Roma, Paris e, quem sabe, darmos uma escapadinha para Lisboa. Essas cidades, por coincidência, nós duas adoramos. Nelas, podemos reviver a História. O difícil vai ser convencer seu pai e seu sogro.*

– *É verdade, filha. Seu pai, apesar de ter se aposentado, não consegue largar os livros e ainda está, de vez em quando, ajudando o juiz Eduardo. Ele veio da Capital para assumir o lugar de seu pai. Como ele é ainda muito jovem, algumas vezes tem dificuldade e seu pai sempre o ajuda.*

– *O mesmo acontece com Alencar, vai ser difícil convencê-lo. Sempre quisemos fazer uma viagem como essa e sempre adiamos, achávamos que tínhamos bastante tempo. Agora, acho que está na hora. Depois que o hospital da cidade foi construído, vieram novos médicos e ele está atendendo a poucos pacientes. Vai poder tirar alguns dias para que possamos viajar. Você não quer ir, Marília?*

– Eu estava confusa com aquela situação. Nervosa, respondi:

– *Não! Não quero viajar! Quero ficar em paz, aqui na minha casa! Não estou entendendo como podem ficar calmas assim, parecendo que nada aconteceu! Meu marido e seu filho morreu, dona Maristela! Será que a senhora não está dando atenção a isso, não está sentindo? Não gostava de seu filho?*

– Para minha surpresa, ela, sorrindo, disse:

– *Demonstrar sofrimento, chorar e se lastimar não significa que você gostava dele mais do que eu. Eu não gostava do meu filho, eu o amei desde o dia em que soube que estava grávida e durante toda sua vida e, agora, eu o amo ainda mais. Por amá-lo muito é que não fico chorando, sofrendo e me revoltando. Como sempre quis que ele fosse feliz, agora quero muito mais e isso só vai acontecer se ele souber que estou bem; caso contrário, se souber que estamos sofrendo, que paramos nossas vidas, também sofrerá e não conseguirá continuar sua missão na Espiritualidade.*

– *Como assim "souber"? O que a senhora está falando? Ele está morto!*

– *Não, ele não está morto, Marília. Ele simplesmente está vivendo em outro plano e, como eu já disse, está em um lugar para onde todos nós iremos um dia.*

– *Não estou entendendo. De onde a senhora tirou essa ideia?*

– *Já há algum tempo, tenho estudado a Doutrina Espírita e com ela estou aprendendo muitas coisas que estão me ajudando a viver e a entender alguns fatos que aconteceram e acontecem e que, provavelmente, ainda vão acontecer na minha vida.*

– *Doutrina Espírita? Aquela em que as pessoas dizem que conversam com os mortos?*

– Ela, rindo, tirou da bolsa alguns livros e, colocando sobre a mesa, disse:

– *Essa mesma. Porém, não é bem assim como está pensando. Trouxe estes seis livros. Como você está se recusando a sair de casa, se quiser, comece a ler. Seria interessante que começasse por este e depois lesse com atenção, com vontade de entender e de aprender, estes outros.*

– Peguei o livro que estava sobre os outros, em minhas mãos, e, olhando para a capa, li: *Nosso Lar*[1].

– *É este que a senhora quer que eu leia primeiro? Por quê?*

– *Por que nele você vai encontrar muitas respostas, eu diria até que para todas as perguntas que está se fazendo neste momento. Depois que terminar de ler, se quiser, poderemos voltar a conversar. Se ainda estiver interessada em ler e saber mais, leia estes outros cinco. Eles foram deixados por Allan Kardec. Neles estão a base da doutrina. Garanto a você que, quando terminar de ler, vai entender o porquê de eu estar da maneira como estou.*

– Coloquei o livro sobre a mesa e, ainda nervosa com tudo aquilo, disse:

– *Desculpe-me, mas não vou ler. Não tenho intenção alguma de mudar de religião.*

– *Em que momento eu disse que era para você mudar de religião? Não disse e nem vou dizer. Você está feliz na sua religião, que bom! Continue nela. Só estou pedindo que leia estes livros. Isso, também, se quiser. Só posso dizer que, ao ler, vai ter todas as respostas que procura. Depois, se quiser nos acompanhar, eu e sua mãe estamos indo a um centro espírita.*

– Ao ouvir aquilo, olhei para minha mãe e, ainda nervosa, perguntei:

– *A senhora está indo a um lugar desses?*

---

1 – XAVIER, Francisco Cândido. Pelo espírito André Luiz. *Nosso Lar*. São Paulo: FEB, 1944. (N.E.)

– Estou, filha. Também não aceitei muito bem a morte de Péricles. Ele era muito jovem e tinha tanto ainda para fazer. Aliás, nunca entendi ao ver jovens morrerem enquanto velhos que já viveram tudo o que tinham para viver continuarem vivos. Para mim, isso tudo era muito difícil de compreender. Conversei com Maristela, que me falou a respeito dessa doutrina e me deu esses mesmos livros para que eu lesse. Li e, realmente, tive todas as respostas. Agora, estou indo com ela a esse centro espírita, estudando muito para poder saber mais. Leia, Marília. No mínimo, você vai se distrair.

– Não estou em condições de ler. Sei que não vou conseguir me concentrar.

– Tem razão. Marília. Realmente é muito difícil. Porém, se conseguir, vai se sentir muito bem. Agora, precisamos ir embora.

– A senhora também vai embora, mamãe?

– Preciso ir, seu pai está esperando por mim. Você sabe que ele não gosta de ficar sozinho.

– Sua mãe deixou você sozinha, mesmo sabendo o quanto estava desesperada, Marília?

– Deixou, Selma. Mais tarde, depois que tudo passou, elas me contaram que haviam combinado. Disseram que eu precisava ficar sozinha para me interessar em ler os livros.

– Você leu?

– Depois que elas saíram, fiquei inconformada. Eu não entendia e não aceitava a atitude de minha sogra e, agora, a de minha mãe. Parecia que elas não se importavam com a morte de Péricles. Assim que saíram, sem olhar para os livros, voltei para o meu quarto. Lá era o único lugar que eu queria estar e onde me sentia protegida, pois lá ainda sentia o cheiro de Péricles. Claro que isso não era verdade. Fazia muito tempo que ele já tinha morrido, mas, na minha cabeça, o cheiro dele ainda estava lá. Fiquei por algum tempo deitada e chorando. Não entendia coisa alguma daquilo que minha sogra havia dito. Só o que eu sabia era que Péricles havia morrido e que eu estava sem ele. Não sei precisar quanto tempo se passou, só sei que, de repente, senti vontade de me levantar. Levantei-me e fui para o quintal. Olhei para o céu, que estava lindo. Fiquei ali, quieta, sem nem mesmo pensar. Estava extasiada com a beleza daquele dia. Entrei em casa e, quando estava passando pela sala, vi os livros sobre a mesa. Peguei aquele que minha sogra havia dito que era para eu ler primeiro. Com ele não mão voltei para o meu quarto, me deitei e, sem muita vontade, comecei a ler. Aos poucos, fui vendo que ele falava da morte, porém, de uma maneira diferente. Não consegui parar de ler. Aquele livro parecia ter sido escrito para mim. Terminei de ler no dia seguinte pela manhã quase na hora do almoço e, com ele ainda na mão, pensei:

Será que isso é verdade? Será que aqueles que morrem aqui continuam vivendo em outro lugar?

– Acreditou mesmo no que leu, Marília?

– Confesso que fiquei intrigada, Flora, e pensei que se tudo aquilo que estava escrito naquele livro fosse verdade, a vida seria bem diferente do que aquela que eu conhecia até então. Nele, estava escrito que somente o perdão pode nos levar até Deus. Além de que somente nós somos responsáveis por nossos atos e que tudo o que fizermos de bom ou de ruim retornará para nós mesmos na mesma proporção.

– Perdão? Você acredita que todos nós podemos perdoar o mal que o outro nos fez?

– Acho que em algumas ocasiões é difícil, mas sempre é possível, Flora. Sinceramente não posso saber porque nunca tive de perdoar ninguém. Jamais alguém me fez algum mal que, realmente, me prejudicasse. Mas hoje, depois de ter aprendido e aceitado a doutrina, creio que conseguiria perdoar, sim.

– Eu não sei se conseguiria perdoar alguém que me magoou ou que ainda vai me magoar.

Esmeralda olhou para Selma, que baixou os olhos. Ela sentiu um arrepio correr por seu corpo, mas Esmeralda conseguiu afastar o mal-estar. Selma, levantando os olhos, disse:

– A tia do meu marido seguia essa religião. Ela me disse que temos o livre-arbítrio e com ele podemos fazer nossas escolhas. Disse também que existe a Lei do Retorno, pela qual tudo o que fizermos de bom ou de ruim retornará na mesma proporção. Por isso, tudo o que nos acontece será sempre de nossa responsabilidade e o resultado de nossas escolhas. Não adianta tentarmos culpar outra coisa ou outras pessoas.

– Quer dizer que se alguém fizer algo muito ruim que nos magoe, ofenda e nos faça sofrer, não precisamos nos preocupar nem tentar nos vingar porque esse alguém pagará pelo que fez?

Marília, sem saber o que havia acontecido na vida dela, respondeu:

– Isso mesmo, Flora. Por isso que em qualquer situação precisamos perdoar para, assim, nós, que éramos vítimas, não nos tornarmos os agressores. Precisamos deixar que a Lei Divina caminhe, e ela caminha.

Esmeralda, percebendo que aquela conversa estava tomando um rumo perigoso, disse:

– Marília, sua história é linda. O que aconteceu em seguida?

– Depois de terminar de ler, resolvi que precisava saber mais. Olhei para o relógio e vi que faltavam quinze minutos para o meio-dia, hora em que na casa da minha sogra o almoço era servido. Troquei de roupa e fui para a casa dela. Estranhamente, naquela manhã eu estava com fome. Era a primeira vez que eu saía de casa desde a morte de Péricles. Assim que ela me viu, sorrindo, abriu os braços para me receber:

– *Marília, que bom que veio! Parece até que eu sabia que viria. Pedi que a Neusa preparasse o macarrão que você tanto gosta!*

– *Que bom! Obrigada, dona Maristela! Agora, vamos almoçar?*

– Depois de muito tempo, foi a primeira vez que comi muito bem. Após o almoço, conversei com ela sobre o livro e disse que queria saber mais daquela doutrina que até então havia sido tão discriminada por mim. Ela, rindo, disse:

– *Não se preocupe com a discriminação, pois, na hora certa, quem precisa chega até ela. Agora, se quer saber mais, precisa estudar muito. Por isso deixei os outros livros. Com eles você vai ter toda base que precisa. Porém, se quiser mais, hoje à tarde eu e sua mãe vamos ao centro espírita, se quiser poderá ir conosco.*

– Espere um pouco, Marília. Antes que você continue a contar preciso ir até o galpão ver como as meninas estão.

– Vá, Selma, mas volte logo. Estamos ansiosas pelo resto da história.

– Voltarei, sim, Flora.

Apressada, Selma saiu. Flora, Esmeralda e Marília serviram-se de mais chá e guloseimas.

A Espiritualidade trabalhando

Sem que elas imaginassem, duas entidades estavam ali, vestidas com jalecos brancos. A mulher perguntou:

– Lembra-se desse dia, Péricles, em que eu trouxe você para visitar Marília?

– Lembro, Zenaide. Nunca poderei esquecer. Quando acordei aqui não entendi o que estava acontecendo. Embora soubesse da minha doença e que poderia morrer a qualquer momento, não conseguia aceitar que estava morto, pois me sentia vivo. Não conseguia aceitar ter deixado Marília sozinha, sabia o quanto ela devia estar sofrendo. Mas vocês me disseram que eu não poderia me aproximar dela, pois ainda estava muito revoltado.

– Verdade, Péricles. E, como não aceitava, suas energias fariam mais mal do que bem a ela.

– Você e todos os outros ficaram ao meu lado me confortando e me mostrando o que havia acontecido em outras encarnações. Eu, Marília e a nossa família sempre estivemos juntos, uns ajudando os outros. Desta vez, Marília trouxe uma missão importante não só para ela como para outros espíritos que estavam renascidos e que ainda iriam renascer. Ela escolheu ajudá-los. Todos nós renascemos somente para ajudá-la e aos outros que ficaram pelo caminho. Fiquei pouco tempo ao lado dela, porque precisava continuar minha missão, como médico, na Espiritualidade.

– Foi isso o que aconteceu. Depois de conhecer o passado e saber da importância de sua missão, Marília demorou algum tempo mas aos poucos foi aceitando.

– Lembro-me bem desse tempo, Zenaide. Via Marília sofrer tanto que só me restava pedir a você que me trouxesse até aqui para vê-la e de alguma maneira poder ajudá-la, confortá-la. Naquele dia eu estava me sentindo muito mal, porque o sofrimento dela me atingia e fazia com que eu sofresse muito. Foi quando você chegou, me chamou e disse:

– Chegou a hora, Péricles. Precisamos nos preparar.

– Intrigado, perguntei:

– Preparar para quê? Vamos visitá-la?

– Sim. Hoje, você está bem e esclarecido, e Marília está precisando de nossa ajuda. Está chegando a hora de começar sua missão.

– Aquela notícia era tão boa e importante que custei a acreditar, por isso voltei a perguntar:

– Está dizendo que poderei ir vê-la, Zenaide?

– Sim, Péricles, você está pronto para ficar ao lado dela e ajudá-la.

– Estou muito feliz! Embora eu desejasse muito, nunca imaginei que este dia chegaria!

– Sei disso. Eu sempre disse que chegaria o dia e que você precisava ter paciência. O dia chegou!

– Fiquei muito alegre, me preparei muito. Queria que tudo fosse perfeito e, antes de sairmos, perguntei:

– Como vai ser feito?

– Vamos falar com Maristela, que foi sua mãe nessa encarnação.

– Minha mãe?

– Sim. Quando você voltou para a Espiritualidade, ela ficou desesperada e encontrou consolo em uma doutrina.

– Que doutrina?

– Doutrina Espírita.

– Eu ouvi falar qualquer coisa a respeito dessa doutrina, mas nunca me interessei em saber mais.

– Foi uma pena, pois se tivesse se interessado, quando chegou aqui talvez não tivesse levado tanto tempo para entender o que estava acontecendo.

– Por que, quando cheguei aqui, nunca me falaram sobre essa doutrina?

– Existem muitas religiões, por isso, não podemos falar de nenhuma. A maioria das pessoas, quando chegam aqui, trazem suas crenças enraizadas e se assustariam se começássemos a falar sobre uma só, sobre espíritos e reencarnação. Por isso, damos um tempo. Cada uma continua seguindo sua religião e, quando entendem que já desencarnaram mas que a morte não existe, chegou a hora de conversarmos sobre a Espiritualidade.

– Foi isso o que fizeram comigo?

– Sim. Hoje você ainda tem muita coisa para entender, mas não vai ser agora nem aqui. Vamos falar com sua mãe e você vai saber do que estou falando.

– Vamos aparecer na frente dela? Ela vai se assustar!

– Claro que não. Vamos falar enquanto ela estiver dormindo.

– Enquanto ela estiver dormindo, como?

– Sim. E quando acordar vai dizer que sonhou. Quando dormimos aqui ou em qualquer lugar, nosso espírito se liberta e pode ir para onde quiser e puder. São nesses momentos que podemos falar com quem quisermos.

– Estou curioso para ver isso acontecer, Zenaide.

– Vai ver. Agora vamos?

– Quando chegamos já era alta hora da madrugada. Fomos direto para a casa dos meus pais. Assim que entramos no quarto, percebemos que ambos dormiam tranquilamente. Nós nos aproximamos e você chamou minha mãe pelo nome:

– Maristela, acorde.

– Fiquei assustado porque ela, embora estivesse dormindo, abriu os olhos, sorriu e, parecendo muito feliz, perguntou:

– Filho, você está aqui?

– Emocionado e me esforçando para conter as lágrimas, respondi:

– Sim, mamãe. Vim visitar a senhora e o papai.

– Que felicidade, meu filho! Você está lindo! Está bem? Morro de saudade...

– Estou bem, mamãe. Só não estou melhor por causa de Marília. Ela não está bem e precisa da nossa ajuda.

– Sei que ela não está bem, mas não sei como conversar com ela e tirá-la daquela situação. Ela não aceita sua morte, filho.

– É por isso que estamos aqui, Maristela.

– Só naquele momento, minha mãe viu você e quase gritou:

– Zenaide! Você também está aqui?

– Estou, minha irmã, e tenho estado ao seu lado durante todo o tempo.

– Minha irmã querida! Como você está? E a mamãe e o papai?

– Estamos todos bem e nos preparando para uma nova encarnação.

– Estou muito feliz em saber que está ao lado do meu filho. Pedi tanto por isso. Não queria que ele ficasse sozinho.

– Ele não está e nunca esteve sozinho. Temos muitos amigos aqui.

– Graças a Deus! Quando você morreu, eu, mamãe e papai ficamos desesperados e demorou muito para aceitarmos. Você era uma jovem tão linda e tinha tantos sonhos...

– Mas foi também naquele tempo que vocês se aproximaram da doutrina e entenderam que tudo está sempre certo, não foi?

– Foi sim, e como sou agradecida. Se não fosse por ela, acho que ainda hoje estaria desesperada e mamãe e papai também. Quando Péricles morreu eu teria ficado louca.

– Como você passou por tudo isso e sabe como é difícil este momento, é que estamos aqui. Sabendo como é difícil, vai poder nos ajudar a ajudar Marília.

– Claro que sim! O que preciso fazer?

– Precisa conversar com Berta, e vocês duas precisam ir à casa de Marília. Deixem alguns livros e peçam que ela os leia. Conversem com ela, tentem animá-la. O resto deixe por nossa conta. Eu e Péricles ficaremos ao lado de vocês e as ajudaremos. Marília tem uma missão importante e precisa começar.

– Claro que vou fazer isso! Vou telefonar agora mesmo para Berta!

– Zenaide começou a rir:

– *São três horas da manhã, Maristela. Você e ela estão dormindo. Vai fazer isso amanhã quando acordar.*

– Só naquele momento, Maristela lembrou-se que estava dormindo e, rindo, disse:

– *É verdade, Zenaide.*

– *Feche os olhos, Maristela e, quando acordar, saberá o que fazer.*

– Na manhã seguinte, Maristela, ao acordar, achou que havia sonhado com você e comigo, não se lembrava do que havia acontecido nem do que havíamos conversado, mas sentiu uma vontade enorme de conversar com Marília e de pedir ajuda a Berta. Telefonou para Berta, conversaram e foram para a casa de Marília.

– Lembro-me bem. Elas foram para lá e nós também. Maristela, sob sua influência, disse tudo o que Marília precisava ouvir e deu certo.

– Verdade, Péricles. Olhe, Selma está voltando, vamos continuar ouvindo Marília.

Início de missão

Após alguns minutos, Marília retornou e sentando-se disse:

– Está tudo bem lá no galpão. Sandra está com as meninas e tem tudo sob controle.

Flora largou sobre a mesa a xícara de chá e disse:

– Pode continuar a contar, Marília. Como foi que o orfanato surgiu?

– Daquele dia em diante, continuei lendo e estudando a doutrina. Quanto mais estudava, mais encontrava minhas respostas. Aprendi, com a doutrina, que todos nós nascemos com uma missão e que, quando menos esperamos e na hora certa, ela aparece. Sempre gostei de lecionar e achava que essa era a minha missão, por isso voltei a realizar esse trabalho. Continuei lecionando, estudando a doutrina e vivendo minha vida por mais dois anos. Hoje, acho que foi o tempo que precisei para estar pronta para minha missão. Eu sentia que esta casa era muito grande para mim, que vivia sozinha, então pensei em morar em um local menor. Em um domingo em que eu e meus sogros almoçávamos na casa dos meus pais eu disse:

– Estive pensando em vender a minha casa, pois ela está muito grande para mim, acho que seria melhor eu me mudar para uma casa menor.

– *Pode vir morar aqui em casa, minha filha.*

– *Obrigada, mamãe. Mas fiquei tanto tempo na minha casa com minhas coisas que acho que seria difícil morarmos juntos. Eu amo a senhora e o papai, mas prefiro morar na minha própria casa.*

– *Eu poderia convidar você para morar na nossa casa, Marília, mas acho que tem razão. Acostumou-se a ter sua casa e suas coisas.*

– *Ela tem razão, Berta. Só acho que não é preciso vender a casa. Temos aquela da esquina que é pequena e fica logo ali.*

– *Seu pai tem razão. Morando nessa casa aqui perto será melhor e poderemos nos ver sempre que quisermos.*

– *Obrigada, dona Maristela. Acho que será bom mesmo; porém, como a casa está fechada há muito tempo, vou continuar na minha casa até que ela seja reformada.*

– Meu pai ficou radiante:

– *Que bom, filha. Amanhã mesmo vou cuidar disso.*

– No dia seguinte a essa decisão de me mudar, pela manhã, quando acordei e como fazia todos os dias, saí para o quintal para ver como estava o dia e regar o meu jardim e uma pequena horta. Estava regando, quando alguém bateu palmas. Abri o portão e vi uma jovem que segurava uma menina pela mão. Assim que ela me viu, disse:

– *Bom dia, senhora. Meu nome é Rita e essa é minha filha, Sandra.*

– Olhei para a menina, que parecia ter seis ou sete anos. Voltei os olhos para a senhora, que continuou:

– *Meu marido morreu, não consegui pagar o aluguel e fui despejada. Não tenho para onde ir e levar minha filha. Alguém me disse que a senhora está procurando uma empregada. Será que me aceitaria, em troca de casa e comida para nós duas?*

– Fiquei chocada pela situação daquela mulher, tão jovem e com um problema tão grave quanto aquele e, embora eu na verdade não houvesse pensado em contratar uma empregada, pois tinha resolvido que deixaria para quando me mudasse para a outra casa, respondi:

– *Dentro de no máximo um mês estou mudando de casa, mas para onde eu vou tem dois quartos e um pode ficar para você e essa menina lin-*

da. Além de poder morar lá você receberá um salário para poder comprar o que quiser ou guardar para poder alugar uma casa e morar sozinha.

– Obrigada, senhora! Eu estava desesperada e achava que não tinha como resolver, como dar um lugar para que minha filha vivesse...

– Fiquei calada, apenas sorri e pensei naquilo que havia aprendido na doutrina.

– E o que foi, Marília?

– Aprendi que nunca estamos sós e que, quando precisamos, a ajuda, de alguma maneira, sempre vem. Ainda sorrindo, pedi que entrasse. Ela e a filha estão aqui até agora. Sandra, sua filha, estudou e está terminando o magistério, vai ser professora. Eu fiz de tudo para que nada lhe faltasse, sempre a considerei como se fosse minha filha. Daquele dia em diante, Rita se tornou meu braço direito. Sempre esteve ao meu lado nos bons e nos maus momentos. O tempo passou. A casa para onde eu iria foi sendo reformada. Aquela manhã, como costumava fazer todos os dias, me levantei e fui para o jardim. Eu não me importava de mudar de casa, só sabia que sentiria muita falta do meu jardim. Estava ali, sentada em um banquinho que ficava perto do portão, quando Rita trouxe uma xícara com café. Como de costume, ela sentou-se ao meu lado, quando ouvimos o choro de uma criança que vinha do lado de fora da casa. Nos levantamos, Rita abriu o portão e vimos que o choro vinha de uma cesta que fora deixada ali. Ela foi mais rápida, e surpresa disse:

– Dê uma olhada no que tem nesta cesta, dona Marília!

– Olhei e, também assustada, disse:

– Duas crianças, Rita! Não sei o que fazer.

– Rita olhou para dentro da cesta e, rindo, disse:

– Vamos levá-las para dentro. Depois a senhora vai chamar seu sogro. Ele é médico e vai saber o que fazer.

– Foi o que fizemos. Ela pegou a cesta e entramos em casa. Eu, como se fosse também uma criança, apenas a segui. Fomos para o meu quarto. Ela tirou as crianças da cesta e vimos um papel onde estava escrito:

> *Estou doente e não tenho como cuidar das minhas filhas. Não sou da cidade, mas vi que esta casa é muito grande e que vai ter um lugar para elas crescerem felizes. Por favor, cuidem delas.*

– O papel estava mal escrito, mostrando que a mãe deveria ter estudado pouco. Fiquei emocionada:

– Duas meninas, Rita? Pobre mulher! Como deve ter sido difícil para ela abandonar as filhas.

– Deve ter sido muito difícil, dona Marília, e parecem ser recém-nascidas. Telefone para seu sogro, ele vai saber o que fazer.

– Ainda muito nervosa, telefonei para a casa da minha sogra e, com voz trêmula, contei o que estava acontecendo. Ela atendeu e, depois de me ouvir, disse:

– Não fique nervosa, Marília. Estamos indo para aí.

– Chegaram logo depois. Durante o tempo em que os aguardava, resolvi:

– Quero ficar com essas meninas, Rita, mas vou precisar de ajuda. Não sei como cuidar de crianças recém-nascidas...

– Rita sorriu e disse:

– E o que estou fazendo aqui, dona Marília? Elas são mesmo muito pequenas, mas, se a senhora quiser, vou ficar aqui e ajudar no que for preciso.

– Meus sogros chegaram. Ele examinou as crianças e disse:

– Parece que estão bem. Devem ter no máximo dois dias de nascidas. Precisamos levá-las ao hospital para que fiquem em observação.

– Quero ficar com elas!

– Como, Marília, o que está dizendo?

– Quero ficar com elas. Eu não tive filhos e elas me foram dadas de presente.

– Não sei como isso pode ser feito. O juiz é seu pai. Enquanto elas estiverem no hospital, converse com ele, que saberá o que fazer.

– Dona Maristela me abraçou e disse:

– Vamos entregar nas mãos de Deus. Somente Ele sabe o que deve ser feito.

– Levamos as meninas para o hospital. Assim que elas foram atendidas e internadas, fomos para a casa dos meus pais. Contei o que havia acontecido e terminei dizendo:

– Quero ficar com as meninas, papai. Elas são lindas!

– Meu pai, parecendo ter levado um susto, respondeu:

– Não pode ser, Marília.

– Não pode, por quê?

– Você é sozinha e uma criança só pode ser adotada por uma família constituída por pai e mãe. Acho que você ainda não está bem.

– Isso é um absurdo! Elas são um presente de Deus, papai! Eu não ter marido nada quer dizer, o senhor sabe que tenho condições financeiras para dar uma boa vida para essas meninas, que foram abandonadas tão pequenas. Elas serão muito felizes se ficarem aqui, comigo.

– Duas crianças vão dar muito trabalho. Acha que tem estrutura para cuidar delas?

– Tenho. Além do mais a Rita vai me ajudar. E sei que, se precisar, mamãe e dona Maristela me ajudarão também.

– Olhei para elas, que sorriram e acenaram com a cabeça dizendo que sim. Poderei também contratar mais uma ou duas pessoas. Quero ficar com elas.

– Você está se esquecendo de que não sou mais juiz, minha filha. Precisa conversar com o doutor Eduardo. Ele agora é o juiz da cidade.

– O senhor pode falar com ele, já o conhece e pode convencê-lo a deixar que elas fiquem comigo.

– Não, não! Não posso interferir assim. Somente ele pode decidir. O máximo que posso fazer é ir com você até o fórum e conversarmos com ele. Porém, o que ele decidir estará decidido; não vou interferir.

– Desesperada, olhei para minha sogra e para minha mãe, que sorriram. Entendi que elas estariam ao meu lado. Meu pai me acompanhou até o fórum, onde o juiz Eduardo acabara de chegar. Assim que nos viu, veio ao nosso encontro com um sorriso:

– Excelência! O senhor por aqui? Veio matar a saudade?

– Meu pai também sorriu:

– Não, não estou com saudade. Temos um assunto para tratar. Conhece minha filha, Marília?

– Não, não a conheço. Prazer em tê-la aqui, senhora. Disse que tem um assunto para tratarmos. Vamos entrar na minha sala?

– Entramos. Eu já a conhecia, pois papai por muitos anos a usara.

Não era muito grande. Tinha uma mesa, três cadeiras, um pequeno sofá e uma estante com muitos livros. O juiz, antes de se sentar, nos apontou as cadeiras para que nos sentássemos. Nós nos sentamos, meu pai contou o que estava acontecendo, e eu terminei dizendo:

– *Quero muito ficar com as meninas.*

– *Mas, a senhora é viúva, não é?*

– *Sim, mas tenho muito amor e boas condições financeiras para cuidar delas.*

– Ele pensou por alguns segundos e, olhando para meu pai, disse:

– *Sinceramente, não sei como decidir. Nunca apareceu algo assim para que eu julgasse. Sabemos que as crianças precisam crescer em um lar saudável, com pai e mãe. Preciso perguntar: se essa senhora não fosse sua filha, o que faria, Excelência?*

– *Provavelmente pensaria muito; mas, sendo minha filha, sei que vai cuidar muito bem dessas crianças. Porém, a decisão é sua e acataremos.*

– Ele voltou a pensar por algum tempo e, olhando para mim, disse:

– *Vamos fazer o seguinte. Como a cidade não tem um orfanato para onde possam ser levadas, elas podem ir para sua casa e, dentro de alguns dias ou meses, vamos ver se ainda quer ficar com elas e se a mãe não aparece. Voltaremos a conversar, está bem assim?*

– Eu não consegui esconder a minha emoção e felicidade. Agarrei a mão dele com minhas duas mãos e, seguindo um impulso, o abracei e beijei seu rosto. Meu pai, envergonhado e nervoso, disse:

– *Pare com isso, Marília! Está diante de um juiz!*

– Ao ouvir aquilo, também envergonhada, só me restou me desculpar e agradecer. Uma moça entrou na sala e avisou que estava na hora do próximo julgamento. Sorrindo, ele estendeu a mão, dizendo:

– *Espero que dê tudo certo. Sinto que essas crianças ficarão em boas mãos.*

– *Pode ter certeza de que farei o possível e o impossível para que isso aconteça.*

– Eu e meu pai saímos e fomos para casa. Minha mãe e dona Maristela estavam ansiosas esperando pela nossa volta. Assim que entramos, contamos tudo o que havia acontecido. Como não poderia deixar de ser, elas ficaram muito contentes e dona Maristela, me abraçando, disse:

– Essas meninas vão ser muito felizes. Para começar, vamos sair e comprar tudo o que elas precisam. Como aqui não temos uma boa loja para bebês, vamos até a cidade próxima, que é maior.

– Primeiro fomos até em casa para ver como as meninas estavam e contar a Rita o que o juiz havia decidido, o que a deixou muito feliz. Nos despedimos e saímos. Meu pai, fingindo estar nervoso, foi o nosso motorista. Felizes, fomos para a outra cidade, que fica a mais ou menos cinquenta quilômetros daqui, e compramos tudo o que eu ia precisar para cuidar delas, como roupinhas e mamadeiras. Antes de irmos para minha casa, passamos pela loja de móveis e compramos dois berços e duas cômodas. Já estava começando a anoitecer quando voltamos para casa. Passamos pela casa de Joaquim, o pedreiro e pintor da cidade, e combinei com ele para que fosse, no dia seguinte, pela manhã, lá em casa. Eu queria que ele pintasse um dos quartos, onde elas ficariam. Estava muito feliz, tanto que, ainda hoje ao me lembrar, sinto o corpo estremecer de tanta emoção. As meninas ficaram cinco dias no hospital para observação. Eu, assim que saía da escola, após dar aula, ia para lá e ficava por detrás do vidro olhando as duas. Sentia por elas um amor muito grande, como se fossem, verdadeiramente, minhas filhas. No dia em que elas tiveram alta, eu, minha sogra e minha mãe fomos ao hospital para levá-las para casa. Enquanto isso, Rita deixava o quarto delas impecável. Naquele dia, nasceu o orfanato.

– O que está dizendo, Marília? Naquele dia, você teve a ideia do orfanato?

– Não, Selma. Porém, como a cidade é pequena, as notícias correm e logo todos ficaram sabendo que a filha do juiz tinha pegado duas crianças para criar. – Marília sorriu ao dizer isso. No começo, tive muita dificuldade para cuidar delas. Quando resolvi ficar com elas não imaginava o trabalho que teria, que ficaria noites sem dormir e tudo o que qualquer mãe passa para cuidar de um recém-nascido. Imagine eu, sem experiência alguma, com dois! Passaram-se dois meses. Com a ajuda da minha mãe, minha sogra e de Rita fui me acostumando, e a felicidade que eu sentia era tão grande que nem sentia cansaço. Contratei dona Júnia, uma senhora que morava sozinha, para me ajudar. Em uma manhã, eu e dona

Júnia estávamos cuidando das meninas, quando a campainha tocou. Dona Júnia foi atender e quando voltou trazia um menino pelas mãos que parecia ter mais ou menos cinco anos. Ela entrou no quarto, onde eu trocava as fraldas de Celia, uma das meninas, dizendo:

– *Esse menino estava sentadinho lá fora.*

– Tomei um susto e, sem saber o que fazer, me ajoelhei diante dele e perguntei:

– *O que você está fazendo aqui?*

– *Minha mãe disse que era para eu ficar aqui que uma moça bonita ia cuidar de mim. É a senhora?*

– Ao ouvir aquilo, olhei para Júnia que, assim como eu, estava pasma. Voltei a olhar para o menino:

– *Como é o seu nome?*

– *Jailson*

– *Quantos anos você tem?*

– Com a mãozinha ele mostrou quatro dedos.

– *Onde está sua mãe?*

– *Ela disse que precisava ir embora mas que a senhora cuidaria de mim, e que um dia, se puder, vem me buscar.*

– *Como é o nome dela?*

– *Mamãe...*

– *Está com fome?* – Perguntei sorrindo.

– *Estou.*

– *Júnia, leve esse menino lindo para a cozinha e peça que Rita dê algo para ele comer. Enquanto isso, vou telefonar para o meu pai.*

– *Ela ia saindo, quando ele tirou do bolsinho da calça um papel e me deu. Era um registro de nascimento. Com o registro na mão, pensei:*

O que pode levar uma mãe a abandonar seu filho? Ainda mais um menino como esse?

– Assim que Júnia saiu levando o menino, terminei de trocar a fralda de Celia e, após colocá-la no berço, saí do quarto e fui telefonar para a casa da minha mãe. Foi ela mesma quem atendeu. Contei o que havia acontecido e terminei dizendo:

– Não tem como deixar esse menino na rua, mamãe...

– Outra criança, Marília? Você está tendo um trabalho enorme para cuidar da Celia e da Celina. Elas ainda são muito pequenas. Acha que vai conseguir?

– Preciso conseguir, mamãe. Ele é tão pequeno! Para onde pode ir?

– Está bem. Seu pai ainda não se levantou. Vou conversar com ele e vamos ver o que pode ser feito.

– Ouvi o choro de Celina e fui atendê-la. Por incrível que pareça, com o tempo conseguia distinguir um choro do outro. Em seguida, telefonei para minha sogra e contei o que estava acontecendo. Ela me ouviu e disse:

– Que linda, porém trabalhosa, é a sua missão, Marília! Independente do que decidir, pode contar comigo. Ajudarei em tudo o que puder.

– Ao ouvir aquilo, fiquei mais tranquila. Sabia que precisaria da ajuda dela. Minha mãe telefonou e disse que, como da outra vez, meu pai havia dito que precisaríamos conversar com o juiz Eduardo. Fomos até ele, que nos recebeu sorrindo. Depois que contei a ele o que aconteceu e o meu desejo de ficar com Jailson, ele, sério, disse:

– Sei que a senhora está com boa intenção, mas não pode acolher todas as crianças que aparecerem em sua porta. Isso não é possível, a não ser que transforme sua casa em um orfanato. Assim, poderá acolher todas as crianças que aparecerem.

– Eu e meu pai nos olhamos. Ele, preocupado, disse:

– Não pode fazer isso, Marília. É muita responsabilidade.

– Por que não, papai? Minha casa é grande. Nela tem lugar para muitas crianças e eu adoro todas elas. Deus não me deu filhos mas está me mandando esses para que eu cuide, e eu quero cuidar.

– Não, Marília. Se quiser, pode ficar com esse menino, mas será o último!

– Está bem, papai. Prometo que ele vai ser o último. Tenho condições de cuidar dos três.

– O juiz autorizou e eu, feliz, voltei para casa. Quando cheguei, Júnia estava brincando com Jailson. Eu o abracei e disse:

– Pronto, agora você pode ficar aqui.

– A notícia se espalhou. Crianças e pais que se diziam sem condições de ficar com elas, começaram a aparecer na minha porta, e eu sempre conseguia convencer meu pai e o juiz para ficar com elas. Em pouco mais de oito meses eu já estava com oito crianças, sete meninas e só o Jailson de menino. Acho que naquela época só meninas nasceram. Eu, com a ajuda de Rita, meus pais, sogros e Júnia, pude cuidar delas, continuar lecionando e, uma vez por semana, frequentar a casa espírita. Certo dia, eu estava saindo da escola, quando uma mocinha se aproximou e disse:

– *Bom dia, senhora!*

– Olhei para ela e percebi que estava grávida. Respondi:

– Bom dia!

– *Meu nome é Eliete. Como a senhora pode ver, estou grávida e não tenho onde ficar. Fui abandonada pelo meu namorado e meus pais que, quando descobriram que eu estava grávida, me expulsaram de casa e da cidade. Desesperada, saí caminhando e vim parar nesta cidade. Uma pessoa que disse que a senhora está ficando com crianças sem pais. Não tenho onde ficar.*

– Olhei aquela menina que tinha mais ou menos quinze anos e vi em seus olhos uma tristeza imensa. Perguntei:

– *Não estou entendendo. Você quer me deixar sua criança?*

– *Não! Não quero dar minha criança. Quero ficar com ela, só que não tenho como fazer. Não tenho onde morar. Queria saber se a senhora podia me aceitar na sua casa até ela nascer. Eu posso trabalhar, cuidar da casa e das crianças.*

– Naquele momento, me lembrei novamente sobre a missão que todos temos e que não precisamos nos preocupar em encontrá-la porque, no momento exato, ela sempre chega até nós. Entendi, finalmente, que eu estava cumprindo a missão que escolhi antes de nascer.

– Antes de nascer? Que história é essa, Marília?

– A doutrina que sigo, Flora, ensina que temos várias vidas. Que nascemos e renascemos tantas vezes quantas forem necessárias para que, assim, possamos nos melhorar e evoluir espiritualmente. Ensina, também, que somos nós que escolhemos onde, como e com quem vamos conviver para o nosso melhor aprendizado. E que todos nós temos uma missão, nem que seja apenas a de pedir perdão ou perdoar alguém.

– Isso é loucura, Marília! Como nascer, morrer e renascer? Perdoar é outra coisa que não aceito! Nada disso existe! Como podemos perdoar alguém que só nos fez mal?

Flora falou com muita raiva, olhando firme nos olhos de Selma, que estremeceu. Esmeralda, percebendo que a situação estava tensa, disse:

– Interessante, Marília. Vou procurar ler e conhecer essa doutrina. Eu já ouvi falar alguma coisa a respeito dela, agora vou saber mais. Continue, por favor.

Marília, que não percebeu o que estava acontecendo, continuou:

– Voltei a olhar para a moça e, pegando-a pelo braço, disse:

– Vamos para minha casa esperar essa criança.

– Fomos para casa. Eliete, apesar de ainda ser uma menina, limpava a casa como ninguém. O filho dela nasceu, um menino lindo e saudável. Sou a madrinha dele. Como não tinha para onde ir, ela continuou ali trabalhando e me ajudando. Quando seu filho tinha dois anos, ela conheceu um rapaz, se casou e foi morar com ele, levando o menino, mas ainda trabalha aqui e me ajuda muito. Crianças continuaram chegando e eu indo falar com o juiz Eduardo. Algumas eram deixadas na igreja, outras as próprias mães traziam e pediam para que eu ficasse com a criança por algum tempo até que ela se arranjasse e pudesse buscar de volta. Um dia, o juiz chamou a mim, meu pai e meu sogro e nos disse que havia conversado com o prefeito e sugerido que transformássemos minha casa em um orfanato e que ele aceitou. Daria algum dinheiro para a manutenção e funcionários para me ajudar a cuidar delas. Depois de conversarmos muito, meu pai, sabendo que eu ia continuar a aceitar todas as crianças que aparecessem, me convenceu a aceitar. A casa continuaria sendo nossa. Não cobraríamos aluguel. Foi assim que nasceu o orfanato. Sempre que aparecia uma criança eu precisava conversar com Eduardo para que ele autorizasse. Nessas idas e vindas, acabamos nos apaixonando e nos casamos.

– Você se casou com o juiz, Marília?

Marília começou a rir:

– Foi o que aconteceu, Flora. Nem sei como foi, mas aconteceu, e hoje estou feliz ao seu lado.

– Estou impressionada com o rumo dos acontecimentos. Como o conheceu, Selma?

– Eu estava casada fazia cinco ou seis meses, quando Selma apareceu na cidade. Em uma manhã, ela chegou trazendo uma criança no colo. Pensei que fosse mais uma mãe querendo deixar a criança. Antes que falasse qualquer coisa eu disse:

– *Está querendo deixar sua criança aqui? Não precisa me dizer o motivo, deve ser muito sério para fazer isso.*

– Ela começou a rir:

– *Não, senhora! Estou casada e amo meu filho, não vou deixá-lo aqui...*

– *Desculpe-me, mas é que todas as mulheres que vêm até aqui com crianças é para deixá-las aqui.*

– *Imagino que seja assim mesmo.*

– Intrigada, perguntei:

– *Se não veio para me deixar seu filho, o que quer?*

– *Não sou desta cidade, vim há pouco tempo. Conheci meu marido, nos casamos e tenho este menino lindo, só que estou com um pouco de tempo livre e muita curiosidade para conhecer um orfanato e saber se posso ajudar de alguma maneira.*

– *Curiosidade?*

– *Desculpe-me, mas é isso mesmo. Curiosidade...*

– Não entendi nem gostei do que ela disse mas, não sei por que, gostei dela e respondi:

– *Está bem, vamos matar sua curiosidade.*

– Entramos, mostrei todas as dependências do orfanato. Depois, viemos para esta mesma sala e tomamos chá, como estamos fazendo hoje. Também não sei o motivo, mas contei a ela a dificuldade que estava tendo para manter o orfanato. Ela ouviu com atenção e, quando terminei, disse:

– *Nunca poderia imaginar que tivesse alguma dificuldade. Disse que sua família e a Prefeitura ajudam.*

– *É verdade. Mas, mesmo assim, falta muita coisa e as meninas não param de chegar. Preciso construir mais uma ala.*

– *Não tenho dinheiro, posso ajudar de alguma outra maneira?*

– Pode, sim. Preciso de alguém para me ajudar com a papelada. Com tudo o que tenho a fazer não me sobra tempo e está uma bagunça. Pode me ajudar?

– Felizmente estudei e acredito que posso, sim.

Olhou para Selma e, rindo, continuou:

– Ela passou a vir aqui todos os dias. Arrumava a papelada e ficava com as meninas. Carlos, seu filho, sempre vinha com ela e, enquanto ela trabalhava, ele brincava com as crianças. Depois de algum tempo, ela me chamou e disse:

– Estive pensando, Marília. Precisamos encontrar uma maneira de conseguirmos mais dinheiro.

– Eu disse isso a você no dia em que chegou aqui. Já pensei muito e não encontrei nenhuma solução.

– Estive pensando, Marília. No colégio em que estudei, aprendi a bordar, costurar e a fazer crochê e tricô. Acho que posso ensinar as meninas maiores e, assim, poderemos fazer uma exposição com esses trabalhos, que poderão gerar renda, e as pessoas que ajudarem ficarão felizes em saber que o dinheiro está sendo bem empregado. Além do mais, quando as meninas tiverem de ir embora, por terem atingido a idade, terão uma profissão para sobreviver. O que acha?

– Eu acho que até pode dar certo, mas você se encarregaria de ensinar as meninas?

– Claro que sim. Sempre achei que aprender essas coisas era uma perda de tempo, mas hoje sei que era preciso que eu aprendesse. Por isso estou muito feliz.

Flora começou a rir.

– Verdade, Selma. Nunca pensamos que algum dia usaríamos o que aprendemos. Você ainda gostava, mas eu tinha horror.

Marília, também rindo, disse:

– Ainda bem que Selma aprendeu. O tempo passou e ela se dedicou a ensinar as meninas. As primeiras exposições não tiveram muito sucesso, mas Selma nunca desistiu, continuou trabalhando com carinho. As meninas, diante do otimismo dela, se esforçavam sempre mais. Com o passar dos anos as pessoas começaram a frequentar a exposição, que hoje é um sucesso, um acontecimento na cidade. Nunca poderei agradecer a sua dedicação, Selma. Você chegou na minha vida em um momento em que eu achava que não havia luz no fim do túnel e clareou tudo.

– Pare com isso, Marília! Eu, sim, que por mais que faça, jamais poderei agradecer o quanto você fez por mim. Eu, sem um motivo aparente, pois tinha um marido, um filho que amava e uma vida tranquila, estava entrando em uma depressão sem fim. Quando comecei a trabalhar aqui e ao lado das meninas, me reencontrei e consegui afastar a depressão, não tinha mais tempo para ela.

Quando terminou de falar, sorriu.

Marília, olhando para Selma e Esmeralda, continuou falando:

– Aprendi que tudo na nossa vida acontece como tem de acontecer e que a Espiritualidade nos encaminha para que possamos encontrar e cumprir a nossa missão.

Selma olhou para o relógio que estava em seu pulso e, assustada e levantando-se, disse:

– Nossa, estamos conversando há tanto tempo que nem vi a hora passar! Preciso ir para casa preparar o jantar. Roberto, logo mais, vai chegar e Carlos já deve estar em casa.

– Flora, Esmeralda e Marília também se levantaram. Abraçaram-se e foram acompanhadas por Marília que, quando chegaram ao portão, disse:

– Faça uma boa viagem de retorno para sua casa, Flora, mas não nos esqueça e venha, de vez em quando, nos visitar. Venha para a exposição.

– Também foi um prazer conhecer você, Marília. Voltarei, sim, e todos os meses mandarei uma pequena quantia para ajudar o orfanato.

– Obrigada!

Selma, Flora e Esmeralda começaram a andar. Elas iam pelo mesmo caminho. Enquanto caminhavam, Selma disse:

– Desejo que façam uma boa viagem. Flora, por favor, não conte a mamãe que me encontrou.

– Ela ficaria feliz em ver você, Selma.

– Não sei, Esmeralda. Depois de tudo o que aconteceu, não sei se ela quer me ver novamente.

– Não podemos dizer coisa alguma a esse respeito, Selma. Não precisaremos mentir, pois sua mãe, todas as vezes que nos encontramos, nunca diz nada a seu respeito. Por isso, fique calma que não diremos nada a ela. Fiquei feliz em encontrar você e espero que continue bem e tranquila ao lado do seu marido e filho.

Esmeralda, ao ouvir aquilo, pensou:

O que será que aconteceu para que Flora mudasse seu pensamento? Até poucos dias, a única coisa que queria e que sempre quis foi encontrar Selma para destruir sua vida. Não estou entendendo mesmo...

Continuaram caminhando até chegarem à esquina, onde seguiriam por lados opostos. Pararam, se abraçaram e se beijaram no rosto. Em seguida, continuaram andando em sentidos opostos.

Enquanto caminhavam, Esmeralda, preocupada, disse:

– O que aconteceu para que você desistisse de se vingar de Selma?

Flora parou de caminhar, voltou-se para ela e, nervosa, disse:

– Não entendo você, Esmeralda. Durante todos esses anos tem tentado me fazer mudar de ideia. Agora que mudei não quer aceitar! Não sei por que, mas mudei de ideia. Depois de ver que ela está casada, com um filho e como cuida com carinho do orfanato... Senti que, enquanto fiquei me devorando com tanta raiva, tanto ódio, minha vida parou e a dela andou. Finalmente entendi tudo o que você tem me falado durante todos esses anos. Não vale a pena. Vou mudar minha vida totalmente. Quando chegarmos em casa, vou trocar todos aqueles móveis escuros pesados, que deixam a casa parecendo um museu, por móveis novos claros. Vou colocar cortinas também claras. Aqueles quadro caros, da coleção que meus pais tanto gostavam, vou vender. Quero deixar minha casa e minha vida coloridas. Chega de tanto tempo perdido.

Esmeralda começou a rir:

– Está falando sério, Flora? Vai fazer isso, mesmo?

– Já disse que sim, Esmeralda! Embora ache que não está certo. Depois de tudo o que Selma fez, ela parece que foi premiada. Tem marido, filho e ainda por cima esse orfanato, onde parece que está muito bem. Isso não me parece justo; porém, chega de perder tempo! Eu poderia estar casada, ter um ou mais filhos e, ao invés disso, estou aqui, quase velha sem ter coisa alguma, somente dinheiro, muito dinheiro que nada me serve, pois sou só, completamente só. Sem marido, sem filhos e sem nem mesmo um trabalho que preencha meu tempo...

– Graças a Deus que você, finalmente, entendeu. E, se realmente fizer isso, sua vida vai mudar completamente.

Flora sorriu e continuaram andando. Entraram em casa e terminaram de preparar a mudança. Não falaram mais sobre o assunto, principalmente Esmeralda que, por mais que quisesse, não conseguia acreditar que Flora havia desistido de se vingar de Selma.

A paz reina

Desde aquele dia, passaram-se quase dois meses. Selma resolveu que já que não havia contado para Roberto sobre Flora e o que havia acontecido em sua vida, antes de chegar à cidade, achou melhor continuar calada. Tudo continuou como sempre foi. Ela seguia sua rotina diária dividida entre o marido, o filho e suas obrigações cuidando da casa e atendendo as meninas do orfanato.

Naquele dia, preparou o almoço e, quando estava terminando de colocar a mesa, Roberto e Carlos chegaram. Assim que entraram, ela percebeu, pelo rosto de Roberto, que alguma coisa havia acontecido. Assim que ele a beijou no rosto, ela perguntou:

– O que aconteceu, Roberto? Está preocupado com alguma coisa?

– Você me conhece mesmo, não é? – Ele perguntou, rindo:

Ela também rindo, respondeu:

– Claro que sim. Estamos casados há tanto tempo. O que aconteceu?

Ele, enquanto se encaminhava para o banheiro, disse:

– Vou lavar minhas mãos e, depois, enquanto almoçamos, vou contar.

Acompanhado por Carlos, foi ao banheiro. Lavaram as mãos e voltaram logo depois, sentaram-se e começaram a comer.

Enquanto comiam, Roberto disse:

– Hoje, pela manhã, Jussara chegou e disse:

– *Senhor Roberto, o senhor sempre soube que eu queria fazer faculdade, pois meu sonho é ser advogada. Estou indo para a Capital morar com uma tia. Lá, poderei me preparar para o vestibular. Como sei que o senhor não pode ficar sem secretária, posso trazer uma moça que é minha vizinha. Ela se mudou há pouco tempo para cá, mas já trabalhou como secretária e acho que é competente. Se o senhor aceitar, posso trazê-la depois do almoço e, caso o senhor concorde, vou ficar por um mês ensinando todo o trabalho.*

– Assim, de repente, Roberto?

– Sim, Selma. Por isso fiquei surpreso. Sabia que ela queria ser advogada, mas nunca me disse que se mudaria para fazer faculdade. Eu disse a ela que poderia trazer a moça. Não posso ficar sem secretária nem impedi-la de realizar seu sonho.

– É verdade, mas não precisa ficar preocupado. Essa moça deve ser competente, pode ter alguma dificuldade, mas você pode sempre ensiná-la.

– O problema é esse. Tenho tanto trabalho que não sei se terei tempo para ensiná-la.

– Não se preocupe. Tudo vai dar certo.

Ele sorriu. Almoçaram, Roberto voltou para o escritório, Carlos foi para seu quarto, descansar um pouco antes de voltar à escola para o treino, e Selma foi para o orfanato. Tudo como sempre acontecia todos os dias. Tudo normal e tranquilo como sempre.

Roberto chegou ao escritório. Assim que entrou em sua sala e se sentou, Jussara entrou acompanhada por uma moça e, sorrindo, disse:

– Esta é Margarete.

Roberto olhou para a moça e achou que ela era muito jovem, mesmo assim disse:

– Muito prazer! Você me parece muito jovem. Tem mesmo alguma experiência?

A moça, tímida, respondeu com a voz trêmula:

– O prazer é meu, senhor. Não sou tão jovem quanto pareço. Vou fazer dezessete anos em janeiro. Trabalhei em um escritório de contabilidade e sempre posso aprender mais.

Sem alternativa, ele disse:

– Está bem, vamos tentar. Jussara vai conversar com você sobre o horário de trabalho e o valor do salário e, se aceitar, poderá começar amanhã. Ela vai ficar por um mês para que você aprenda a rotina do escritório.

– Obrigada, senhor. Vou fazer o possível e o impossível para aprender e fazer bem o meu trabalho.

O telefone tocou e ele, enquanto atendia, fez um sinal com a mão pedindo que saíssem.

Voltaram meia hora depois. Assim que entraram, Jussara disse:

– Conversei com Margarete e ela aceitou as condições de trabalho e de salário. Agora, só depende do senhor.

– Está bem, Jussara. Já que você precisa mesmo sair, vamos tentar. Mostre onde fica o departamento pessoal. Lá, você, Margarete, vai ter todas as explicações dos documentos que precisa providenciar para começar a trabalhar, e assim que estiver tudo certo pode começar.

Sorrindo, elas saíram da sala e ele voltou ao seu trabalho.

Enquanto isso, Selma terminou de lavar a louça do almoço e de deixar a cozinha em ordem. Depois, apressada, foi para o orfanato. Tanto ela como Marília continuavam envolvidas com a exposição. Ao se encontrarem, Selma disse:

– Estou tão feliz com o nosso trabalho e com a minha vida! Tudo está caminhando tão bem, que às vezes tenho medo.

Medo do que, Selma?

– Não sei, Marília, tenho medo que de repente tudo mude.

– Mude, por quê? Você não pode pensar assim, pois pode atrair coisas ruins. Continue pensando nas muitas coisas boas que ainda podem acontecer na sua vida. Você é uma moça de bem, trabalhadeira e caridosa. Dedica quase todo o seu tempo para fazer o bem. Por que as coisas mudariam?

– Não sei, estou com uma sensação estranha.

– Pare com isso, Selma! Nada vai acontecer! Deveria ler alguns livros que falam sobre a doutrina que sigo. Eles podem ajudar você em muitos aspectos e até fazer com que entenda que, mesmo se as coisas mudarem, vai estar sempre protegida.

– Não quero ler sobre essa sua religião, tenho a minha e estou contente com ela.

Marília começou a rir:

– Não estou querendo que mude de religião, não, Selma! Só estou tentando ajudar você a tirar esses pensamentos ruins. Você está bem e tem motivo para estar feliz. Não se deixe envolver por pensamentos que não são seus.

– Pensamentos que não são meus? Que loucura é essa, Marília? Como posso ter pensamentos que não são meus?

Algumas pessoas, quando morrem, por ainda sentirem o corpo, frio e até fome, não sabem ou não aceitam que morreram e ficam perdidas, tentando voltar para casa. Quando não conseguem, entram em depressão e se aproximam das pessoas com quem, por qualquer motivo, tenham afinidade. Pior ainda, quando são guiadas pela raiva ou pelo ódio e procuram a pessoa que lhe fez mal em busca de vingança. Por isso, costumamos dizer que esses pensamentos de tristeza e de ódio sem motivo algum não são nossos. Precisamos ficar alertas quanto a isso, pois, se os aceitarmos poderemos entrar em uma depressão de difícil volta.

– Credo, Marília! Pare com isso! Essa conversa está me deixando mais preocupada ainda!

– Não precisa ficar assustada. Procure fazer com que esses pensamentos sumam.

– Eles vão sumir. Não sei o que aconteceu, eu estava muito bem, de repente tudo mudou. Mas agora vamos até o barracão ver como as meninas estão indo com o trabalho.

– Vamos fazer isso, sim. Mas, antes, diga-me: teve notícias de Flora?

– Não, desde aquele dia não soube mais dela.

– Ela, embora seja rica, me pareceu ser uma pessoa triste. Você nunca me contou como e onde se conheceram, nem coisa alguma sobre sua vida, antes de vir para cá.

– Não gosto de lembrar o meu passado, menos ainda falar sobre ele.

– Sendo assim, não vou insistir. Porém, se algum dia quiser desabafar, estarei sempre aqui para ouvir. Não se esqueça de que sou sua amiga.

– Sei disso, Marília; porém ainda não estou pronta. Tudo o que me aconteceu foi muito doloroso para todas nós. Eu conheço Flora desde criança. Sempre fomos muito amigas, ela, eu e Arlete, sua irmã. Estudamos juntas até a nossa formatura no colegial. Estávamos nos preparando para irmos para a faculdade mas, no baile em que Arlete ia ficar noiva, ela morreu. Minha amizade com Flora terminou naquele dia, e vim para cá.

– Não entendi. Por que a morte da irmã dela fez com que você saísse da sua casa para uma aventura como essa de ir para uma cidade tão pequena e distante?

– Fiz isso porque fui a culpada pela morte de Arlete.

– Como assim culpada?

Os olhos de Selma encheram-se de lágrimas. Tirou um pequeno lenço da bolsa, secou os olhos e continuou:

– Desculpe-me, Marília, mas não posso continuar. Pelo menos não neste momento. Só quero dizer que, quando cheguei aqui, triste, sozinha e desesperada, fui acolhida com carinho e muito amor pela tia de Roberto. Ela gostava muito de mim. Depois de algum tempo, o destino me fez conhecer Roberto, me casei e Carlos nasceu. Hoje tenho uma vida perfeita e quero que continue assim. Fazia muito tempo que eu não me lembrava do passado, isso só aconteceu quando Flora apareceu aqui na cidade. Assim que a vi fiquei assustada, pois pensei que ela ainda me odiasse e que poderia destruir a vida que construí aqui; mas, quando ela foi embora da maneira como foi, senti que estava enganada e que todo o ódio e rancor que ela poderia sentir por mim haviam desaparecido.

– Quando conheci você, não poderia imaginar que tinha uma história como essa. Confesso que estou curiosa para saber como tudo aconteceu, mas vamos deixar para quando você sentir vontade de contar. Agora, vamos para o galpão, temos muito que fazer até o dia da exposição.

– Obrigada por não insistir, Marília. Qualquer dia eu conto tudo como aconteceu; mas, agora, você tem razão, precisamos ir para o galpão.

O inesperado acontece

Fazia dois meses que Margarete havia começado a trabalhar com Roberto. Naquela manhã, ele estava em sua sala trabalhando quando ela entrou e sorridente disse:

– Bom dia, doutor.

– Bom dia, Margarete.

– O senhor me chamou? Está precisando de alguma coisa?

– Estou sim. Por favor, me traga o relatório das vendas deste mês.

– Pois não, vou pegar.

Saiu da sala e voltou em seguida, trazendo em suas mãos uma pasta que entregou para ele, dizendo:

– Está tudo aqui.

– Obrigado, Margarete. Pode se retirar.

– O senhor nunca disse coisa alguma. Preciso saber.

– Saber o que, Margarete?

– Está satisfeito com meu trabalho?

Ele se admirou com aquela pergunta e, sorrindo, respondeu:

– Estou sim. Confesso que no início fiquei preocupado, porque estava acostumado com o trabalho de Jussara, mas você tem se saído muito bem.

Antes de sair, ela foi até uma estante que ficava em frente à mesa dele, arrumou alguns livros, se voltou e, assustada, disse:

– Olhe aqui, senhor! Acho que tem algum rato aqui!

Ele, levantando-se, perguntou:

– Rato? Não pode ser!

Caminhou em direção à estante e, quando estava se aproximando, Margarete o abraçou e o beijou nos lábios.

Assustado ele afastou-a:

– O que foi isso, Margarete?

Novamente, sem que ele esperasse, ela o abraçou e disse:

– Desculpe-me, senhor, mas estou tão agradecida por ter este trabalho que não me contive. Também estou apaixonada! Aconteceu desde o primeiro dia, não pude evitar...

Ele, aturdido, ficou olhando para ela sem saber o que falar. Ela continuou:

– Sei que o senhor é casado, mas não me importo.

Ele, atordoado, pois não esperava que aquilo pudesse acontecer, e muito nervoso, disse:

– Por favor, saia!

Ela, também nervosa, saiu sem nada dizer.

Depois que ela saiu, ele ficou ali, sem conseguir entender o que havia acontecido. Sabia que precisava tomar uma decisão rápida.

Depois de alguns minutos, pegou o interfone e chamou Margarete de volta.

O interfone tocou várias vezes e, quando a porta se abriu, Leandro, um rapaz que também trabalhava ali, entrou:

– Pois não, senhor.

– Peça a Margarete que venha até aqui.

– Ela foi embora, senhor.

– Como embora? Por quê?

– Não sei. Ela saiu da sua sala chorando, pegou a bolsa e foi embora.

– Ela disse alguma coisa?

– Não, senhor. Simplesmente foi embora.

– Está bem, Leandro. Pode sair.

Leandro saiu e Roberto, intrigado, pensou:

O que será que deu na cabeça dessa moça? Por que ela fez aquilo?

O telefone tocou e ele atendeu. Era um dos seus clientes.

Desligou o telefone. Ainda estava preocupado com o que havia acontecido, mas tinha muito trabalho, envolveu-se com ele e deixou de pensar no acontecido.

Na hora do almoço, enquanto caminhava até a escola de Carlos, onde o encontraria, foi pensando:

Não entendo o porquê de Margarete ter feito aquilo. Ela sempre se comportou de uma maneira exemplar.

Depois, sorriu e continuou pensando:

É uma adolescente e deve ter achado que estava apaixonada por mim. Isso é normal na idade dela. Não vou comentar com Selma, talvez ela não entenda. Bem, foi até bom Margarete ter ido embora. Assim evita que eu tenha de demiti-la, o que precisaria ser feito.

Chegou à escola. Carlos já esperava por ele e juntos foram para casa.

Quando chegaram, Selma estava terminando de colocar a mesa. Almoçaram em paz como sempre acontecia. Carlos, para surpresa deles, disse:

– Chegou uma menina nova na escola. Ela veio da Capital e é linda!

Roberto e Selma se olharam e sorriram.

– Que bom, meu filho. Parece que gostou dela.

Envergonhado, ele baixou os olhos:

– Não é nada disso, mamãe. Ela é apenas uma colega de classe, mas não posso negar que é, sim, muito bonita.

– Não precisa se preocupar, Carlos. É assim mesmo que acontece. Já está na idade de começar a se interessar por meninas.

– Parem com isso! – Disse nervoso.

Roberto e Selma riram e continuaram comendo.

Em um momento, Roberto quis contar o que havia acontecido com Margarete, mas resolveu ficar calado. Aquele assunto só ia trazer preocupação para Selma, que já estava apreensiva com a exposição.

Parecendo adivinhar o que ele pensava, disse:

– Faltam três dias para a exposição. Estou muito nervosa, embora acredite que vai ser um sucesso! As meninas trabalharam muito e as peças que serão oferecidas estão lindas. Acredito que vamos arrecadar o dinheiro que precisamos para a construção da nova ala e, assim, podermos atender a mais crianças.

– Não se preocupe, Selma. Vai dar tudo certo. Vocês trabalharam muito e a causa é nobre!

– Sei disso, mas mesmo assim estou preocupada.

Carlos e Roberto sorriram.

Terminaram de almoçar. Selma acompanhou Roberto até o portão e voltou para casa. Carlos havia ido para o quarto, e ela lavou a louça rapidamente e foi para o orfanato.

Assim que chegou, foi ao encontro de Marília, que estava no galpão. Juntas, ela, Marília e as meninas, limparam e prepararam o galpão onde as peças seriam apresentadas aos visitantes. Forraram a grande mesa com uma toalha branca, também bordada pelas meninas. Sobre ela colocaram as peças confeccionadas por todas elas. Outras mesas menores foram colocadas em lugares diferentes e estratégicos.

Enquanto isso, Roberto chegou ao escritório e, como tinha muito trabalho, nem se lembrou do que havia acontecido com Margarete. Carlos foi para o centro educacional para treinar. Tudo estava em paz naquela casa e na vida de Selma.

O dia da exposição

Finalmente, o dia da exposição chegou. Tanto Selma como Marília e as meninas estavam muito animadas. Estava tudo em ordem. As pessoas começaram a chegar e a se encantar com as coisas lindas que eram mostradas. No meio do dia, um carro preto e grande parou em frente ao portão. Rita foi ver de quem se tratava. Do carro desceu um homem com um pacote que, ao vê-la, disse:

– Preciso conversar com dona Selma e dona Marília.

– Pois não, entre, por favor. Elas estão atendendo as pessoas. Encaminhou o homem até a sala da casa e disse:

– Sente-se e espere, por favor, vou procurá-las.

Saiu da sala e voltou em seguida com Marília e Selma, que assim como Rita, também estavam curiosas para saber quem era aquele homem misterioso. Aproximaram-se e, enquanto estendiam a mão para cumprimentá-lo, Marília disse:

– Boa tarde. Sou Marília e esta é Selma. Podemos saber do que se trata?

– Boa tarde, meu nome é Horácio. Sou o motorista de dona Flora. Ela e dona Esmeralda não puderam vir, mas me encarregaram de trazer este pacote e entregar às senhoras.

Elas, intrigadas, olharam para o pacote que estava na mão dele. Marília perguntou:

– O que tem nesse pacote?

– Não sei, senhora. Dona Flora apenas pediu que eu o entregasse.

– Está bem e obrigada por ter vindo. O senhor quer ver os trabalhos que estão sendo expostos?

– Obrigado, senhora, mas não posso. Dona Flora pediu que eu entregasse o pacote e fosse embora.

– Sendo assim, obrigada pelo trabalho que teve.

Ele sorriu e voltou a estender a mão, despedindo-se.

– Assim que ele saiu, Marília, que estava com o pacote na mão, muito curiosa para ver o que havia dentro dele, rasgou-o. Assim que abriu, tanto ela como Selma arregalaram os olhos. Marília leu um bilhete que dizia:

Pedimos desculpas, mas não pudemos comparecer. Amanhã, bem cedo, estamos indo para a Europa. Pretendemos passar muito tempo por lá. Estou mandando essa quantia de dinheiro para ajudar na construção da nova ala. Esperamos que a exposição seja um sucesso.

Marília pegou nas mãos um dos pacotinhos de dinheiro e, entusiasmada, disse:

– Olhe, Selma, quanto dinheiro!

Selma, pegando outro pacotinho, também entusiasmada, disse:

– É muito mesmo, Marília! Quanto será que tem aí?

– Não sei, mas pela quantidade de pacotinhos, deve ter muito. Vamos contar este para saber?

– Vamos, estou curiosa!

Marília contou e viu que no pacotinho havia cinquenta notas de cem.

– Cinco mil, Selma!

Em seguida, contaram os pacotinhos e viram que eram dez. Entusiasmada, Marília quase gritou:

– Cinquenta mil, Selma! Com este dinheiro podemos construir a nova ala!

– É verdade, Marília! Deus está nos ajudando!

– Flora foi muito generosa! Na segunda-feira vou mandar um telegrama agradecendo.

– Não faça isso, Marília! Não vai adiantar.

– Por que não?

– Você não leu que elas estão indo, hoje, para a Europa?

– Verdade. Vamos esperar até quando voltarem. Estamos com um problema, Selma.

– Que problema?

– Hoje é domingo, o banco está fechado. Vamos ter de ficar com este dinheiro aqui em casa.

– Não deve ter problema algum, Marília. Ninguém sabe que temos tanto dinheiro. Pode guardar aqui, em algum lugar seguro.

– É verdade, Selma. Vou guardar na gaveta da minha escrivaninha, só eu e você temos a chave. E, amanhã, assim que o banco abrir, irei até lá e levarei também o dinheiro que arrecadarmos com a venda dos trabalhos das meninas. Estou muito feliz, pois conseguiremos fazer aquilo que sonhávamos: a nova ala e, talvez, até duas!

Felizes, saíram da sala e entraram no escritório de Marília, que tirou do bolso um molho de chave e escolheu uma. Com ela, abriu uma das gavetas, guardou o dinheiro, fechou novamente e colocou o molho de chaves de volta no bolso. Sorrindo, disse:

– Agora podemos voltar para a festa, Selma.

Selma disse que sim com a cabeça, e saíram, em direção ao galpão.

A festa estava animada, pois, além das peças de artesanato, as meninas haviam preparado doces, bolos e salgados para serem vendidos também. As pessoas, por já conhecerem aquela festa há muitos anos e também por saberem que todo o dinheiro arrecadado seria bem empregado, não se contiveram em gastar de todas as maneiras. Comiam e riam, satisfeitos.

Eram três horas de uma tarde muito agradável. De repente, algumas fotografias começaram a surgir, ninguém sabia de onde. Todos olhavam para as fotografias e para Roberto que, sem entender o que estava acontecendo, ficou sem saber o que fazer.

Alguém entregou as fotografias para Selma que, ao vê-las, começou a chorar e saiu correndo.

Roberto pegou as fotografias da mão de uma pessoa, olhou e ficou horrorizado.

Havia três fotografias. Uma com o rosto de Margarete, outra com eles se beijando e outra ainda com eles se abraçando. Roberto ficou branco como cera e saiu correndo atrás de Selma.

A confusão foi enorme. Marília, olhando para as fotos, inconformada, pensou:

Isso não pode ser verdade. Roberto não seria capaz de fazer algo assim.

Selma, chorando, entrou em casa. Não conseguia pensar, raciocinar, só conseguia ver as imagens das fotografias. Sem perceber, começou a bater com muita força em uma parede.

Nesse instante, Roberto chegou, conseguiu fazer com que ela parasse e disse:

– Acalme-se, precisamos conversar.

Ela, fora de si e empurrando-o com força, gritou:

– Conversar? Conversar? Não temos o que conversar! Você destruiu nosso casamento e nossa vida! Como pôde fazer aquilo com aquela menina?

– É mentira, Selma! É mentira! Não fiz coisa alguma!

– Como não fez? Eu vi as fotografias. Eu e todas as pessoas da cidade! Você não presta! Durante todo esse tempo em que estamos casados, jamais poderia imaginar que seria capaz de fazer uma coisa como essa! Éramos felizes, pensei que você me amasse!

– Não é verdade, Selma. Não sei com que intenção essas fotografias foram tiradas, mas sou inocente! Eu amo você e ao nosso filho, jamais faria qualquer coisa que colocasse em risco a nossa felicidade. Precisa acreditar no que estou dizendo.

– Como posso acreditar, Roberto? Eu vi as fotografias, elas não surgiram por mágica!

– Aquelas cenas aconteceram, mas não foi da maneira como você está pensando!

– Que aconteceu eu vi, e não me interessa como foi! Quero que saia desta casa e que não volte nunca mais!

– Precisa acreditar no que estou dizendo, Selma. Foi algo planejado, alguém está tentando nos destruir! Acredite em mim, por favor! Eu amo você e jamais faria qualquer coisa que pudesse por em perigo nosso casamento e a nossa felicidade!

– Quem teria interesse em nos destruir? Você está apenas tentando encontrar uma desculpa, mas não tem como fazer isso!

Sem mais nada dizer, ela foi para o quarto, pegou uma mala e foi colocando as roupas dele. Depois que a mala ficou cheia, fechou e gritou:

– Agora, saia daqui e não volte! Vá viver com aquela menina e seja feliz!

– Precisa deixar que eu conte como essas fotografias foram tiradas!

– Não quero saber!

– Mas precisa saber! Eu ia contar a você, mas achei melhor que não soubesse! Não queria que ficasse preocupada!

– Preocupada? Não estou preocupada, estou desiludida e com muita raiva de mim por ter acreditado em você durante todos esses anos. Não quero saber de detalhes! Saia, por favor!

Ele, percebendo que por mais que tentasse falar e se defender não conseguiria, pois Selma estava fora de si, pegou a mala e saiu.

Selma, depois que ele saiu, sentou-se em um sofá e continuou chorando sem conseguir se controlar.

Alguns minutos depois que Roberto saiu, Carlos, com as fotografias nas mãos e ao lado de uma moça, entrou correndo e ao ver a mãe chorando, muito nervoso, perguntou:

– Onde o papai está, mamãe?

Selma olhou para a moça.

Carlos somente naquele momento lembrou-se dela e disse:

– Esta é Fabiana, uma colega da escola. Preciso saber onde papai está, mamãe.

Selma parou de chorar, levantou-se e, abraçando-se a ele, respondeu:

– Foi embora desta casa e da nossa vida, Carlos!

Carlos, mostrando as fotografias, quase chorando, disse:

– Ele não pode ter feito isso, mamãe! É mentira!

– Como pode ser mentira, Carlos? Você não está vendo essas fotografias? Elas não poderiam existir se não houvesse acontecido! Para que elas existam foi preciso que essas cenas acontecessem! Ele beijou e abraçou aquela menina!

– Não pode ser, mamãe! Ele sempre foi um ótimo pai e sei que gosta muito da senhora e de mim!

– Também sempre achei isso, mas pelas fotografias pode ver que não era da maneira como pensávamos. Ele iludiu essa menina.

– Ele não pode sair de casa, mamãe!

– O que não pode é ele continuar nesta casa! Eu não o quero mais aqui!

– Algo aconteceu que não sabemos! Existe algo errado e vou descobrir o que é!

– Não tem nada de errado, Carlos. Ele, realmente, gostou ou gosta dessa menina!

– Para onde ele foi?

– Não sei e não me interessa, só não quero vê-lo nunca mais!

– Vou sair e ver se o encontro. Precisamos conversar. Ele precisa me contar o que aconteceu realmente.

– Não faça isso, Carlos. Deixe que ele se vá. Não tem como justificar essas fotografias.

– Sei que não, mas ele deve ter alguma explicação.

– Fique em casa, Carlos! Você pode ser atacado com palavras feias das pessoas que não aceitam o que ele fez.

– Não me importo com o que as pessoas possam achar ou falar, mamãe. Conheço meu pai, ele não faria uma coisa como essa. Ele é meu pai e confio nele! A senhora também deveria confiar. Ele sempre foi amoroso e carinhoso com nós dois e, agora que precisa de nossa ajuda e compreensão, não podemos abandoná-lo e não vou fazer isso. Vou procurá-lo!

– Não faça isso, Carlos. Seu pai nos traiu...

Sem dar atenção ao que a mãe falou, ele já ia saindo de casa quando Fabiana disse:

– Vá tranquilo, Carlos, eu fico aqui fazendo companhia para sua mãe. Ela está muito nervosa. Vou fazer um chá para acalmá-la.

– Não precisa, moça. Estou bem.

Fabiana sorriu e, segurando a mão de Selma, disse:

– Carlos é meu amigo, e depois de tudo o que ele me falou a respeito do pai e da senhora não acredito que seu marido tenha feito essa coisa horrível. Pode ir Carlos, vou ficar aqui.

Carlos, apesar de nervoso sorriu:

– Está bem. Sabendo que minha mãe não está sozinha, vou mais tranquilo. Volto logo, mamãe.

Deu um beijo no rosto de Selma e saiu.

Assim que ele saiu, Fabiana levantou-se, dizendo:

– A senhora está muito nervosa e está muito calor. Por que não toma um banho demorado para se acalmar? Minha mãe sempre me diz que a água escorrendo pelo corpo sempre nos faz um bem enorme.

– Está muito calor mesmo. Acho que vou fazer isso. Não consigo me conformar com o que Roberto fez. Ele sempre foi um ótimo marido e pai.

– Também não acredito. Deve ter existido algum engano. Carlos adora o pai, por isso também não acredita. Agora, a senhora precisa se tranquilizar. Tudo vai ficar bem. Depois do banho e de um chá vai se sentir melhor.

Selma, muito nervosa, apenas consentiu com a cabeça. Fabiana continuou:

– Só preciso que me mostre onde fica a cozinha e o chá.

Selma, embora estivesse com os olhos cheios de lágrimas, sorriu e, segurando no braço de Fabiana, a encaminhou até a cozinha e mostrou onde tinha chá.

Fabiana, sorrindo, disse:

– Depois que sair do banho, como também estou nervosa, vamos juntas tomar o chá e esperar a volta de Carlos e do seu marido.

Selma, ainda chorando, foi para o seu quarto, pegou as roupas limpas, uma toalha e entrou no banheiro. Não percebeu nem sentiu, mas ao seu lado um vulto de mulher, acompanhada de outros quatro, ria às gargalhadas. Os quatro riam e dançavam à sua volta.

Enquanto isso, Carlos andava pelas ruas da cidade procurando o pai. Depois de andar muito, parou em frente à igreja, que já estava fechada. Sem conseguir descobrir onde Roberto estava, voltou para casa e encontrou Fabiana e Selma, que ainda estava chorando.

Assim que entrou, nervoso, disse:

– Eu não encontrei o papai, mamãe! Andei por toda a cidade. Onde ele pode estar?

– Não sei, meu filho, mas depois que você saiu fiquei pensando no que me disse. Realmente, seu pai sempre foi um ótimo marido e pai, não poderia ter feito isso, mas as fotografias desmentem esse nosso pensamento. Ele realmente fez...

– Deve ter alguma explicação! A senhora deu a ele a chance de se explicar?

– Não. Diante das fotografias não há explicação.

– Amanhã não vou à escola. Papai deve ir para o trabalho, vou lá me encontrar com ele e ouvir o que tem a dizer.

– Você acredita mesmo que ele não tem culpa?

– Claro que acredito, mamãe!

– Você não pode faltar à escola. Eu vou até a empresa me encontrar com ele. Você tem razão. Se pensarmos bem, ele não pode ter feito isso, e a verdade pode demorar mas ela aparece.

– Vai fazer isso, mamãe?

– Vou, sim, meu filho. Você me fez ver que a nossa família sempre foi feliz e que seu pai não poderia ter feito o que dizem que fez. Embora, depois das fotografias, fique difícil de entender, mas o amor da nossa família vai vencer este momento ruim.

Abraçaram-se.

Nesse momento, uma luz intensa envolveu os dois, o que fez com que a entidade da mulher e aqueles que a acompanhavam e que ficaram o tempo todo ao lado de Selma se afastassem e ficassem encostados em um dos cantos da sala. A mulher tentou voltar para o lado deles e dizer alguma coisa mas não conseguiu. A luz não permitiu.

Depois de algum tempo abraçados e chorando, mãe e filho se afastaram. Ele disse:

– Agora vou levar Fabiana até sua casa, mas voltarei logo.

Selma olhou para Fabiana:

– Obrigada por me fazer companhia. Confesso que se tivesse ficado sozinha, teria sido muito difícil esperar a volta de Carlos.

– Não tem o que agradecer. Foi um prazer. Gosto muito do seu filho.

Eles saíram. Selma pegou mais um pouco de chá e sentou-se, esperando a volta de Carlos. Quando ele chegou, ela estava mais calma e não chorava mais. Abraçando-o e sorrindo, disse:

– Vá dormir, meu filho, sinto que tudo vai ficar bem. Vamos lutar juntos, contra tudo isso de ruim que está nos acontecendo.

Carlos beijou a mãe e foi para o seu quarto.

Selma lembrou-se com muito amor de Roberto e de todo o tempo em que viveram juntos e foram felizes. Depois também foi para o seu quarto, quando se deitou fez uma oração e terminou dizendo:

– Meu Pai, proteja Roberto onde ele estiver.

As entidades, percebendo que nada mais poderiam fazer ali, pois as luzes não permitiriam que elas se aproximassem de Selma ou de Carlos, saíram da casa.

Visita amiga

Enquanto isso, no orfanato, a festa, depois das fotografias, tinha virado uma confusão imensa. Todos comentavam o acontecido. A maioria das pessoas que estavam ali conheciam Selma e Roberto, e sempre acreditaram que tinham um casamento perfeito.

Marília tentava desconversar e fazer com que as pessoas se voltassem para a exposição e a alegria que estavam dando para as meninas que haviam trabalhado tanto; mas foi em vão, pois não conseguia se desvencilhar das perguntas.

Aos poucos as pessoas começaram a ir embora.

Depois que todos se foram, ela recolheu todo o dinheiro que havia sido arrecadado, colocou em uma caixa, foi para o seu escritório, abriu a gaveta e guardou a caixa. Fechou a gaveta e, sentada em sua cadeira, e ficou pensando:

A exposição foi um sucesso. Quase todas as peças foram vendidas. Não sei quanto foi arrecadado, pois estou muito nervosa para contar, só sei que foi muito e que junto com o dinheiro que Flora deu vamos poder construir uma ala, quem sabe, maior do que aquela que havíamos planejado. Obri-

gada, meu Deus! Só não estou mais feliz por saber o que minha amiga, que tanto me ajudou, deve estar sofrendo. Embora não queira, sou obrigada a acreditar que Roberto realmente fez aquilo. As fotografias não podem ter sido inventadas. Queria estar ao seu lado, mas sei que esta não deve ser uma boa hora. Ela, Roberto e o filho devem estar conversando. Amanhã, vou pegar todo o dinheiro e vou até sua casa e, juntas, vamos contar e depois vamos ao banco para depositar. Quem sabe, vendo a quantidade que temos, ela se anime. E quem sabe, conversando, poderemos entender o que, realmente, aconteceu com Roberto.

Estava pensando, distraída, quando Eduardo entrou. Beijou sua testa e, feliz, disse:

– A exposição foi mesmo um sucesso e não poderia deixar de ser. Você e Selma trabalharam muito para isso.

– Sim, é verdade, foi muito trabalho. Pena que para Selma tenha terminado daquela maneira tão triste.

Ele, sentando-se na cadeira que estava em frente à escrivaninha, disse:

– Sabe que até agora não consigo entender o que aconteceu e de onde surgiram aquelas fotografias, Marília!

– Também não entendi e custo a acreditar que sejam verdadeiras.

Eduardo começou a rir:

– Como aconteceu não sei, mas que são verdadeiras isso são, Marília. Ninguém conseguiria forjar aquelas fotografias.

– Mesmo assim, não consigo acreditar. Roberto sempre me pareceu ser apaixonado por Selma e ela por ele. Deve ter acontecido algo que não consigo entender, mas, com o tempo tudo vai se esclarecer.

– Talvez você tenha razão. Marília, mas não podemos negar que a moça é linda e jovem.

– Está dizendo que ele, por isso, pode ter se deixado envolver por ela ser jovem e bonita? Acredita mesmo que tenha feito isso?

Ele começou a rir:

– Não estou dizendo que tenha sido esse o motivo, mas que aconteceu, aconteceu.

– Não consigo aceitar, Eduardo. Ele sempre me pareceu ser apaixonado por Selma e pelo filho. Sempre me pareceu serem felizes. Não acredito que ele faria qualquer coisa para pôr em risco o casamento e essa felicidade.

– É muito difícil tentarmos compreender a mente humana, Marília. O que ele nunca pensou era que em um momento, talvez de fraqueza, fosse fotografado. Mas quem teria fotografado e por quê?

– Essa é a pergunta que deve ser feita, Eduardo. Quem teria interesse que essas fotografias fossem divulgadas, ainda mais em uma festa onde tantas pessoas estavam reunidas? Acredito que deve ter alguma coisa nessa história. Sinto por Selma, ela é uma moça honesta e trabalhadora. Fez de tudo para que a exposição fosse um sucesso, pensa no futuro das meninas. Não merecia algo como isso...

– Também penso assim, Marília. Pelo que conheço deles, ambos não mereciam. Também posso dizer que a verdade sempre aparece e, se ele for inocente, tudo será esclarecido.

– Tomara, Eduardo, tomara. Eu, de minha parte, vou ficar ao lado de Selma. Sinto que ela vai precisar de uma ajuda sincera e amiga.

Ele sorriu, levantou-se e, dando a volta pela mesa e ajudando-a a se levantar, disse:

– Faça isso. Com certeza, ela vai precisar mesmo. Agora já está tarde. Não está na hora de irmos para casa?

Ela olhou para o relógio que estava pendurado na parede, sorriu e disse:

– Está na hora, sim. Só preciso dar uma olhada nas crianças e ver se estão bem. Acredito que também estejam chocadas com o que aconteceu.

– Somente as maiores, que são poucas. As pequenas estavam brincando, correndo de um lado para o outro e, mesmo que tenham visto as fotografias, não entenderam.

– Tomara, Eduardo, tomara. Elas gostam muito de Selma...

Foram para casa. Antes de se deitarem, tomaram uma xícara de chá. Depois de se prepararem, deitaram-se.

Assim que se deitou, Marília fez uma oração:

Obrigada, Senhor, pelo sucesso da exposição. Nossas crianças, com esse dinheiro, poderão ter mais conforto e outras poderão vir. Proteja também a Selma e sua família. Eles não merecem sofrer nem por um minuto. Abençoe a minha casa e a deles também. Que assim seja!

Depois, cansada, adormeceu.

Assim que adormeceu abriu os olhos e, para sua surpresa, viu Péricles que, sorrindo, abriu os braços. Ela se levantou, correu para ele e abraçaram-se. Feliz e surpresa, disse:

– Péricles, você está vivo?

– Claro que estou.

– Não pode ser, você morreu! Eu sofri muito e fui ao seu enterro. Por que me abandonou e me deixou sozinha?

– Nunca abandonei você e sempre que precisou estive ao seu lado.

– Como não me abandonou? Foi embora ainda tão jovem e eu tive de continuar aqui sem você...

Ele, rindo, olhou para Eduardo, que dormia tranquilamente.

– Você não ficou sozinha. Precisava reencontrar Eduardo.

Ela olhou para Eduardo e, com o lençol, tentou cobrir seu rosto.

Ele, ainda rindo, perguntou:

– Por que está fazendo isso, Marília?

– Não sei, não quero que ele me veja com você ou que você me veja com ele...

– Por que não?

– Eu não estou traindo você! Ele é meu marido. Eu me casei com ele!

Péricles teve de se conter para não gargalhar.

– Eu sei que está casada com ele, Marília. Depois que parti, sabia que você o encontraria para continuar com a sua jornada. Estamos, todos nós, juntos há muito tempo. Minha jornada, ao seu lado, terminou, mas a sua vai continuar por muito tempo ainda e ao lado dele. Minha missão terminou e tenho muito que fazer aqui no plano espiritual. Continuo, como médico, cuidando tanto daqueles que chegam como daqueles que precisam de cuidados aí no seu plano. A vida não para. Ela continua aqui e aí, e nós, como espíritos, estamos sempre caminhando e evoluindo. Aqui não temos o sentimento de posse; portanto, não existe conflito e ciúmes. Você e ele estão juntos na missão com as meninas e, por sinal, estão se dando muito bem.

– Não consigo acreditar que esteja aqui, vivo!

– Por que não pode acreditar? Não tem estudado? Não aprendeu que a morte não existe, que é só uma mudança de plano?

– Sim. Estudei muito, mas, para ser sincera, só é válido na leitura ou quando acontece com outra pessoa; na hora que acontece com a gente, fica difícil acreditar. Senti e ainda sinto sua falta.

– Sei disso. Você passou por um momento difícil, estive o tempo todo ao seu lado e sofri também. Algumas vezes pensei que não conseguiria me libertar de todo aquele sofrimento e, quando começou a atingir sua saúde, fiquei mais preocupado ainda. Graças a Deus, consegui o consentimento para poder vir ficar ao seu lado e, para que isso acontecesse, contei com a ajuda da Zenaide. Olhe ela aqui.

Marília voltou-se para o lado que ele apontava e quase gritou:

– Zenaide, você também está aqui?

Zenaide, sorrindo, abriu os braços, abraçou Marília com muita força e, chorando, disse:

– Estou sim. Aliás, sempre estive. Nunca abandonei você, minha irmã querida. Sempre estive ao seu lado; porém, você não podia me ver e só está vendo agora porque está dormindo. Quando acordar, quase não vai se lembrar do que está acontecendo aqui.

– Como estou feliz em ver vocês! Péricles, por que demorou tanto para me visitar? Esta é a primeira vez que sonho com você.

– Sonhou várias vezes. Já fomos a vários lugares, só que quando acordou não se lembrou. Assim que retornei, tive muita dificuldade para entender e aceitar a minha nova situação. Não aceitava ter deixado você tão cedo. Tive sempre ao meu lado Zenaide e outros amigos que foram me instruindo. Quando fiquei pronto, Zenaide pôde me acompanhar até aqui. Você estava muito mal, por isso, naquele dia em que eu e Zenaide viemos e convencemos Maristela e sua mãe a virem à sua casa, você, graças a Deus, deixou de sofrer e começou sua missão. Você sempre soube tomar suas decisões e não precisou de minha ajuda. Desde então, tenho tido muito trabalho, e só viemos hoje porque você e Selma vão passar por momentos difíceis e precisam estar preparadas.

– Vocês estão sabendo o que está acontecendo com ela e Roberto?

Ambos riram, Zenaide disse:

– Sabemos, Marília e, infelizmente, está apenas começando.

– O que está acontecendo? Não consigo acreditar que Roberto tenha feito aquilo. Parece gostar tanto da Selma!

– Gosta, sim.

– Não entendo, Péricles. Se ele gosta de Selma, por que se envolveu com aquela moça?

– Ele não se envolveu, Marília, foi envolvido.

Marília, parecendo uma criança, começou a pular e a gritar:

– Eu sabia! Eu sabia!

Péricles e Zenaide voltaram a rir. Ela disse:

– Estamos aqui, porque chegou a hora.

– Que hora, Zenaide? – Marília, séria, perguntou.

– Selma, Roberto e Flora passarão por momentos difíceis, pelas decisões que terão de tomar. Chegou a hora e precisamos estar juntos. Embora você esteja cumprindo uma linda missão, ainda tem muito a fazer.

– Ainda, Zenaide? Pensei que já havia encontrado a minha missão e achei que estava tudo bem. Há muito tempo meu interesse tem sido só conduzir bem o orfanato.

– Essa é uma das suas missões e está cumprindo muito bem, mas agora vai se iniciar outra fase da sua vida. Precisa estar atenta para que Selma e Flora aparem arestas do passado que se aprofundaram nesta encarnação.

– Eu sei que elas aprofundaram os enganos passados, Zenaide. O que posso fazer para ajudá-las?

– No momento certo você vai saber. Por enquanto, fique atenta aos acontecimentos e, quando chegar a hora, saberá o que fazer. Agora, precisamos ir embora e você precisa aproveitar esta noite de sono para poder estar alerta aos acontecimentos de amanhã.

– Já vão embora? Estou tão feliz de poder conversar com vocês...

– Também estamos, mas precisamos ir e você precisa descansar. O dia, amanhã, vai ser complicado.

Abraçaram-se se despedindo. Marília continuou dormindo profundamente. Eles, sorrindo, desapareceram.

Em busca de ajuda

Roberto estava caminhando com a mala na mão. Confuso e nervoso, pensava:

Não entendo como isso aconteceu e nem como aquelas fotografias foram tiradas. Sei que sou inocente, mas como provar? Selma nunca vai me perdoar e eu nem sei para onde ir. O que vou fazer?

Continuou andando e parou em frente a um portão. Naquela casa morava seu tio.

Talvez ele me receba e permita que eu fique aqui nem que seja por esta noite. Amanhã vou para o trabalho para ver como estão as coisas. O doutor Tavares estava na festa e deve ter visto aquelas fotografias. O que vou dizer se não tenho explicações para dar, se nem mesmo sei o que aconteceu ou entenda o que aconteceu?

Tocou a campainha. Depois de alguns segundos, a porta da frente da casa se abriu e apareceu um senhor que ao vê-lo perguntou:

– Roberto, o que está fazendo aqui a essa hora?

– Boa noite, tio. Selma pediu que eu fosse embora e preciso de um lugar para passar esta noite. O senhor poderia me abrigar?

Antes que o tio respondesse, por detrás dele apareceu uma senhora que, nervosa, disse:

– Você acha que vamos recebê-lo depois do que fez?

– Está acontecendo algo que não estou entendendo, tia. Eu nunca tive coisa alguma com aquela moça. Por favor, permita que eu fique aqui, somente por esta noite. Amanhã vou ver o que posso fazer, mas hoje estou confuso e nervoso e não estou conseguindo pensar.

– Não está conseguindo pensar porque não tem o que pensar! Você agiu como um canalha! Seduziu uma menina! Devia ser preso e é isso que vai acontecer!

Antes que ele dissesse alguma coisa, ela empurrou o marido para dentro da casa e bateu a porta.

Ele ficou ali por alguns minutos, depois, nervoso, começou a caminhar e a pensar:

Não sei para onde ir. Sinto que todos aqueles que até ontem eram meus amigos deixaram de ser. Não querem ouvir ou aceitar uma explicação, simplesmente me condenaram. Preciso descobrir a verdade para poder me defender e provar a minha inocência...

Continuou andando. De onde estava podia ver a torre da igreja e pensou:

Talvez o padre Victor possa me receber. Ele sempre foi meu amigo. Todos os dias, mando alguns litros de leite para que ele distribua entre os fieis.

Caminhou em direção à igreja e, quando chegou, padre Victor estava fechando a porta. Roberto se aproximou:

– Boa noite, padre Victor.

O padre voltou-se e ao vê-lo, intrigado, perguntou:

– Boa noite, o que está fazendo aqui, Roberto, e com essa mala na mão?

– Depois do que aconteceu no orfanato, tive de sair de casa, padre.

– Entendo, mas o que aconteceu realmente? Por mais que pense não consigo acreditar que tenha feito aquilo. Conheço você desde o dia em que cheguei à cidade.

– Eu não fiz, padre. Ninguém acredita, mas eu não fiz aquilo. Não sei o motivo, mas acho que caí em uma armadilha.

– Armadilha? Quem faria isso e por quê?

– Não sei, padre. Não tenho inimigos aqui na cidade e em lugar algum.

– Está bem, meu filho. Parece que não tem mesmo onde ficar à vontade e passar esta noite.

– É verdade, padre. Selma pediu que eu saísse de casa. Ela não acreditou quando eu disse que não tinha feito aquilo. Todos estão me julgando e condenando. Não sei o que fazer nem para onde ir.

– Estou fechando a porta da igreja e indo para casa. Venha comigo e poderemos conversar e, se quiser, pode passar a noite lá.

Roberto respirou fundo e, emocionado, perguntou:

– Por que está fazendo isso, padre?

– Não sei por que, mas acredito em você. Não acredito que faria uma coisa horrível como essa. Você já me provou, várias vezes, que é um homem de bem. Agora, venha me ajudar.

Roberto, emocionado, ajudou o padre a fechar a porta e, depois, juntos, foram embora.

Chegaram à casa do padre. Entraram e, enquanto o padre tirava da geladeira a comida que a empregada tinha deixado pronta e colocava no forno, perguntou:

– Você tem ideia de quando e como essas fotografias foram tiradas?

– Eu me lembro desse dia, mas não imagino como foram tiradas as fotografias. Eu e Margarete estávamos sozinhos na minha sala. Vou contar como tudo aconteceu.

– Faça isso e, quem sabe, juntos, poderemos encontrar como e qual foi o motivo. Mas, antes, vamos comer alguma coisa? Não é muito, mas sempre dá para dividir e o pouco se torna muito. – Disse rindo.

– Obrigado, padre. Não estou com fome, mas pode comer.

– Sente-se aí nessa cadeira. Enquanto a comida esquenta, podemos conversar.

Roberto contou o que se lembrava daquele dia e terminou dizendo:

– Foi isso que aconteceu. Estranhei a atitude de Margarete, mas não dei atenção. Achei que era coisa da idade, da adolescência.

– Mas não era. Ela agiu de uma maneira estranha e premeditada. Ela quis comprometer você, mas por quê?

– Não sei, padre. Até aquele dia, ela sempre havia se comportado bem.

– Estranho. Acho que a primeira coisa que você tem a fazer é conversar com ela. Talvez ela explique o motivo de sua atitude e o porquê de ter tirado as fotografias.

– Já pensei em fazer isso, mas agora não pode ser, já está tarde. Mas amanhã, assim que chegar à empresa, bem cedo, vou conversar com ela e esclarecer tudo isso.

– Esse é o caminho, Roberto. Somente ela poderá inocentar você. Você não deve ter jantado, sente-se e vamos comer alguma coisa.

– Obrigado, padre, mas não estou mesmo com fome. Estou muito nervoso.

– Está bem. Eu estou com muita fome. Depois de terminar de comer, vou arrumar o sofá para que possa dormir esta noite. Espero que amanhã consiga provar sua inocência e voltar para sua casa. Sua família é muito bonita e não pode ser destruída.

– Sei disso, padre. Nem sei como agradecer pelo que está fazendo comigo.

Depois que o padre arrumou o sofá, Roberto se deitou mas não conseguiu dormir. Seu pensamento estava em tudo o que havia acontecido e em Selma que, assim como ele, também deveria estar sofrendo muito.

Sem saída

Amanheceu e todos acordaram. Roberto, assim que se levantou, esticou o corpo, que estava dolorido por ter dormido no sofá. Para sua surpresa, ao olhar para a mesa da sala viu que ela estava colocada para o café. Sorriu:

Padre Victor já deve estar na igreja celebrando a missa. Tenho muito que fazer, mas preciso ir até lá para agradecer mais uma vez, pois, se não fosse por ele não sei onde passaria esta noite. Demorei muito para dormir procurando entender o que aconteceu. Não entendo, por que aquela moça fez aquilo?

Abriu a mala e tirou de dentro dela as roupas que vestiria naquele dia e a escova de dente. Não encontrou sabonete nem xampu, sorriu:

Provavelmente o padre Victor deve ter. Ainda bem que trouxe a escova de dente.

Foi para o banheiro. Assim que entrou, viu que Padre Victor havia deixado uma toalha pendurada. Sorriu e entrou no chuveiro. Tomou um banho rápido, saiu do banheiro e, sentando-se, tomou café e comeu um pedaço de bolo. Não estava com fome, mas muito preocupado.

A primeira coisa que vou fazer é ir para a empresa e conversar com Margarete. Ela precisa contar a verdade e me dizer quem e por que tirou aquelas fotografias.

Após terminar o café, saiu e, rapidamente, foi para a igreja. Como havia previsto, o padre estava terminando de rezar a primeira missa. Sentou-se e acompanhou a missa. Assim que terminou, o padre foi para a sacristia. Roberto levantou-se e foi ao seu encontro:

– Bom dia, padre. Estou indo para a empresa, mas não poderia ir sem agradecer, mais uma vez, o que o senhor fez por mim.

– Bom dia, meu filho. Não tem o que agradecer. Fiz o que qualquer cristão deveria, ajudar a quem precisa.

– Sim, mas o senhor sabe que todos estão contra mim. Por que o senhor me ajudou?

– Senti que você estava falando a verdade e que é inocente, nunca podemos nos esquecer do que Jesus disse: "*Não julgueis para não serdes julgado.*" Agora, não perca mais tempo. Vá em busca da verdade. Mais tarde, vou à sua casa conversar com Selma. Vocês se amam e tudo vai ficar bem.

– Obrigado por tudo, padre. Estou indo.

– Vai, meu filho, e que Deus acompanhe você.

Roberto saiu apressado e, em poucos minutos, estava na empresa. Entrou e foi para sua sala. Sabia que ainda era cedo e que, provavelmente, Margarete ainda não havia chegado.

Sentou-se na sua cadeira e ficou olhando para todos os lados da sala, tentando se lembrar do que havia acontecido naquele dia. Lembrou-se do lugar em que estava quando Margarete o abraçou. Levantou-se e foi até a estante. Afastou alguns livros e viu que havia um buraco na parede.

Foi daqui que as fotografias foram tiradas? Quem fez isso e porquê?

Voltou para a cadeira e sentou-se novamente.

A cada minuto, olhava ansioso para o relógio que estava em seu pulso.

Parece que o tempo não passa. Por mais que pense não consigo entender ou descobrir o motivo de tudo isso estar acontecendo.

Começou a olhar alguns papéis que estavam sobre sua mesa. Distraiu-se e não percebeu o tempo passar. Quando voltou a olhar para o relógio, percebeu que Margarete já deveria ter chegado. Ia pegar o interfone para conversar com ela, quando ele tocou. Atendeu:

– Alô.

– *Bom dia, Senhor Roberto. Sou eu, Suzana. O doutor Tavares pediu que viesse a sua sala.*

– Pois não, estou indo.

Intrigado, mas ao mesmo tempo imaginando o porquê daquele chamado, Roberto respirou fundo e se encaminhou para a sala de Tavares.

Entrou na sala e estendeu a mão para cumprimentar Tavares, mas ele não aceitou, apenas apontou uma cadeira para que Roberto se sentasse. Sério disse:

– Você deve imaginar o motivo pelo qual o chamei em minha sala.

– Posso imaginar.

– Diante de tudo o que aconteceu, só me resta pedir que se demita.

– O senhor quer que eu me demita sem ao menos me dar a chance de me defender?

– Sinto muito, mas diante dos fatos não há outra coisa a fazer. Aquelas fotografias não deixam dúvidas.

– Eu não sei como aconteceu, mas vou descobrir. Nunca tive coisa alguma com aquela moça!

– Como homem, posso até aceitar o que fez, mas minha mulher estava na exposição e ficou muito raivosa. Ela não aceita uma traição e por isso exige que eu o demita.

– Mas o senhor não pode fazer isso. Trabalho aqui há muito tempo e sempre me esforcei para que a empresa progredisse! Sou inocente e vou provar! Não posso ficar sem emprego, como vou sustentar minha família?

– Eu entendo, mas precisa convir que quem manda na nossa casa é a mulher e a minha insistiu que eu o despedisse. Porém, embora não acredite que seja inocente, mas como sempre foi um ótimo funcionário, se conseguir provar sua inocência eu o readmito e com um aumento de salário. O que acha?

– Não posso ficar sem emprego, ainda mais agora. Nesta cidade não tem muito trabalho e, mesmo que tivesse, depois do que aconteceu ninguém me daria um emprego. Todos estão acreditando que fiz essa coisa horrível com aquela menina.

– Entende por que não posso continuar com você aqui? Vamos fazer o seguinte, assine sua carta de demissão e em outra hora voltaremos a conversar.

Roberto olhou para o papel que Tavares segurava na mão e vendo que não havia opção assinou, levantou-se e voltou para para sua sala, pensando:

Margarete já deve ter chegado, preciso obrigá-la a contar a verdade.

Quando chegou à antessala da sua, onde Margarete trabalhava, ela não estava lá. Por alguns minutos ficou sem entender ou saber o que fazer. Depois procurou por ela em todo o escritório para tentar descobrir se alguém sabia o que havia acontecido, já que ela não estava em lugar algum. Ninguém soube responder, mas ele percebeu que as pessoas, quando ele passava, abaixavam a cabeça, conversavam baixinho e riam. Continuou andando até chegar ao departamento pessoal. Assim que entrou, uma moça, constrangida, se aproximou e perguntou:

– Bom dia, senhor Roberto! Posso ajudá-lo de alguma maneira?

– Pode, sim, Laura. Preciso saber se você sabe o motivo de Margarete não ter vindo trabalhar.

– Ela não se comunicou comigo ou com qualquer pessoa. Desculpe, mas o senhor deve saber que ela tem um motivo muito forte para fazer isso, não?

– Sei ao que está se referindo, mas posso garantir que eu sou inocente; por isso preciso conversar com ela para que desminta aquelas fotografias. Você pode me dar o endereço de onde ela mora?

– Desculpe, mas não posso. Assim como não posso dar o seu endereço se alguém perguntar.

Desesperado, ele ainda insistiu:

– Por favor, Laura, eu preciso muito falar com ela!

– Peço que não insista, senhor. Sabe que não posso dar o endereço, mas posso dizer que Alzira é muito amiga da Margarete.

Ele entendeu o recado. Sorriu e saiu dizendo:

– Obrigado, Laura. Deus abençoe você e toda sua família.

Dizendo isso, saiu apressado. Laura ficou olhando ele sair e pensou: *Não sei o porquê, mas acho que ele está falando a verdade. O que será que aconteceu? Por que Margarete não veio trabalhar? Será que ela tem algo a ver com isso, com esse escândalo?*

Roberto, com passos apressados, chegou à sala onde Alzira trabalhava. Entrou olhando para a mesa em que ela estava sentada. Outras pessoas que trabalhavam ali estranharam, pois ele, embora fosse o chefe de todos, não costumava aparecer por lá. Curiosos, o acompanharam com os olhos.

Assim que chegou à mesa de Alzira, descontrolado, perguntou, quase gritando:

– Preciso do endereço de Margarete. Você pode me dizer onde ela mora?

– Eu não sei, senhor... – respondeu assustada.

– Como não sabe? Sei que você é amiga dela!

– Sou sua amiga, mas só aqui no trabalho. Não sei onde ela mora...

– Não pode ser! Por favor, Alzira, preciso conversar com ela!

– Eu sei onde ela mora.

Roberto voltou-se e viu que quem falava era uma moça que ele havia contratado há algum tempo atrás.

– Você sabe, Maria?

Maria escreveu algo em um papel e entregou a ele, dizendo:

– Sei. Ela mora com a tia na rua onde moro. Faz pouco tempo que ela chegou à cidade. Aqui está o endereço.

Roberto pegou o papel e saiu sorrindo e dizendo:

– Obrigado, Maria, e que Deus a abençoe.

Com o papel na mão, Roberto, apressado, quase correndo, caminhou em direção à rua que estava marcada nele. Chegou a uma casa simples. Não havia campainha e ele bateu palmas com muita força.

Uma senhora apareceu no corredor e ao vê–lo, curiosa, perguntou:

– Posso ajudar o senhor?

– Pode sim. Sou o chefe de Margarete. Preciso muito conversar com ela. A senhora poderia chamá-la?

– Ela não está. Ontem, pela manhã, disse que precisava ir embora da cidade. Fez sua mala e foi para a rodoviária tomar um ônibus.

– Ônibus? Para onde?

– Voltou para casa.

– Onde ela mora?

– Na Capital.

– A senhora tem o telefone ou o endereço?

– Sou irmã do pai dela. Eu tenho o endereço, mas é o antigo. Meu irmão se mudou recentemente e não me deu o endereço novo. Só quem tem é Margarete.

Roberto ficou desesperado:

– Meu Deus do céu! O que vou fazer?

A senhora, preocupada e intrigada, perguntou:

– Nossa, moço! O senhor está muito nervoso! O que foi que Margarete fez?

Roberto olhou para aquela mulher simples e que, provavelmente, era a única pessoa da cidade que não sabia o que havia acontecido no orfanato. Percebendo que não adiantaria prolongar aquela conversa, respondeu:

– Não se preocupe, senhora. Vai ficar tudo bem, obrigado pela atenção.

Sob o olhar curioso e preocupado dela, ele se afastou.

Enquanto caminhava, nervoso, confuso e sem saber o que fazer, pensava: *Ela era a única pessoa que poderia me inocentar. Não sei o que fazer. Selma nunca vai acreditar em mim e eu não tenho como me defender...*

Ao seu lado, sem que ele imaginasse, caminhavam a mesma entidade e seus companheiros que tinham estado com Selma desde o dia em que encontrou, pela primeira vez, Flora em frente à loja de festas e que, feliz, ria e dizia:

– Isso mesmo, você não sabe o que fazer? Não sabe e nem vai saber! Melhor é tomar uma bebida, ficar bêbado, pois só assim vai se sentir melhor.

No mesmo instante, ele pensou:

Vou tomar uma bebida para me acalmar e poder pensar.

Caminhou mais um pouco e chegou ao bar, onde costumava parar quando ia buscar Carlos na escola. Sempre passava ali e, antes do almoço, tomava uma bebida. Entrou e disse:

– Bom dia, seu Euclides. Pode me dar uma dose?

O dono do bar, Euclides, ao vê-lo àquela hora ali e sabendo o que havia acontecido, estranhou.

– Bom dia, seu Roberto, mas não está muito cedo para o senhor beber? Não são nem dez horas da manhã.

– Pode ser cedo, mas estou com vontade, agora. O senhor pode me servir ou não?

Euclides estranhou mais ainda a resposta e o tom de voz de Roberto.

– Está bem, vou servir, mas não precisa falar assim comigo. Sempre fomos amigos e não é porque o senhor fez uma bobagem que vou deixar de ser. Sou homem e sei como essas coisas funcionam. É difícil, para nós, os homens, conseguir resistir aos apelos de uma mulher, ainda mais sendo tão jovem e bonita.

Roberto ficou furioso e gritou:

– Eu não fiz coisa alguma com aquela moça, foi tudo uma armadilha!

– Calma, seu Roberto! Armadilha? Por que e por quem?

– Não tenho ideia, mas foi uma armadilha. Estou desesperado por não conseguir provar minha inocência!

– O senhor parece estar sendo sincero.

– Claro que estou! Eu jamais trairia minha esposa e meu filho!

A entidade, feliz por ele ter ouvido a sua intuição, falou:

– Pare de falar e tome logo a bebida. Você precisa dela!

– Por favor, me dê logo essa bebida!

Enquanto Euclides pegava a garrafa, Roberto colocou as mãos sobre o rosto e, sem conseguir se conter, começou a chorar.

Euclides, ao ver o desespero dele, disse:

– Não chore, Roberto. A verdade sempre aparece. Quer mesmo beber tão cedo?

– Claro que quero, Euclides. Não sei mais o que fazer. Perdi minha mulher e talvez até meu filho. Minha vida está destruída e não encontro uma saída.

– Fique calmo, com o tempo tudo se resolve.

Quando Euclides estava terminando de colocar a bebida no copo,

Selma entrou no bar e, ao vê-lo bebendo, perguntou:

– Roberto, o que está fazendo aqui?

Ele, que ia pegar o copo, ao ouvir Selma voltou-se e respondeu:

– O que acha que estou fazendo, Selma? Estou bebendo, porque é só isso que me resta fazer.

Selma olhou para Euclides e disse:

– Senhor Euclides, vamos nos sentar lá fora. Por favor, sirva-nos dois refrigerantes.

Euclides sorriu, largou o copo sobre o balcão e foi pegar os refrigerantes.

Selma conduziu Roberto até uma mesa, dentre as várias que existiam do lado de fora, e fez com que ele se sentasse.

Euclides se aproximou, abriu as garrafas e despejou o líquido em dois copos. Depois se afastou.

Roberto começou a chorar e a dizer:

– Sou inocente e não consigo provar, Selma!

– Sei disso.

– Sabe, como?

– Estamos casados há muito tempo e nunca tive queixa alguma a seu respeito. Você sempre foi um ótimo marido e um pai carinhoso. Ontem, eu estava nervosa e disse uma porção de coisas. Quando Carlos chegou e não te encontrou em casa, saiu à sua procura mas não o encontrou. Onde você passou a noite?

– Na casa do padre Victor. Ele foi o único que me acolheu.

– Foi por isso que Carlos não o encontrou. Quando voltou para casa e, ao me ver desesperada, conversou muito comigo. Embora ainda seja uma criança, falou como gente grande e me fez lembrar os anos de felicidade que vivemos e também me fez acreditar que você não poderia ter feito algo como aquilo. Por isso, agora, eu estava indo para o seu trabalho para conversarmos e dizer que você pode voltar para casa. Não imaginei que o encontraria aqui e bebendo, Roberto.

– Sei que está errado, mas estou desesperado e não sabia o que fazer. Não adiantaria você ir para o meu trabalho.

– Por quê?

– Hoje pela manhã, quando cheguei, o doutor Tavares me demitiu.

– Demitiu? Por quê?

– Ele disse que sua esposa não quer que eu continue trabalhando na empresa pois ela não aceita traição. Não tenho como provar, mas não traí você, Selma! Como vamos viver sem meu trabalho?

– Fique calmo, vamos encontrar uma solução. Temos algum dinheiro guardado, o que vai fazer com que pelo menos por alguns meses possamos seguir a nossa vida. A verdade vai aparecer e tudo vai ser esclarecido e resolvido.

– Está difícil, Selma! Depois que saí da empresa fui procurar Margarete, porque ela é a única pessoa que pode me inocentar. Mas quando cheguei na sua casa, a tia dela me falou que Margarete, ontem, pela manhã, disse que precisava ir embora e foi.

– Porque ela foi embora dessa maneira?

– Não sei, a tia dela também não sabe.

– Isso é muito estranho, Roberto...

– Também achei, mas não tenho como encontrá-la.

– Tudo isso vai ser esclarecido. Agora, vamos pra casa e lá pensaremos em uma maneira de esclarecer tudo isso.

– Não vamos conseguir, Selma...

– Talvez não agora, mas com o tempo conseguiremos. Agora não adianta ficarmos aqui. Vamos embora e, juntos, eu, você e Carlos, vamos encontrar uma saída.

Terminaram de beber o refrigerante, levantaram-se e, abraçados, saíram do bar. Euclides, ao vê-los sair juntos, sorriu e pensou:

Ainda bem que ela chegou na hora certa. Eles formam uma família linda, não podem se separar. Sinto que ele é inocente.

O vulto de mulher, agora nervosa, e que havia ficado o tempo todo ao lado de Roberto, tentou se aproximar mas não conseguiu porque o amor dos dois criou uma névoa branca que os envolveu totalmente.

O pior acontece

Caminhando abraçados, chegaram à rua onde moravam. Assim que dobraram a esquina, viram que diante da casa estava uma viatura da polícia. Assustados, apressaram o passo. Ao chegar, encontraram Marília ao lado de três policiais. Ela chorava muito. Assustada, Selma perguntou:

– O que aconteceu, Marília? O que está fazendo aqui com esses policiais?

– Juro que não consigo acreditar, Selma, mas este policial, logo pela manhã, foi ao orfanato e disse que o delegado recebeu um telefonema anônimo dizendo que você havia roubado o dinheiro do orfanato que estava na minha gaveta e que está aqui na sua casa. Não acreditei e fiquei muito nervosa. Fomos até o meu escritório, abri a gaveta e o dinheiro não estava ali. O delegado fez com que eu viesse até aqui com estes policiais para que eles pudessem procurar o dinheiro.

Selma, nervosa, quase não conseguia falar. Depois, chorando, perguntou:

– O que você está dizendo. Marília? Você me conhece, sabe o quanto trabalhei pelo orfanato e que jamais faria qualquer coisa para prejudicá-lo.

– Eu disse isso ao delegado, mas ele respondeu que diante da acusação é obrigado a revistar sua casa. Eu disse que sou a única pessoa que tem a chave da gaveta, mas ele disse que diante de uma denúncia é obrigado a investigar. Eduardo teve de concordar com ele e autorizou. Podemos entrar na sua casa para que esses policiais procurem pelo dinheiro?

– Claro que podem, Marília. Não tenho coisa alguma a esconder. Eu jamais faria isso!

Com sua chave, Selma abriu a porta e entraram na casa.

Os policiais começaram a revirar a casa toda.

Roberto, calado, ficou com o braço sobre o ombro de Selma, dando a ela segurança, afeição e amor.

Depois de procurar por todos os lugares da sala e do quarto do casal, foram para o quarto de Carlos e, embaixo do colchão, encontraram a caixa. Abriram e lá estava uma quantidade enorme de dinheiro.

Selma olhou para Roberto que, assim como ela, estava surpreso. Ela, chorando, olhou para Marília e disse:

– Não pode ser, Marília! Eu não peguei esse dinheiro!

Marília, diante do que viu, só pôde dizer:

– Juro que em momento algum julguei que você poderia fazer algo assim, mas, diante do que estou vendo, só posso acreditar que fez. Como pôde ter feito isso, Selma? Eu sempre confiei em você!

– Eu não fiz, Marília! Não sei como esse dinheiro apareceu aqui em casa, mas não fui eu quem trouxe!

Nervosa, Marília, chorando muito, ia se afastar, quando Péricles e Zenaide se aproximaram e, com as mãos, jogaram luzes sobre ela. No mesmo instante, Marília, que já estava indo embora, voltou-se e disse:

– Sinto muito, Selma, mas evidências não deixam dúvidas. Embora me custe, não consigo deixar de acreditar no que estou vendo. Jamais poderia imaginar que você seria capaz de fazer uma coisa como essa. Estive ao seu lado durante muito tempo e sei o quanto trabalhou pelo orfanato e pelas crianças. Sinto muito...

Selma, chorando ainda mais, disse:

– Está bem, Marília. Eu e Roberto vamos conseguir provar a nossa inocência.

– Espero que consigam.

Dizendo isso, Marília se afastou.

Selma ficou ali ainda não conseguindo entender o que havia acontecido. Olhou para Roberto e, chorando, disse:

– Eu não fiz isso, Roberto. Juro que não fiz.

– Sei disso. Não entendo o que está acontecendo, mas acho que estamos sendo colocados em uma situação da qual não temos como nos defender.

Selma não sabia o que dizer ou falar, somente chorava.

– Um dos policiais se aproximou, dizendo:

– Sinto muito, mas a senhora precisa me acompanhar até a delegacia para conversar com o delegado.

– Eu não fiz coisa alguma! Não roubei o dinheiro!

– Até acredito no que está dizendo, mas é preciso que vá até a delegacia.

– Minha esposa vai. Ela não tem coisa alguma a esconder. Vamos, Selma, vou com você.

Abraçados, caminharam ao lado dos policiais. Precisavam percorrer quatro quarteirões até chegar à delegacia. Selma escondia o rosto no ombro de Roberto que ao ver o que ela fazia, nervoso, disse:

– Levante a cabeça, Selma. Você nada fez de errado.

– As pessoas estão olhando, Roberto.

– Isso não deve incomodar você, Selma. Eu e você sabemos que somos inocentes e que nada fizemos para nos esconder. Não foi você quem me disse que tudo ia ficar bem? Pois acredito que vai, mesmo!

Péricles olhou para Zenaide e disse:

– Para Marília está sendo muito difícil, Zenaide. Ela está tão magoada e triste que não aceita a minha intuição. Vamos esperar que, com o tempo, ela mude de ideia e ajude sua grande amiga.

– Verdade, Péricles. Precisamos estar ao lado deles para que continuem a sua vida em paz.

Nesse momento, outra entidade se aproximou. Assim que o viu, sorriram.

– Seja bem-vindo, Mario Augusto. Neste momento, precisamos tentar fazer com que eles encontrem o caminho da verdade. Dívidas de muito tempo estão se confrontando, e é preciso que elas cheguem ao fim agora, pois, se isso não acontecer, poderão criar mais dívidas para o futuro. Sabemos que a solução é de difícil conclusão, porém pode ser feita. – Péricles disse com muita emoção.

– Para isso estou aqui, Péricles. Agora, precisamos envolvê-los com muita luz para afastarmos essas energias ruins que estão se aproximando em maior número. No momento certo, tudo vai se resolver, mas precisamos permanecer ao lado deles.

Imediatamente, todos estenderam os braços em direção aos dois. No mesmo instante, Selma, que continuava chorando, parou de chorar, levantou a cabeça e caminhou firme ao lado de Roberto e dos policiais.

Assim que passavam pelas pessoas que se aglomeraram nas ruas, percebiam que elas riam ou cochichavam umas com as outras.

Chegaram à delegacia. O delegado os recebeu com educação, mas sem deixar de demonstrar que estava chocado com o que havia acontecido.

Com a mão, mostrou duas cadeiras que estavam em frente à sua mesa e disse:

– Por conhecer os senhores, já que somos amigos do juiz Eduardo e sua esposa, nunca imaginei que um dia eu os teria sentados à minha frente como estão neste momento. Nunca imaginei que a senhora, dona Selma, seria capaz de fazer algo como isto de que está sendo acusada. E jamais pensaria que o senhor pudesse fazer o que fez com aquela moça que, por não ter feito queixa alguma, não me permite que o senhor seja investigado e preso. Esta situação é, para mim, muito difícil. O que a senhora tem para me dizer sobre essa acusação? O que aconteceu, dona Selma?

– Eu não sei o que aconteceu nem como esse dinheiro foi parar na minha casa.

– Dona Marília é a única pessoa que tem a chave da gaveta, e não acredito que ela teria feito uma coisa como essa. Ela é de família rica, casada com um juiz, não precisa de dinheiro e jamais faria algo assim. Ela fundou o orfanato, deu sua casa para que ali pudesse receber várias crianças. A senhora, ao contrário, vive do trabalho de seu marido e não tem posses. A senhora, sim, precisa de dinheiro.

– Claro que Marília não faria isso, assim como eu também não faria. Eu não fiz isso, delegado. Trabalhei muito com as meninas para que a exposição fosse um sucesso e, com o dinheiro arrecadado, pudéssemos construir uma nova ala para atender mais crianças. Eu jamais faria isso. Não precisamos de mais dinheiro do que temos. Com o salário do meu marido, vivemos muito bem, não com luxo, mas nada nos falta. Sempre achei que poderia viver com pouco, mas com tranquilidade, e essa tranquilidade tínhamos até ontem. Não entendo o que está acontecendo.

– Chego até a acreditar no que a senhora está dizendo, mas diante dos fatos a senhora terá de ficar aqui até que tudo seja esclarecido.

– O senhor vai me prender?

– Não tenho alternativa. O dinheiro foi encontrado na sua casa.

– Eu não fiz isso! Por favor, não me prenda...

– Minha esposa é inocente, delegado!

– Talvez seja, mas eu preciso cumprir a lei. Ela vai precisar ficar aqui até que tudo se esclareça. Só não entendo uma coisa.

– O quê, delegado?

– Como a senhora conseguiu a chave da gaveta?

– Não posso responder a essa pergunta, simplesmente porque não peguei a chave!

– Está bem. Quero acreditar na senhora, por isso preciso investigar.

Também quero que o senhor investigue e descubra o culpado para que possamos voltar para nossa casa. – Selma disse, ainda chorando.

– Entendo o que está sentindo, senhora, mas neste momento a única coisa que podem fazer é contratar um advogado e conseguir um *habeas corpus* com o juiz Eduardo, mas duvido que isso seja possível, afinal foi sua esposa quem foi roubada.

– Roberto, vá conversar com Marília. Peça que ela venha até aqui! Sei que ela saiu daqui muito nervosa, mas ela me conhece, não pode acreditar que eu teria coragem de roubar o orfanato! Vá até lá, vá...

– Está bem. Vou falar com ela. Fique calma. Vamos conseguir provar a sua inocência.

Em seguida, beijou o rosto da esposa e saiu apressado.

Assim que ele saiu, a pedido do delegado, um soldado levou Selma para uma cela que ficava nos fundos da delegacia.

A cidade era pequena, por isso quase não havia ocorrência policial e, por esse motivo, a cela estava vazia. Assim que se viu sozinha, Selma olhou à sua volta e continuou chorando. Sentou-se sobre a cama feita de cimento, com um colchão de palha, e pensou:

Meu Deus do céu, como pude chegar a este lugar? Minha vida estava tão boa e, em poucas horas, se transformou nessa loucura. Quem pegou o dinheiro e por que me envolveram nessa história toda?

Mario Augusto, que estava ao seu lado, estendeu as mãos sobre ela e enviando-lhe uma luz branca disse:

– Tudo acontece como tem de acontecer, Selma. A hora de acertar contas sempre chega, mas fique calma. Tudo vai acontecer como tem de ser. A verdade sempre aparece.

Sem imaginar que ele estivesse ali, Selma sentiu-se muito bem, parou de chorar e deitou-se sobre a cama e o colchão de palha.

Desespero total

Roberto chegou ao orfanato. Marília, ainda confusa e se recusando a acreditar que Selma havia roubado o dinheiro pelo qual havia trabalhado tanto, o recebeu.

– O que você quer aqui, Roberto?

– Marília, Selma ainda está presa. Você sabe que ela não pegou o dinheiro...

– Não sei o que pensar, Roberto. A única coisa que sei é que o dinheiro foi encontrado na sua casa. Guardei o dinheiro e tranquei a gaveta. Só eu tenho a chave. Selma sempre teve acesso a qualquer lugar aqui no orfanato. O que espera que eu pense ou faça?

– Selma não fez isso, Marília! Ela estava entusiasmada com a exposição e com a possibilidade de vocês poderem fazer mais uma ala aqui no orfanato.

– Também acreditei nisso, Roberto. Ela é a minha melhor amiga...

– Ela é inocente e pediu que você fosse até a delegacia para que pudessem conversar. Somente o seu marido poderá ajudá-la a sair de lá para que possa provar sua inocência.

– Não vou até lá e não posso me intrometer no trabalho de Eduardo.

Contrate um advogado e, se ela for inocente, a verdade vai surgir.

– Precisa acreditar em Selma, Marília!

– Como quer que eu faça isso? Ela roubou o dinheiro do orfanato, Roberto!

– Ela não fez isso, Marília!

– Assim como você não fez aquilo com aquela moça?

– Claro que não fiz aquilo! Não sei como aquelas fotos foram tiradas. Não estou entendendo o motivo de tudo isso estar acontecendo.

– Eu também, além de não entender, por mais que tente não consigo acreditar na inocência de vocês.

– Precisamos de ajuda, Marília. Eu e Selma não temos parentes e também não temos dinheiro para contratar um advogado. Sabe que do meu salário não sobra quase nada. Não sei o que fazer.

– Deveriam ter pensado nisso antes de cometerem esses crimes.

– Por favor, Marília...

– Desculpe-me, Roberto. Não tenho como ajudar. Agora, acho que deve ir embora, pois está perdendo seu tempo aqui comigo.

Roberto, vendo que não conseguiria ajuda, começou a se afastar, quando Marília disse:

– Selma tem uma amiga que é muito rica, procure por ela, talvez ajude.

– Que amiga?

– Selma não contou a você? Seu nome é Flora e é muito rica.

– Não, Selma nunca me falou a respeito dessa amiga.

– Por que será que ela nunca falou sobre isso, Roberto?

– Não sei, mas vou agora mesmo na delegacia conversar com Selma.

Dizendo isso e intrigado, ele foi para a delegacia e, assim que chegou, o delegado o recebeu com o olhar raivoso e, ríspido, disse:

– Ainda bem que chegou, senhor Roberto. Estava esperando que chegasse, e se demorasse muito eu ia pedir ao soldado Raimundo que fosse procurar pelo senhor.

– Como assim? Não estou entendendo. Por que está falando comigo dessa maneira, delegado? Procurar por mim, por quê? O senhor me parece tão nervoso...

– Estou muito nervoso, sim! Este senhor chama-se Otaviano, ele é o pai da Margarete, aquela moça que o senhor desonrou. Ele está aqui e prestou queixa. Por isso, diante das fotografias e de tudo o que ele disse, só me resta prendê-lo. Ela é menor de idade.

– Vai me prender? O senhor não pode fazer isso! Não fiz coisa alguma com aquela moça, ela está mentindo!

– Mentindo? Por que faria isso?

– Não sei o motivo, mas ela fez e inventou tudo isso!

– As fotografias também foram invenção? Como pode ser? O senhor nunca pensou que seria pego, mas foi e agora vai ficar aqui até que seja julgado!

– Não posso ser preso! Selma já está presa e nós temos um filho que não pode ficar sozinho!

– Margarete é minha filha e me contou, em detalhes, o que o senhor fez com ela! Vai ter de pagar pelo seu crime! Não sabia que ela é menor de idade? Claro que sabia, mas o senhor é um doente e merece ficar na cadeia pelo resto da sua vida!

– Eu não fiz coisa alguma com sua filha, senhor! Isso tudo é um grande engano! Ela não pode ter dito que eu fiz alguma coisa!

– Ela disse que o senhor a ameaçou e que se contasse alguma coisa o senhor a mataria! Por isso ela fugiu ontem pela manhã! O senhor tem sorte de eu ser um homem de bem, se não eu o mataria! Não foi para isso que criei minha filha com tanto carinho!

– Está tudo errado, não sei como provar, mas não fiz coisa alguma com sua filha! Não entendo o porquê de ela ter inventado uma história como essa!

Ao ouvir aquilo, Otaviano, com os punhos fechados, caminhou em sua direção, mas foi impedido pelo delegado que falou:

– Não faça isso, senhor Otaviano. Ele está aqui e vai ficar preso por muito tempo. Já tenho seu endereço, por isso pode voltar para sua cidade e, quando chegar a hora do julgamento, o senhor receberá um telegrama e poderá voltar para assistir.

– Eu não posso ir embora assim, delegado!

– Não pode, por quê?

– Minha filha está grávida e disse que ele é o pai!

Roberto se desesperou:

– Eu? Ela está mentindo! Nunca, em momento algum, eu toquei na sua filha!

– Como pode dizer isso? Ela nunca teve namorado na vida!

Roberto colocou a mão sobre o rosto e gritou:

– Isso não pode estar acontecendo! Devo estar sonhando! Até ontem pela manhã, tudo estava bem em minha casa e na minha vida, agora toda essa confusão! Como isso pode acontecer e por quê?

– O senhor não está sonhando, não! Está acontecendo, e para pensar melhor no que fez vai para a cela agora mesmo! Sugiro, novamente, que contrate um advogado, só que agora será para defender o senhor e sua mulher!

– Não conheço advogado algum e, também, não tenho dinheiro...

– Esse problema é só seu. Cabo Orestes, pode levar o preso para a cela.

O policial se aproximou e, segurando Roberto pelo braço, o conduziu até os fundos da delegacia e para a cela.

Antes de acompanhar o soldado, Roberto, desesperado, disse:

– Por favor, delegado, não me prenda! Meu filho está na escola e não sabe o que está acontecendo! Ele não pode ficar sozinho!

– Devia ter pensado nele antes de fazer o que fez. Mas não se preocupe, se não tiver um familiar para cuidar dele, vai para o orfanato. Isto é, se a dona Marília aceitar que ele fique lá; caso ela não aceite, teremos de mandá-lo para outra cidade.

– Não podem fazer isso! Ele está na escola e é um ótimo aluno!

– Nada mais temos que conversar. Vou entrar em contato com o advogado Josias.

Impotente, Roberto acompanhou o policial e foi para a cela.

Assim que entrou no corredor, Selma viu que ele chegava e, alegre, perguntou:

– Conseguiu me libertar, Roberto?

Antes que Roberto respondesse, o policial abriu a cela ao lado da dela e fez com que Roberto entrasse. Selma, inconformada, perguntou:

– O que está acontecendo, Roberto? Por que está sendo preso?

Ele se aproximou da grade e, pegando a mão dela, chorando, disse:

– Nossa vida está uma loucura, Selma! Não entendo o que está acontecendo nem por quê!

Contou a ela o que havia acontecido. Ela o ouviu em silêncio. Quando ele terminou de falar, chorando e desesperada, perguntou:

O que vai acontecer com Carlos?

– O delegado disse que se não tivermos parentes ele vai ser enviado a um orfanato, e se Marília não o aceitar, irá para outra cidade.

– Carlos não vai entender e vai ficar desesperado, Roberto!

– Sei disso, mas também não sei o que fazer. Não entendo o motivo daquela moça ter inventado uma mentira como essa, Selma! Juro a você que nunca toquei em um fio de cabelo dela. Tudo aconteceu como eu contei! Ela provocou aquela situação e eu não consegui evitar.

– Depois de ter sido incriminada, não posso deixar de acreditar em você, Roberto. Precisamos falar com Marília para que aceite Carlos no orfanato. Embora seja só para meninas, ela, se quiser, poderá abrigá-lo. Ele não pode ser enviado para outra cidade. Aqui ele tem a escola, os amigos... O que vai acontecer com ele se, além de perder nós dois, ainda perder tudo o mais que ama?

– Não adianta pensarmos em Marília. Fui lá para conversarmos mas ela quase não quis me ouvir. Está muito nervosa e revoltada, não vai nos ajudar.

– Não entendo como ela, apesar de me conhecer tão bem, tenha acreditado que eu seria capaz de roubar o orfanato...

– As provas contra você são muitas, Selma. Só não entendo o motivo de tudo isso estar acontecendo. Quem planejou tudo isso e quem telefonou dizendo que você estava com o dinheiro?

– Eu também não e não consigo acreditar nisso que está acontecendo.

– Não sei como nem o motivo, mas está acontecendo. Só estou preocupado com Carlos. O que vamos fazer? Não temos sequer um familiar para pedirmos que cuide dele.

Selma ficou olhando para o horizonte e ia dizer alguma coisa quando Carlos, desesperado e acompanhado pelo mesmo policial, entrou no corredor chorando. Chegou junto às duas celas e perguntou:

– O que aconteceu? O delegado me disse que vão ficar presos e que eu vou para um orfanato! Não poder ser! Papai, mamãe, não quero ir para um orfanato! Tenho minha casa e tenho pais, não sou órfão! Não deixem isso acontecer...

Agora, Carlos chorava desesperadamente.

– Infelizmente, filho, nada podemos fazer, estamos presos. Não temos família que possa nos ajudar.

Carlos, ao ouvir o que o pai disse, não conseguiu parar de chorar e, mais desesperado ainda, disse:

– Eu não quero ir para o orfanato! Não quero!

Ao ver o desespero do filho, Selma, também chorando, disse:

– Você não vai para o orfanato, não precisa. Tem família, sim.

Roberto e Carlos, admirados, olharam para ela. Ele perguntou:

– O que está dizendo, Selma?

Ela, parando de chorar, com o rosto ríspido, respondeu:

– Desculpe-me, Roberto, deixei de contar a você como foi a minha vida antes de nos conhecermos.

– Ainda não estou entendendo...

Selma não respondeu, apenas olhou para o policial que estava ali e presenciava toda aquela cena:

– Por favor, diga ao delegado que preciso telefonar e que é urgente.

O policial, também curioso e intrigado, saiu dali e foi falar com o delegado.

Assim que ele saiu, Selma, beijando a mão de Carlos, que estava junto à grade, voltando a chorar, falou:

– Não se preocupe, meu filho. Existe alguém que, se quiser, poderá cuidar de você e nos ajudar a sair. Estou fazendo algo que nunca pensei que, um dia, faria.

– O que significa isso, Selma? Quem é essa pessoa?

– Depois que eu falar com ela, vou contar tudo a vocês.

– Nunca pensei que você tivesse segredos, Selma.

– Agora vejo que foi um erro, mas, na época em que nos conhecemos, achei que seria o melhor.

– Vai falar com Flora, sua amiga?

– Flora? O que sabe sobre ela?

– Nada. Apenas que é muito rica e sua amiga.

– Como soube isso?

– Foi Marília quem me contou. Por que não me disse que tinha uma amiga e que era rica?

– Porque nunca achei que isso fosse importante e, também, por ela fazer parte do meu passado, que eu queria esquecer. Assim que eu der um telefonema, volto aqui e conto tudo o que quiserem saber. Agora, não há mais por que eu esconder qualquer coisa.

O policial voltou e, enquanto abria a cela, disse:

– O delegado disse que a senhora vai poder telefonar da sala dele.

– Obrigada.

Sorrindo com tristeza, olhou para eles e acompanhou o policial.

Pai e filho, com os olhos, a acompanharam até que desaparecesse no fim do corredor.

Assim que entrou na sala do delegado, ele, apontando um telefone que estava sobre sua escrivaninha, disse:

– Pode usar o telefone; porém, preciso ficar aqui.

Ela, tentando sorrir, disse:

– Pode ficar. Agora, nada mais importa nem há nada a esconder.

Selma pegou o telefone e, tremendo muito, discou um número. Do outro lado, uma voz de mulher atendeu:

– *Alô!*

– Sou eu, Selma.

– *Selma! Meu Deus do céu! Tenho procurado você por tanto tempo! Onde você está?*

– Estou morando em uma cidade há pouco mais de cem quilômetros da senhora.

– *Tão perto e não a encontrei! Por que foi embora daquela maneira, minha filha? Durante todos esses anos, estou procurando por você e sofrendo muito!*

– Perdão, mãe. Hoje entendo que agi mal, que não devia ter feito o que fiz. Mas com isso também aprendi muito!

– *Estou muito feliz e aliviada por ter telefonado!*

– Mãe, estou casada e tenho um filho de treze anos. Ele e eu estamos precisando da senhora e de sua ajuda.

– *Um filho, Selma? Como pôde deixar de me avisar que eu tenho um neto?*

– Perdão, mãe, mas eu queria deixar o passado para trás.

– *Até agora, não entendi o porquê de você ter feito o que fez e o que precisa deixar para trás...*

– Perdão, mãe. Logo teremos tempo para conversar e, assim, poderei contar o motivo de eu ter saído de casa e ter vindo para cá. Porém, agora preciso de sua ajuda. Eu e meu marido estamos presos e, se não encontrarmos algum familiar para ficar com nosso filho, ele irá para um orfanato e isso nem ele nem nós queremos. Ele é um bom menino e não merece isso...

– *Presa, Selma? O que você fez?*

– Nada, mãe. Eu e meu marido não fizemos coisa alguma. Fomos envolvidos em uma trama terrível e precisamos da sua ajuda.

– *Estou feliz que tenha telefonado, mas não posso acreditar que alguém esteja preso sem motivo algum. Para os dois estarem presos devem ter feito algo muito sério...*

– Está bem, mamãe. Agora, não tenho tempo para contar para a senhora tudo o que aconteceu. Só preciso saber se a senhora pode vir até aqui e nos ajudar...

– *Claro que vou. Você é minha única filha e tive bastante tempo para entender tudo o que aconteceu. Além do mais, um neto meu jamais irá para um orfanato! Passe o endereço. Vou anotar e estarei aí o mais rápido possível.*

– Obrigada, mãe.

– Após passar o endereço, Selma olhou para o delegado que, surpreso pelo que tinha ouvido, perguntou:

– Está tudo bem?

– Está, delegado. Agora, tudo vai ficar bem. Como o senhor ouviu, minha mãe está vindo para cá e vai cuidar do meu filho. Por favor, permita que ele fique comigo e com meu marido até que ela chegue. Tenho uma longa história para contar aos dois.

– Está bem. Ele pode ficar por hoje. Mas, se ela não chegar até as seis horas da tarde, serei obrigado a enviá-lo para o orfanato.

– Ela virá, delegado. Ela virá.

Olhou para o policial que também estava ali:

– Agora, já posso voltar para a cela. O senhor me acompanha?

O policial, desconcertado com aquela atitude, sorriu e, com a mão, apontou o caminho que deveria seguir.

Estavam saindo, quando Selma voltou-se e disse:

– Delegado, como eu disse, tenho uma longa história para contar ao meu marido e ao meu filho. Ele está do lado de fora da cela, será que o senhor permitiria que ele entrasse comigo na cela para que pudesse se sentar e, assim, ouvir a história que preciso contar?

O delegado pensou por alguns segundos:

– Está bem. Já que a senhora disse que sua mãe vai chegar e ficar responsável por ele, não vejo inconveniente algum.

Olhando para o policial, continuou:

– Pode deixar que o menino entre na cela.

Assim que saíram, Mario Augusto, que esteve ali o tempo todo e que agora estava acompanhado de outra entidade de mulher, disse:

– Alguns momentos difíceis precisam acontecer, não é?

A outra entidade de mulher, sorrindo, respondeu:

– É verdade, Mario Augusto. Na maioria das vezes, esses momentos nos obrigam a tomar uma atitude da qual temos medo ou queremos evitar, mas que precisam acontecer para que possamos continuar a nossa caminhada, pois, se não fizermos o que precisamos fazer, essa caminhada poderá se tornar bem mais difícil do que o necessário.

– O medo e o apego, não só de coisas, mas principalmente o apego a pessoas, podem nos prejudicar muito. Agora, vamos ver o que Selma vai contar. Vamos acompanhar o seu momento de libertação.

Selma conta sua história

Selma, ao chegar ao corredor que levava às celas, viu que Carlos estava sentado no chão, do lado de fora da cela, segurando a mão do pai, que também estava sentado, só que do lado de dentro. Assim que ele viu Selma, levantou-se e foi ao seu encontro.

Ela, abraçando-o, disse:

– Você não vai precisar ir para o orfanato. Sua avó está vindo para ficar com você.

– Avó? O que significa isso, Selma?

– Significa que tenho mãe e que ela está vindo para cá. Ela pode nos ajudar a conseguir um bom advogado lá da Capital e vai ficar responsável pelo Carlos. Está tudo bem, Roberto.

– Como está tudo bem? Você me enganou durante todo esse tempo! Sempre disse que não tinha família!

– Eu não o enganei, apenas omiti o meu passado. Hoje entendo que não devia ter feito isso, mas na época me pareceu ser o melhor a fazer. Porém, agora, a vida está me obrigando a contar a vocês tudo o que aconteceu para que eu tivesse omitido essa parte da minha vida.

O policial abriu a cela. Selma, ainda abraçada ao filho, disse:

– Entre, filho. Você vai ficar ao nosso lado até que minha mãe chegue, e vou aproveitar para contar tudo o que me aconteceu e quem eu era antes de vir para esta cidade, conhecer você, Roberto, nos casarmos e termos esse filho maravilhoso.

Intrigado, Carlos acompanhou a mãe e sentou-se ao seu lado. Roberto levantou-se e também sentou-se em sua cama.

Assim que se sentaram e o policial se retirou, Selma começou a falar:

– Nasci em uma família rica e tradicional. Meu pai, avô e bisavô foram diplomatas. Meu irmão, quatro anos mais velho do que eu, assim que nasceu já estava destinado a ser diplomata também. Eu, sendo mulher, teria pouca chance para seguir carreira, por isso meus pais resolveram que, como até hoje ainda acontece com as mulheres, me criariam e me preparariam para ser esposa de um diplomata ou político e, para que isso acontecesse, teria de ter uma ótima formação.

– A senhora era rica, mamãe?

– Sim, meu filho. Muito rica. Tão rica que você nem pode imaginar. – Ela disse rindo e continuou:

– Sendo assim, eu e meu irmão sempre tivemos professores que iam a nossa casa para nos ensinar vários idiomas. Aprendemos a falar e a escrever, fluentemente, inglês, espanhol, italiano, francês e alemão.

– A senhora fala todos esses idiomas? Como conseguiram?

– Falo, filho, mas o único que preciso é o nosso, pois é com ele que consigo falar com você e seu pai, que são as únicas pessoas com quem quero conversar.

– Como conseguiu aprender a falar tantos idiomas? Eu tenho muita dificuldade com o inglês.

– Criança aprende tudo, Carlos. Quando aprendi a falar, meu irmão já tinha professores desses idiomas e que conversavam com ele. Eu também fui aprendendo com eles e nem percebi a diferença. Para mim, era normal e engraçado falar em várias línguas. Além dos idiomas, precisávamos aprender também a nos vestir, a nos comportar à mesa e em todos os lugares. Meus pais queriam que a nossa educação fosse esmerada.

Para isso, contratavam os melhores professores e professoras que existiam. Meus pais tinham uma vida social bem intensa e, por isso, quase não os víamos. Desde pequenos tivemos uma babá que cuidava de nós com muito carinho. A minha chamava-se Etelvina.

Roberto, curioso, perguntou:

– Etelvina?

– Sim, Roberto, Etelvina. – Disse sorrindo e continuou: – Um dia, quando comecei a entender e vi que era negra, perguntei:

– *Por que sua mão e seu rosto são diferentes dos meus?*

– *Foi Deus quem criou a gente. Ele criou cada pessoa de um jeito. Tem aquelas que têm cabelos claros, outras escuros. Umas são altas e outras são baixas; tem gente que é branca, assim como você, e tem gente que é negra, assim como eu. Tem ainda os índios, que são vermelhos, e os asiáticos, que são amarelos. Embora sejamos diferentes na cor, somos muito amados por Ele.*

– *Assim como eu amo você?*

– Ela me abraçou e, hoje sei que estava emocionada, respondeu:

– *Assim mesmo, minha menina, igual eu amo você. Quando existe amor, a cor não tem importância alguma.*

– Realmente, para mim, não tinha importância. Eu amava aquela mulher. Quando fiz sete anos, já falava fluentemente todos os idiomas, e chegou a hora de aprender a escrever. Meu irmão já tinha professores desses idiomas e eles começaram a me ensinar também. Novamente, percebi que as palavras que eu conhecia também eram escritas de maneiras diferentes, mas não tive problema algum. Enquanto eu estava estudando, Etelvina cuidava das minhas roupas e da minha comida. Tudo ia bem e eu estava feliz.

– Eu queria ter essa facilidade para aprender.

– Você está aprendendo, Carlos, na hora e no tempo certo. – Selma disse, sorrindo, e continuou:

– Etelvina cuidava de mim com muito carinho, contava histórias e, como meus pais quase nunca estavam em casa, era ela quem me colocava para dormir, sempre contando histórias e cantando alguma música. Ela falava sobre castelos, príncipes e princesas e sempre terminava dizendo:

– *Você é uma linda princesa e vai ser muito feliz.*

– Minha mãe era ausente, ficava quase o tempo todo fora participando de compromissos sociais e, quando estava em casa, estava sempre com costureiras ou cabeleireiras. Ela não tomava parte de nossa vida. Meu pai, por causa do seu trabalho, viajava muito e, quando estava em casa, ficava no seu escritório sempre envolvido com livros. Minha mãe era quem cuidava da nossa educação. Em uma noite, quando Etelvina estava sentada em uma poltrona que havia no meu quarto, e eu sentada em seu colo, ela disse:

– *Hoje, vou contar uma história diferente para você, Selma.* Não vai ser sobre príncipes ou princesas, mas sim sobre alguém muito especial para todos nós.

– *Conte, Etelvina!*

– Ela sorriu e começou a contar:

– *Havia uma criança que ia nascer para ser um rei. Ele poderia nascer em um rico palácio, mas resolveu nascer em uma manjedoura.*

– *O que é manjedoura, Etelvina?*

– *É o lugar onde, nas fazendas, os animais comem.*

– *Por que ele quis nascer em um lugar como esse?*

– *Ele queria ensinar a todas as pessoas que, para a gente ser feliz, não precisa ter muito dinheiro. Quis ensinar, também, que a Terra, esse mundão que Deus nos deu, tem tudo o que precisamos para viver. Depois que ele nasceu na manjedoura, e durante sua vida, ele quis ensinar para todas as pessoas que uns devem ajudar os outros porque somos todos irmãos, não importando se somos ricos ou pobres.*

– *O que são pobres, Etelvina?*

– Ela, rindo, ia responder, quando minha mãe entrou no quarto e, raivosa, disse:

– *O que você está fazendo, Etelvina?*

– *Estou contando a história de Jesus para ela.*

– Minha mãe ficou mais nervosa ainda e gritou:

– *Selma, saia do colo dela e vá se deitar! Etelvina, saia do quarto! Depois vamos conversar!*

– Assustada, pulei do colo de Etelvina, fui para minha cama e me cobri toda com o lençol. Etelvina também saiu do quarto. Assim que ela saiu, minha mãe se aproximou da cama, levantou o lençol que estava sobre meu rosto e muito nervosa quase gritou:

– *O que estava fazendo no colo dessa mulher?*

– *Estava ouvindo a história que ela me contava.* – Respondi, tremendo e assustada.

– *Nunca mais, em sua vida, sente-se no colo dela e de ninguém igual a ela!*

– *Por que, mamãe?*

– *Você não viu que ela é diferente de você?*

– *Diferente como?*

– *Ela tem a pele negra, Selma!*

– *O que tem isso, mamãe? Etelvina disse que todos nós fomos criados por Deus e que Ele ama a todos igualmente.*

– *Mentira, Selma! Você acha que alguém feio como ela pode ser amada por Deus? Isso os pobres e negros dizem para se sentirem melhor, mas não é verdade! Deus criou somente a nós brancos que somos bonitos!*

– *O que é pobre, mamãe?*

– *São aquelas pessoas que Deus criou para nos servir, assim como Etelvina, apenas isso!*

– *Eu gosto dela, mamãe...*

– *Nunca mais repita isso, Selma! Gente como ela serve apenas para preparar o seu banho, ajudar você a se vestir e pentear os seus cabelos, somente para isso! Não pode ser sua amiga e você não pode gostar dela! Pessoas como ela são sujas e podem transmitir doenças muito graves!*

– Após dizer isso, ainda nervosa, ela saiu do quarto.

– Ela falou isso, mamãe?

– Falou, Carlos.

– O que ela disse não é verdade, mamãe! Tenho muitos amigos que são pobres e nós também não somos ricos. Quanto a negros, não tenho problema algum e nem poderia, não é?

Selma, rindo, respondeu:

– Claro que não, filho. A cor da pele ou sua condição não deve nos importar, pois temos pessoas boas em qualquer condição, ricos, pobres ou negros. Conheço seus amigos e também gosto muito deles, mas não pode se esquecer que eu tinha apenas sete anos e, por isso, era muito impressionável.

– A senhora acreditou no que ela disse?

– Acreditei mais ou menos, mas fiquei com medo de pegar uma doença.

– O que aconteceu depois?

– Com medo, comecei a me lembrar de todas as vezes em que estivera no colo de Etelvina e, por isso, demorei muito para dormir. No dia seguinte, a babá do meu irmão entrou no meu quarto. Ela também era negra. Assustada, perguntei:

– Onde está Etelvina?

– Ela foi embora e, enquanto não vier outra babá, vou cuidar de você.

– Embora por quê?

– Não sei. Depois você pergunta para sua mãe.

– Eu não tinha muita intimidade para perguntar qualquer coisa a ela. Sem entender o que havia acontecido, fui para o jardim e vi Josias, que lavava o carro, e me aproximei:

– Josias, você sabe por que Etelvina foi embora?

– Ele, com o pano que secava o carro nas mãos, me olhou nos olhos:

– Ela precisou ir, Selma.

– Foi para onde?

– Acho que foi para o interior, viver com sua família.

– Ela nunca me disse que tinha família...

– Tem, sim. Uma irmã e uma filha.

– Ela tem uma filha e não cuidava dela, só cuidava de mim?

– Ela não podia cuidar da filha. Precisava do dinheiro que recebia da sua mãe para poder sustentar a filha.

– Eu não entendo isso. Como uma mãe pode deixar de criar sua filha para cuidar de outra criança?

– É a vida, menina... é a vida...

– Saí dali e fiquei pensando em Etelvina, inconformada e sem entender como ela pôde deixar a filha e ter vindo cuidar de uma criança que não era dela. Pensei nela por alguns dias, depois deixei de pensar. Ela não voltou mais para casa. Fiquei muito triste e não conseguia acreditar que aquilo que minha mãe havia dito fosse verdade. Eu gostava tanto de Etelvina que não aceitava que ela fosse diferente de mim e nem me lembrava de que a cor dela era diferente da minha, mas, depois que soube que ela tinha uma filha, e que a tinha abandonado, tentei não pensar mais nela. Meu irmão tinha um amigo, seu nome era José Luiz. Tinham a mesma idade. Eu só tinha, como amigas, duas meninas, Arlete e Flora, elas eram as únicas crianças que minha mãe permitia que frequentassem a nossa casa e nós a delas. Eram as filhas de uma amiga sua da sociedade.

– O que é isso, mãe? Sociedade.

– Deveriam ser todas as pessoas que vivem aqui na Terra; mas, para alguns, são aquelas pessoas que têm dinheiro e poder. Mas não vamos falar sobre isso porque é complicado. Essa amiga era muito rica, somente por isso é que minha mãe estava sempre com ela.

– Entendi mais ou menos,

– Está bem, Carlos. Agora, vou continuar:

– Continue. Estou ansioso para saber o resto da história e porque a senhora largou toda a riqueza e veio morar aqui.

Selma voltou:

– Arlete e Flora eram gêmeas e tinham a mesma idade que eu, que nasci um dia antes delas. Eu, meu irmão, elas e José Luiz sempre brincávamos juntos. Elas também, assim como eu, eram muito ricas. Achei que Flora e Arlete seriam minha amigas para sempre. Assim como eu, elas também estavam sendo preparadas para se casar com homens ricos e de uma família que tivesse um nome respeitado, assim como a nossa. Também falavam vários idiomas. Nossa educação tinha sido praticamente a mesma. Elas também tinham babás negras. Naquele dia após o almoço, talvez para que eu não sentisse tanta falta de Etelvina, minha mãe mandou que o motorista me levasse à casa delas. Meu irmão não pôde ir porque tinha aulas importantes, naquele dia. Quando entrei no carro, estava feliz por poder ir brincar com minhas amigas, mas também estava triste e com saudade de Etelvina. Assim que entrei, Josias perguntou:

– O que aconteceu com você, Selma? Parece que está triste.

– Estou com saudade de Etelvina. Queria muito saber onde ela está...

– Não fique triste. Você é ainda muito pequena e não devia estar sofrendo por coisas como essa. À medida que for crescendo, vai descobrir a verdade e o que interessa realmente. Deus não criou filho algum diferente, ou melhor, do que outro. Etelvina tem razão, somos todos filhos do mesmo Deus. Você é uma criança linda e precisa somente brincar. Agora, sorria, estamos quase chegando e você não vai querer que suas amigas vejam que você esteve chorando.

– Aliviada com o que ele disse, desci do carro e entrei na casa das minhas amigas. Assim que entrei, contei para elas o que havia acontecido e o que minha mãe havia dito. Quando terminei de falar, elas começaram a rir e Arlete disse:

– Você não sabia disso?

– Disso o que, Arlete?

– Que somos especiais? Que nascemos para ser servidas?

– Não, eu não sabia.

– Minha mãe também sempre disse isso. Ela disse que, como temos dinheiro, as outras pessoas que não têm precisam nos servir.

– Você acha que isso é verdade?

– Claro que acho, Selma! Minha mãe disse que se Deus nos criou ricas é porque ele nos ama de modo diferente das pessoas que são pobres. Ela disse que o dinheiro pode tudo e que por isso podemos comprar tudo e todos que quisermos!

Ao ouvir aquilo, Carlos disse:

– Pode mesmo, não é mamãe?

– Nem tudo, meu filho, nem tudo. – Selma respondeu, com o olhar perdido.

– Claro que pode, mamãe! Quem tem dinheiro pode morar em uma casa grande, ter carro e roupas bonitas!

– Isso tudo pode sim, mas a paz de espírito e o amor não podem ser comprados. O dinheiro é importante mas não pode servir para que as pessoas que não o tenham sejam humilhadas.

Selma olhou para Roberto, que desde que ela começou a contar sua história estava calado, e perguntou:

– Por que está tão calado, Roberto?

– Estou triste com tudo o que está acontecendo. Estou me sentindo traído, pois sempre pensei que nosso casamento fosse sólido e que não havia segredos entre nós. Não entendo o porquê de você ter me escondido tudo isso que está contando agora.

– Hoje entendo que você tem razão, mas quando cheguei a esta cidade estava desesperada e sem saber o que aconteceria com a minha vida. Eu estava fugindo do passado e de tudo o que aconteceu e o que eu havia feito. Tinha vergonha de tudo isso e quando conheci você senti que minha vida poderia mudar para melhor, e realmente mudou, até agora. Hoje, vejo que não há como fugir do passado e da verdade. Preciso que você me perdoe. Talvez quando eu terminar de contar o que aconteceu, você consiga fazer isso.

Roberto nada disse, apenas olhou para ela demonstrando nos olhos toda a sua tristeza. Ela, vendo que ele continuaria calado, continuou falando:

– Depois de ouvir o que Arlete falou e vendo que Flora concordava com ela, comecei a acreditar no que minha mãe disse e a achar que ela tinha razão. Que eu havia nascido para ser servida, pois já que eu era bonita, branca e rica, era uma pessoa especial. Daquele dia em diante, muitas babás foram contratadas, mas eu não consegui gostar de nenhuma delas e exigia que elas me servissem sempre mais. Nunca conversava com elas e, quando queria alguma coisa, sempre falava com a voz ríspida. Por isso, muitas foram embora. Não suportavam o meu gênio, minha falta de educação e minha prepotência. Na realidade, eu não percebia que agia assim, somente depois, quando tudo aconteceu e vim para esta cidade, é que comecei a relembrar como tinha sido a minha infância. Estou me lembrando de um dia em que estávamos brincando em minha casa, eu devia ter uns dez anos, quando Arlete, olhando para meu irmão, disse:

– *Quando eu crescer, vou me casar com você.*

– Ao ouvir aquilo, fiquei nervosa e gritei:

– *Você não vai se casar com ele, Arlete! Não vou deixar!*

– Ela, rindo, disse:

– *Claro que vou, Selma! Sei disso desde que era pequena!*

– *Não vai não!*

– Meu irmão, rindo, pegou a mão dela, beijou, e olhando para mim disse:

– *Vou me casar com ela, sim, Selma!*

– Gritei:

– *Não vai não! Não vai!*

– Eles começaram a rir e eu saí correndo. Fui para meu quarto e caí em prantos.

– Por que a senhora não queria que eles se casassem, mamãe?

– Não sei, acho que era por ciúmes. Eu gostava muito do meu irmão e, por saber que Arlete estava interessada nele, não gostava dela. Não me pergunte o motivo, porque não sei responder. Até hoje não entendo o motivo de nunca ter gostado dela. Desde que me lembro, sempre estivemos juntos, eu, ela, Flora e meu irmão. A ideia de que ela pudesse se casar com ele me deixava furiosa. Além disso, depois que Etelvina saiu da minha vida, me tornei uma pessoa diferente do que era. Sem seus conselhos, suas palavras e ensinamentos, fui me tornando fútil e egoísta e agia como minha mãe. Meu irmão e José Luiz foram para um colégio interno. Fiquei muito nervosa e triste. Meus pais disseram que aquilo precisava acontecer para que ele tivesse uma boa formação acadêmica. Lembro-me do dia em que ele foi embora. Naquele dia, acordamos bem cedo, estávamos tomando café, quando meu pai disse para meu irmão:

– *Hoje você vai começar uma nova vida, vai para o colégio. Sabe que nasceu para ser alguém importante, por isso precisa se dedicar aos estudos.*

– *Por que eu preciso ser importante? Eu não quero ir estudar nesse colégio. Quero ser como qualquer outra pessoa e quero continuar aqui ao lado de Selma. Vou sentir muita saudade de casa e da Selma...*

– Meu pai, nervoso, disse:

– *Nunca mais diga isso! Você nasceu para ser alguém, não para ser igual a outro qualquer! Devia agradecer por ter nascido nesta casa! Você foi escolhido por Deus! É um privilegiado!*

– Também não quero que ele vá embora, papai. Vou sentir muita saudade...

– Não chore, Selma. Você também nasceu para brilhar! Você também é especial! É privilegiada!

– Meu pai, como quase nunca estava em casa, era mais distante do que minha mãe. Sempre que me lembro dele é com um semblante sério, e acho que nunca o vi sorrir. Ele continuou falando:

– Selma, para que não fique sozinha, vai para um colégio tradicional. Estive conversando com Rogério e Judite e resolvemos que você, Arlete e Flora irão para um colégio tradicional, que é frequentado por todas as jovens da sociedade. Nele, vocês serão preparadas para serem boas esposas e mães.

– Chorei muito quando meu irmão foi embora, mas entendi que não adiantava chorar e que esperaria por ele quando chegassem as férias. Em seguida, também fui para o colégio. Ele era, e ainda deve ser, dirigido por freiras. Eu ficava lá o dia inteiro. Pela manhã, tínhamos as matérias tradicionais da escola, e à tarde aprendíamos a costurar, bordar e pintar. Tínhamos também aulas de boas maneiras, etiqueta, economia do lar e tudo o que fosse necessário para que nos tornássemos esposas perfeitas. Como profissão no máximo seríamos professoras, profissão que todas as moças da alta sociedade tinham. Nesse colégio só estudavam meninas que pertenciam à minha classe social, todas eram como eu e não tinham a menor ideia do que significava pobreza. Eram todas fúteis, pensavam somente em costureiras, cabeleireiras e imitavam as atrizes de cinema em suas roupas e cortes de cabelos. Tratavam os serviçais do colégio como escravos, mas nada daquilo me atingia, pois, para mim, era normal. A vida continuou e eu cresci. Eu, Arlete e Flora estávamos sempre juntas e também gostávamos de imitar as atrizes. Sempre que meu irmão vinha de férias, ficava muito tempo rindo e conversando com Arlete, o que me deixava irritada. Um dia, abraçado a ela, ele disse:

– Falta pouco tempo para eu me formar. Assim que isso acontecer, eu e Arlete vamos nos casar e seremos felizes para sempre.

– Lembro-me que naquele dia fiquei furiosa e pensei:

Vocês nunca vão se casar! Não vou permitir!

– Não consigo acreditar que essa é a sua história, mamãe. Essa moça que a senhora está descrevendo nada tem a ver com minha mãe, que é carinhosa e amorosa não só comigo mas com as crianças do orfanato.

Selma respirou fundo:

– Eu era assim mesmo, Carlos; mas a vida nos ensina e hoje, graças a Deus, sou bem diferente.

– E como aconteceu essa mudança?

– Os pais de Arlete e Flora, assim como os meus, também viajavam muito. Ele era um colecionador. Colecionava tudo, miniaturas de carros, obras de arte e até armas. Na casa delas havia uma sala que estava sempre fechada e onde éramos proibidas de entrar, mas sabíamos que era ali que o pai guardava sua coleção. Por não podermos entrar, claro que a nossa curiosidade era imensa. Em uma tarde em que estávamos conversando em uma das salas, vimos quando o pai delas chegou e caminhou até uma estante que havia no corredor. Ele puxou um dos livros e por detrás dele pegou uma chave, abriu a porta e entrou. Devagarinho, fomos até a porta e ficamos olhando a sala. Vimos que ele, distraído, e sem nos ver, colocou em uma estante uma peça de cobre que havia comprado em sua viagem ao Japão. Quando percebemos que ele ia sair, corremos e voltamos a nos sentar no mesmo sofá que estávamos quando ele chegou. Após guardar a chave no lugar onde havia tirado, passou por nós e perguntou:

– *O que as meninas estão fazendo?*

– *Estamos conversando, papai.*

– *Já tomaram um lanche?*

– *Sim, agora pouco.* – Flora respondeu.

– *Isso é muito bom. Agora vou me deitar um pouco. Continuem conversando.*

– Ele saiu em direção ao seu quarto. Esperamos alguns minutos, olhamos uma para a outra, corremos para o corredor e pegamos a chave. Fomos até a porta, entramos e ficamos encantadas olhando aquela sala que tínhamos tanta curiosidade. Ficamos ali, caminhando e olhando aquelas coisas lindas, algumas até diferentes de tudo o que conhecíamos. Havia peças de cerâmica do mundo todo. Em outra parede havia quadros, alguns bonitos, outros não, e nem entendíamos o que significavam, mas para estarem ali deveriam ser valiosos. Cada peça tinha o nome de onde era e quando havia sido comprada ou ganhada. Muitas pessoas, sabendo que ele gostava, traziam de suas viagens lindas peças, miniaturas de carros, notas e moedas que eram diferentes das nossas. No meio da sala, esculturas enormes de cerâmica e madeira. Em uma das paredes havia espingardas e revólveres. Em outra, facas e até espadas lindas e brilhantes. Ficamos encantadas e não percebemos que ele havia voltado. Ao nos ver, sorriu:

– *O que estão fazendo aí?*

– Ficamos petrificadas, pois sabíamos que aquela sala era proibida. Flora, gaguejando, respondeu:

– Estávamos olhando para as coisas lindas que o senhor tem aqui nesta sala, papai, mas não mexemos em coisa alguma. Está tudo como o senhor deixou...

– Está bem, podem continuar aqui e matar a curiosidade. Eu vou mostrar algumas coisas para vocês.

– Eu e elas nos olhamos, aliviadas. Ele, sorrindo, abriu uma das gavetas e nos mostrou selos e moedas do mundo todo, dizendo de quando eram e de onde. Havia vasos e quadros pendurados. Olhamos para uma das paredes onde estavam as espingardas e revólveres. Estavam limpas e brilhantes, assim como as facas, adagas e espadas. Perguntei:

– *Essas facas cortam mesmo?*

– Ele, rindo, respondeu:

– *Cortam, sim, Selma. Assim como os revólveres e espingardas atiram de verdade. Para mim, tudo o que está aqui nesta sala é um tesouro incalculável, por isso é que deixo esta porta sempre fechada.*

– *Por que deixou que entrássemos hoje?*

– *Vocês vão fazer quinze anos. Eu sempre soube que tinham muita curiosidade para conhecer esta sala e que encontrariam alguma maneira de entrar. Por isso, para que não se sentissem culpadas, de propósito, sabendo que me olhavam, peguei a chave para que vissem e entrassem.*

– Enquanto ele falava, eu e Arlete estávamos olhando os revólveres e as espingardas. Ele olhou para nós, pegou um revólver e demonstrando preocupação disse:

– *Armas são muito perigosas para quem não as sabem manusear. Por isso, resolvi que vocês precisam aprender. Vou mandar colocar um alvo no jardim e vou ensinar vocês três. Assim, perderão a curiosidade e eu me sentirei mais confiante, sabendo que nunca irão pegar uma destas sem minha permissão.*

– Ficamos felizes e empolgadas, pois ele estava certo. Tanto eu como Arlete estávamos com vontade de pegar um daqueles revólveres e fazer com ele o que os mocinhos faziam nos filmes. Ele fez o que disse, colocou um alvo e duas ou três vezes por semana ficávamos por horas aprendendo a atirar. Eu e Arlete aprendemos rapidamente. Flora não gostava de mexer com armas, por isso demorou mais. Depois de alguns meses atirávamos como os mocinhos do cinema. Quando viu que havíamos aprendido, ele disse:

– *Agora que já aprenderam a manusear e a atirar, acredito que não tenham mais curiosidade, por isso nunca mais vou trancar esta porta e poderão vir aqui sempre que quiserem.*

– Sorrindo, saiu da sala, e nós ficamos ali por mais algum tempo, olhamos todas aquelas coisas lindas, e depois saímos, para nunca mais voltar. O mistério da sala e a curiosidade haviam terminado. A vida continuou. Eu não gostava de estudar as matérias normais mas adorava bordar e costurar. Ficava feliz quando via uma roupinha de criança que eu mesma havia bordado e costurado. Estávamos com quase quinze anos, quando uma menina no primeiro dia do início das aulas daquele ano começou a frequentar a escola. Assim que a vimos, ficamos encantadas e ao mesmo tempo com inveja, pois ela era muito bonita. Nesse primeiro dia, ela passou por nós, sorriu e continuou andando. Como todas nós usávamos uniformes, não sabíamos quem era quem. Assim que ela passou, Flora, curiosa, perguntou:

– *Quem é essa menina e a que família pertence, Selma?*

– *Não sei, Flora. Nunca a vi nas festas que comparecemos e em nenhuma reunião social.*

– *Também nunca a vimos. Arlete. Você, que é mais despachada, pode-*

ria se aproximar e ver se consegue saber alguma coisa.

– *Eu, Flora?*

– *Você sim, Arlete! Aproxime-se dela e vê o que consegue descobrir. Será que a família dela é nova na cidade?*

– Eu, também muito curiosa, disse:

– *Acho que nós três deveríamos nos aproximar e descobrir juntas. Além do mais, poderemos fazer várias perguntas. Vamos dar as boas-vindas a ela?*

– Elas aceitaram a minha ideia, e caminhamos em direção à menina, que estava sozinha, sentada em um banco esperando a hora do início das aulas. Assim que nos aproximamos, ela sorriu. Seus olhos, azuis e penetrantes, e seus dentes perfeitos nos encantaram. Flora se aproximou e disse:

– *Bom dia! Hoje é o seu primeiro dia aqui na escola, não é?*

– É sim e estou muito feliz por isso.

– *Que bom, seja bem-vinda! Meu nome é Flora, esta é minha irmã, Arlete, e ela é Selma, nossa amiga.*

– Eu e Arlete sorrimos e estendemos as mãos para cumprimentá-la. Ela, apertando nossas mãos, sorrindo e feliz, disse:

– *Estou feliz em conhecer vocês. Meu nome é Matilde!*

– Eu, que gostava de ser sempre a primeira em tudo, também sorrindo, falei:

– *Seja bem-vinda, Matilde. Estamos felizes com a sua presença. Sabemos que vai ser muito feliz aqui.*

– *Obrigada, Selma. Espero que sim e farei o possível para que isso aconteça.*

– Ficamos conversando por algum tempo. Falamos sobre a rotina da escola e dos professores, dizendo como cada um era. Rimos muito. Até que Arlete perguntou:

– *Sua família é aqui da cidade?*

– *É sim. Sou filha da Mirtes, a cozinheira aqui da escola. Ela, depois de muito tempo, conseguiu uma bolsa de estudos para que eu pudesse frequentar esta escola. Minha mãe disse que, se eu conseguir um diploma aqui, terei muitas chances na vida.*

– Aquilo caiu como um balde de água fria. Nós três nos olhamos e pensamos a mesma coisa. Ela não pertencia ao nosso nível, era filha da cozinheira, como poderíamos ter amizade com ela? Claro que nunca seríamos suas amigas. Disfarçamos e nos afastamos, e, sempre que ela se aproximava, fingíamos que não estava ali e olhávamos para o outro lado. Com o tempo, ela entendeu e nunca mais tentou se aproximar. Espalhamos para a escola toda que ela era filha da cozinheira. As outras meninas que foram criadas da mesma maneira que nós três também se afastaram dela. Sempre que a víamos ela estava sozinha lendo livros. O tempo passou, e no primeiro mês, quando recebemos as notas, para nossa surpresa, ela tinha sido a primeira da classe em todas as matérias. Aquilo fez com que ficássemos com mais raiva ainda. Flora não se conformava:

– Isso não pode ser! Ela não pode ser tão inteligente assim!

– Por que não, Flora?

– Você não entendeu, Arlete? Ela, além de bonita, é também inteligente!

– O que tem isso, Selma?

– Isso não pode ser! Ela é filha da cozinheira, não teve a mesma educação que tivemos! Ela é pobre e não é especial como nós, Arlete!

– Agora entendi, Selma, mas acho que ela tem tudo o que não temos. Além de bonita é inteligente. O que vamos fazer quanto a isso?

– Pensei por algum tempo, depois respondi:

– Podemos usar a inteligência dela a nosso favor, Arlete!

– Como, Selma?

– Simples, Flora. Já que não gostamos de estudar e de fazer os trabalhos escolares, vamos nos aproximar dela, nos tornarmos suas amigas e fazemos com que ela faça todo nosso trabalho e, quando chegarem as provas, ela poderá nos passar algumas colas. Assim, passaremos de ano com boas notas e nossos pais não nos amolarão mais, como fazem sempre que tiramos notas ruins.

– Que ótima ideia, Selma! Vamos fazer isso.

– Vocês acham que ela vai querer ser nossa amiga depois de tudo que fizemos?

– Claro que vai, Arlete! Ela quer ser igual e uma de nós!

– Está bem, Selma. Vamos fazer isso.

Carlos e Roberto, calados, ouviam o que Selma contava e não conseguiam acreditar no que estavam ouvindo. Selma, perdida no seu passado, não percebeu que eles estavam chocados e continuou:

– Naquele mesmo dia, durante o recreio, como sempre ela estava lendo. Nós nos aproximamos:

– *Que livro você está lendo, Matilde?*

– Ela levantou os olhos e, parecendo surpresa, olhou para mim e respondeu:

– *O livro de ciências. Preciso estudar muito ciências, tenho um pouco de dificuldade...*

– Eu me sentei ao seu lado e fiz com que Flora e Arlete também se sentassem.

– *De ciências, Matilde? Como consegue ler um livro de ciências?*

– *Não estou lendo, Selma. Estou estudando a matéria que a professora passou. Como já disse, tenho dificuldade nessa matéria.*

– *Dificuldade? Como pode ser? Você foi quem tirou a nota mais alta da classe!*

– *Sim, mas para isso tive de estudar muito. O que querem de mim? Por que estão aqui? Por que não quiseram a minha amizade? Fiz alguma coisa que as desagradou?*

– *É exatamente por isso que estamos aqui tentando falar com você, Queremos pedir desculpas pela maneira como nos comportamos. Pensamos bem e achamos que não agimos como boas pessoas. Você consegue nos desculpar?*

– Ela olhou para Flora e Arlete, que não tiraram os olhos dela, e respondeu:

– *Não tenho o que desculpar. Minha mãe me avisou que isso poderia acontecer. Que eu poderia ser desprezada por todas as alunas da escola, por ser sua filha e por pertencermos a uma classe social diferente. Disse também para eu não me preocupar nem deixar me abater, pois essa é a minha chance de me formar em uma boa escola, o que seria muito bom para o meu futuro.*

– Eu nem ouvi o que ela disse. Nossa única intenção era podermos nos aproveitar da sua inteligência. Deixando que uma lágrima surgisse em meus olhos e caísse pelo meu rosto, disse:

– *Erramos muito, Matilde! Você é inteligente e vai conseguir se formar e conseguir o que tanto deseja. Não existe problema algum em não pertencer à nossa classe social. Nós nos arrependemos e queremos que seja nossa amiga. Você nos aceita?*

– Notei que um brilho surgiu em seus olhos. Percebemos que ela ficou feliz, pois sabíamos que era tudo o que mais queria, ser nossa amiga. Daquele dia em diante ela, para nos agradar, tornou-se praticamente nossa escrava. Fazia tudo o que queríamos, desde nossos trabalhos escolares até as colas para as provas. Começamos a tirar notas boas, o que fez com que nossos pais ficassem felizes. Para agradá-la, dávamos vestidos e sapatos que tínhamos usado somente uma vez e que não usaríamos mais.

Carlos olhou para o pai. Roberto, assustado e revoltado com o que estava ouvindo, disse:

– Não acredito, Selma, que tenha feito isso! Como pode, usando o dinheiro, tratar uma pessoa dessa maneira?

– Tem razão, Roberto, mas não podemos nos esquecer de que éramos quase crianças, íamos fazer quinze anos. Também não podemos inocentar Matilde. Ela se deixou usar por não se aceitar como era e por querer ser aquilo que nunca poderia ser.

– Talvez você tenha razão, mas isso não a inocenta do que fez com ela.

– Hoje entendo isso, mas naquele tempo ainda achava que o dinheiro podia comprar tudo. Não me sinto inocente, pois isso foi o mínimo que fiz com ela. O pior veio depois.

– Pior? O que você fez, Selma?

– Hoje, preciso e vou contar tudo o que aconteceu, Roberto, e quando eu terminar, você, filho, vai entender o motivo de eu ter vindo para esta cidade.

Roberto, andando de um lado para outro da cela, nervoso e decepcionado, disse:

– Continue, Selma. Acredito que nada do que você vai dizer poderá me deixar mais decepcionado...

– Garanto que vai, sim, Roberto. Vou continuar.

Respirando fundo, pálida e tremendo muito, ela continuou:

– Faltavam dois meses para completarmos quinze anos, e nossos pais resolveram que fariam a nossa festa no mesmo dia. Ficamos felizes e, imediatamente, começamos a pensar nos vestidos e nas joias que iríamos usar na festa. Todas as famílias da alta sociedade foram convidadas e ficaram felizes, pois meu pai tinha, agora, um alto cargo político. Todos os rapazes dessas famílias disputavam o privilégio de serem nossos pares. A única coisa que me deixava triste e com raiva era saber que meu irmão seria o par de Arlete, mas como sabia que seria só por aquela noite e envolvida com os vestidos e as joias que usaria no baile, deixei de pensar nisso. Eu ficava pensando em todos os rapazes, mas não conseguia me decidir por nenhum deles. Um dia, eu estava entrando na sala da casa delas, quando ouvi Flora falando:

– *Já sei quem vou escolher para ser meu par, Arlete!*

– *Quem?*

– *José Luiz!*

– *Ele está no colégio interno! Como vai fazer?*

– *Ainda não sei, mas vou encontrar uma maneira!*

– Ao ouvir aquilo, saí de mansinho para que elas não me vissem e fui, apressada, para casa. Assim que cheguei, olhei para o relógio, sabia que naquela hora meu irmão não estaria estudando. Disquei os números e fiquei esperando. Uma mulher atendeu. Era Noélia, secretária do colégio que já me conhecia, pois todas as semanas eu pedia que minha babá mandasse uma caixa de chocolates para ela com uma cartinha com belas palavras e perfumada. Por isso, não importava a hora que eu telefonasse, ela chamava por ele. Eu aprendera o poder que o dinheiro tinha e que, com ele, poderia conseguir tudo o que quisesse. Ao ouvir minha voz, ela disse:

– *Boa tarde, Selma. Já sei: quer falar com seu irmão, acertei?*

– *Isso mesmo, senhorita. Será que poderia, por favor, chamá-lo?*

– *Vou, sim. Aguarde um momento.*

– Feliz, sorri. Sabia que ela não colocaria empecilho algum. As caixas de chocolate eram muito pouco para ter aquela mulher a meu serviço. Sempre pedia que a minha babá mandasse chocolates para ela.

Enquanto Selma contava o que havia acontecido, a todo instante enxugava as lágrimas com as mãos e continuava falando:

– Alguns minutos depois, ouvi a voz do meu irmão:

– *Selma, que felicidade! Estou morrendo de saudade!*

– *Eu também, só estou menos triste porque sei que virá para minha festa!*

– *Estou contando os dias, Selma!*

– *É por causa da festa que estou telefonando.*

– *Da festa, por quê?*

– *Quero muito que José Luiz seja meu par. Você acha que ele aceitará?*

– *Acredito que sim. Ele sempre me fala da sua beleza e educação. Sabe que, quando éramos crianças, quando estávamos brincando juntos e havia alguma discussão entre você e as meninas, ele sempre ficava do seu lado, mesmo que no meu entender você não tivesse razão. Acredito que ele vai ficar muito feliz.*

– Quase não consegui esconder a minha satisfação ao ouvir aquilo.

– *Que bom! Converse com ele e, se aceitar, peça que telefone para seus pais, diga que quer ser meu par e peça que eles telefonem para papai, está bem? Nem eles nem ninguém pode saber que fui eu quem fez o convite.*

– Ele deu uma gargalhada e disse:

– *Está bem, maninha. Vou conversar com ele e prometo que não comentaremos com ninguém. Porém, não pensei que já estivesse interessada em rapazes.*

– Senti que meu rosto ficou vermelho, porque até aquele dia eu nunca havia pensado em nenhum rapaz e só estava fazendo aquilo para deixar Flora com raiva. Um pouco envergonhada, disse:

– Não se trata disso, só preciso de um par para a minha festa...

– Está bem. Não se preocupe, sei que ele vai aceitar. Agora, preciso desligar, já vai começar a minha aula.

– *Está bem. Um beijo e até o dia da sua festa.*

– *Agradeça a senhorita Noélia por ter chamado você.*

– Vou agradecer. Até o dia da festa.

– Rindo e pulando de alegria, desliguei o telefone. Estava feliz e só me restava aguardar o dia em que meu pai viesse me comunicar que José Luiz seria meu par. Eu não contaria para Flora e Arlete e só faria isso no dia em que fosse confirmado. Durante a semana, a maioria dos dias passávamos na minha casa, mas todos os sábados eu ia para a casa delas.

No sábado seguinte, fui para lá. Estávamos falando sobre um livro que tínhamos lido e que seria tema de uma peça teatral na escola – *Romeu e Julieta*. Arlete falou:

– *Eu seria capaz de me matar por um homem, ainda mais se fosse traída! Não suporto traição!*

– Eu e Flora, admiradas, olhamos para ela. Flora, nervosa, disse:

– *Está louca, Arlete? Como pode dizer uma coisa dessas?*

– *Não sei por que tanta admiração. O amor é sublime, e a única coisa que tem importância nesta vida...*

– *É sublime, mas não se pode pensar em morrer por ele, além do mais existem muitas outras coisas importantes na vida!*

– *Precisamos levar em conta que existem muitos homens, não é Flora?*

– *Claro que é, Selma! Essa minha irmã tem alguns pensamentos que não entendo. Imagine se eu vou morrer por causa de alguém! Nunca, mesmo!*

– Arlete, com o olhar distante, ficou calada e continuamos falando sobre o livro. Logo depois aquele assunto fúnebre foi esquecido. Estávamos rindo sobre outro assunto qualquer, quando minha mãe entrou e, rindo, falou:

– Selma, o Atílio telefonou e disse que o José Luiz quer ir ao baile com você, como seu par.

– Eu fingi surpresa, me levantei e, quase chorando, falei:

– *Eu não quero José Luiz como meu par, mamãe! Não gosto dele!*

– Disfarçando, olhei para Flora, que estava branca como cera. Ao ver seu rosto, fiquei feliz e fiz um esforço enorme para que ela não percebesse. Minha mãe, como eu esperava, disse:

– *Você não pode fazer isso, Selma! O Atílio e sua família são muito importantes e têm muito dinheiro. Ele é amigo de nossa família e, além disso, tem muita influência política, que é o que seu pai mais precisa no momento! Você precisa aceitar esse convite para se aproximar mais de José Luiz, pois ele é um ótimo partido.*

– *Não quero aproximação alguma com ele, mamãe! Já disse que não gosto dele! Só vou me casar com um homem que ame verdadeiramente. Com um príncipe encantado!*

– *Não tem jeito, eu não vou causar constrangimento entre a nossa fa-*

mília e a dele! Você vai e está resolvido! Quanto ao príncipe encantado, só *se ele pertencer a uma família tradicional e com muito dinheiro!*

– Assim que minha mãe saiu, fingi estar nervosa:

– *Eu não vou ao baile com ele, não vou!*

– Flora, que acompanhou a conversa em silêncio, respirou fundo:

– *Você precisa ir, Selma. Não viu como sua mãe falou? Vai ter de ir...*

– *Não! Vou falar com meu pai. Eu não quero ir com José Luiz!*

– *Talvez consiga convencer seu pai, mas eu não acredito. Ele deve pensar como sua mãe e quer cuidar de seus interesses...*

– Hoje eu me envergonho, mas naquele dia eu me julguei a pessoa mais feliz do mundo. Tinha conseguido vencer Flora mais uma vez. Depois de alguns minutos, visivelmente triste, ela se levantou dizendo:

– *Vamos embora, Arlete. Vou telefonar para mamãe mandar o Gilberto nos pegar.*

– *Já, Flora? Ainda é cedo.* – Perguntei, fingindo tristeza.

– *Estou com dor de cabeça, Arlete. Acho que vou ficar gripada. Vamos embora, vamos...*

– *Está bem. Vá telefonar.*

– Assim que Flora saiu da sala, olhei para Arlete e perguntei:

– *O que deu nela, Arlete? Ela estava bem, não tinha dor de cabeça alguma.*

– *Estava bem, Selma. Mas gripe é assim mesmo, chega de repente.*

– É verdade. Amanhã ela vai ficar bem. Agora, precisamos pensar no nosso baile. Vai ser lindo, mesmo eu tendo de ir com José Luiz.

– Não entendo por que está tão nervosa, Selma. Ele é muito bonito.

– *Você acha, Arlete?*

– *Eu acho, e tem mais: Flora queria ir com ele, até ia pedir ao nosso pai que o convidasse.*

– Fingi surpresa.

– *Não, Arlete! Não diga isso! Jamais poderia imaginar. Ela nunca disse que gostava dele...*

– *Flora não gosta de falar sobre isso. Só me disse uma vez que queria ir com ele. Deve ter ficado triste quando ele escolheu você.*

– *Eu não sabia, Arlete. Agora tenho um argumento para me recusar a ir com ele! Vou conversar com meus pais. Eles precisam entender que Flora é minha amiga e não quero que ela fique magoada...*

– Não faça isso, Selma. José Luiz quer ir com você e Flora precisa aceitar isso. Ela não pode saber que te contei!

– Você acha que ela vai ficar furiosa?

– Claro que vai! Você sabe como ela é orgulhosa e jamais aceitaria José Luiz, depois que você o recusou...

– É, acho que você tem razão. Mas, por favor, não conte que eu sei que ela gosta dele...

– Claro que não vou contar! Ela não me perdoaria nunca!

– Elas foram embora e eu fiquei muito feliz. Assim que saíram, fui para o meu quarto, comecei a pular na cama e a rir sem parar.

Carlos, que até aqui estava calado, levantou-se e disse quase gritando:

– Mamãe! Não consigo acreditar que a senhora tenha sido tão ruim! Como pôde fazer isso? Ela era sua amiga! A senhora foi muito má e sempre me disse que eu precisava ser leal, amigo dos meus amigos e que eu não devia ter preconceito algum!

– Sempre disse e é verdade, meu filho. Você precisa ser leal, e se um amigo seu precisar você deve ajudá-lo de todas as formas possíveis. Não deve ter preconceito algum! Nunca!

– Mas se a senhora não fez isso, como pode querer que eu faça? A senhora foi muito má!

– Hoje sei disso, mas naquele tempo eu era uma menina mimada que nunca havia sido contrariada e que achava que podia ter tudo o que queria, sem me preocupar a quem estava prejudicando. Sei que errei e ainda não contei tudo o que fiz, mas paguei muito caro por isso...

– Está bem, mamãe. Continue.

– Depois daquele dia, a minha única preocupação era a nossa festa. Matilde um dia chegou e disse:

– Eu gostaria muito de ir à festa de vocês, Selma.

– Por que não vai?

– Infelizmente, não pertenço a uma família tradicional para ser convidada e também não tenho um vestido.

– Não pertencer a uma família tradicional é um problema, mas da-

remos um jeito. Quanto ao vestido, não precisa se preocupar. Vou dar um dos meus.

– Vai permitir que eu vá e ainda vai me emprestar um vestido?

– Claro que sim, afinal somos amigas. Só tenho uma condição.

– Que condição? Pode pedir o que quiser que eu sempre farei tudo por você!

– Quero que continue me ajudando com os meus trabalhos escolares e se, algum dia, eu precisar de sua ajuda, tem de prometer que vai me ajudar.

– Claro que vou continuar fazendo os trabalhos de vocês e farei tudo o que pedirem! Estou muito feliz em poder ter vocês como amigas!

– Nem sei o porquê de ter pedido aquilo para ela, pois sabia que eu a teria sempre em minhas mãos. O dia da festa chegou. Depois de muito conversarem, meus pais e os pais delas resolveram que o melhor local para a festa seria a nossa casa, por ser maior. No dia da festa, as portas da minha casa foram abertas para todos os convidados. A imensa sala da casa foi decorada de uma maneira maravilhosa. Eu, Flora e Arlete estávamos vestidas com vestidos cor-de-rosa, que era a cor de toda a decoração. José Luiz foi o meu par e, enquanto dançávamos, eu olhava para Flora e podia ver o descontentamento em seu rosto e aquilo me deixou feliz. A única coisa que me desagradou foi ver meu irmão ao lado de Arlete. Ficaram o tempo todo conversando e dançando. Aquilo me irritou muito, mas como era minha festa resolvi deixar pra lá, sabia que teria muito tempo para separá-los. Naquela noite, foi tudo perfeito e eu estava feliz, muito feliz. José Luiz tentou me fazer a corte. Eu sabia que ele gostava de mim mas não estava interessada nele e em nenhum outro rapaz, eu me achava boa demais para qualquer rapaz que conhecia. Acreditava em contos de fadas e sabia que o meu príncipe apareceria a qualquer momento. Matilde desfilava no meio dos convidados, e quem não a conhecia jamais poderia imaginar que não pertencia ao nosso mundo. Ela, embora estivesse com um vestido simples, o mais feio que eu julgava ter e que havia sido um presente de minha avó, por sua beleza chamava atenção, e todos os rapazes disputavam o momento de poderem dançar com ela que, sorrindo, dançava com todos. O único que não fazia isso era meu irmão. Para ele só existia Arlete, o que me irritava profundamente. Depois daquela noite, José Luiz e meu irmão voltaram para o colégio, e eu nunca escrevi para ele ou respondi suas cartas. O tempo foi passando e nós continuamos com nossa vida de sempre. Todo tempo livre era usado em visitas a costureiras, cabeleireiras e joalherias. Comprávamos coisas que nem sempre usávamos, mas que nos faziam felizes somente em comprá-las. Continuamos estudando e, graças a Matilde, sempre tirando boas notas. Em um sábado, estávamos em minha sala conversando, faltavam poucos meses para a nossa formatura. Eu não tinha vontade alguma de ensinar. Só havia frequentado o colégio por ordem dos meus pais. Queria ser alguém com fama, com sucesso, não perderia meu tempo ensinando crianças. O mesmo pensavam Flora e Arlete. A única que tinha essa vontade era Matilde. Para ela, ensinar era uma bênção e uma maneira de ganhar um salário e ajudar os pais. Nós três, por termos sido criadas com tudo, não imaginávamos o que significava isso. Naquela tarde, Arlete estava muito feliz e disse:

– *Recebi uma carta de seu irmão, Selma! Ele disse que virá para a nossa formatura e que, nesse dia, vai conversar com meus pais e me pedir em casamento, e assim que ele terminar a faculdade vamos nos casar! Estou tão feliz!*

– Ao ouvir aquilo, senti como se uma flecha houvesse me atingido bem no coração, mas disfarcei:

– *Ele disse isso, Arlete?*

– *Disse, e eu não vejo a hora que ele chegue!*

– Matilde foi a única que ficou feliz e ao mesmo tempo triste, e disse:

– *Parabéns, Arlete. Você tem muita sorte, pois ele, além de muito rico, é também muito bonito! Eu queria ser você!*

– Nós três olhamos para ela ao mesmo tempo. Arlete, furiosa, gritou:

– *Não se atreva a olhar para ele! Sei que você é muito bonita, mas é de mim que ele gosta e é comigo que vai se casar!*

– *Calma, Arlete! Sei disso, falei por falar. Vocês vão se casar e serão muito felizes! Jamais faria qualquer coisa para atrapalhar seu casamento...*

– Naquele instante em minha mente encontrei uma maneira de separar os dois. Meu irmão não se casaria com Arlete nem com ninguém!

– A senhora tinha muito ciúme de seu irmão, por que, mamãe?

– Não sei explicar. Eu gostava de Arlete, mas não podia imaginar nem aceitar que ela se casasse com ele.

– Tivemos o baile de formatura, e como não poderia deixar de ser estávamos deslumbrantes. Os pais de Matilde, embora não tivessem muito dinheiro, fizeram questão de comprar o seu vestido e, como sempre, ela brilhou no baile. Meu irmão veio e ficou o tempo todo abraçado e dançando com Arlete. No dia seguinte, enquanto tomávamos café, ele, de repente, disse:

– *Como devem saber, eu e Arlete nos gostamos desde a nossa infância. Vou me formar no ano que vem e depois vou para a Inglaterra fazer um estágio na embaixada e quero que ela vá comigo, como minha esposa, por isso estou pedindo a sua mão em casamento.*

– Aquelas palavras me fizeram estremecer. Embora eu soubesse que aquilo poderia acontecer, não poderia aceitar, nunca! Mas ainda que não aceitasse fingi estar feliz. Teria um ano para pensar em uma maneira de impedir aquele casamento; porém, ao contrário de mim, meus pais ficaram encantados com a notícia. Minha mãe levantou-se e andou em volta da mesa e, quando chegou perto dele, abraçando-o, disse:

– *Que bom, meu filho! Arlete, além de ser uma moça linda, foi praticamente criada aqui em casa e eu a considero como filha. Estamos muito felizes com a sua decisão.*

– Não suportando mais aquela situação, levantei-me e gritei:

– *Você não vai se casar com ela nem com ninguém!*

– Saí correndo dali e fui para o meu quarto.

Roberto, que estava sentado sobre a cama, levantou-se e, muito nervoso, disse:

– Não consigo acreditar que você seja essa pessoa, Selma!

– Não sou mais, Roberto! Eu mudei! Hoje, sou essa pessoa que você conhece...

– Por que não me contou tudo isso quando nos conhecemos e nos casamos?

– Eu não poderia, Roberto. Estava com medo e envergonhada por tudo o que havia feito. E também sua tia achou melhor que ninguém soubesse para que eu pudesse recomeçar minha vida aqui nesta cidade.

– Está muito difícil, para mim, continuar ouvindo o que está contando, Selma.

– Sei disso, mas não tem outra maneira. Preciso contar tudo o que aconteceu e o motivo de eu estar nesta cidade. Por favor, continuem me ouvindo.

Carlos estava sentado no chão com os joelhos dobrados e com a cabeça entre eles, sem conseguir olhar para a mãe, que continuou:

– O ano passou rapidamente. Eu, Flora e Matilde continuamos a nos encontrar como antes. Arlete quase não nos acompanhava mais. Estava preocupada somente com seu casamento e enxoval. Matilde não era mais útil ou necessária para nós mas como eu havia planejado que ela me ajudasse a separar Arlete de meu irmão, continuei e fiz com que elas continuassem com sua amizade. Ela não frequentava mais nossa casa como antes, mas ainda ia até lá de vez em quando e queria a nossa amizade, pois assim poderia conhecer rapazes de classe social diferente da dela e conseguir um bom casamento. Eu ia completar vinte e um anos. Meu irmão ia se formar naquele ano e, para nossa surpresa, telefonou e disse:

– Não quero continuar aqui até o baile de formatura, mamãe. Quero voltar para casa assim que terminarem as aulas e eu estiver formado.

– Por que, meu filho?

– Estou cansado de ficar longe de casa e com muita saudade de todos.

– Não faça isso, meu filho! Estamos nos preparando para ir até aí para o baile...

– Sei disso, mas quero voltar e ficar o maior tempo possível, antes de seguir para a Inglaterra e continuar estudando.

– Está bem, já que é isso que quer vamos ficar felizes, pois também estamos com muita saudade.

– Na semana em que chegou, foi uma festa em casa. Eu estava muito feliz em ter meu irmão de volta. Depois dos abraços ele disse:

– Agora, vou até a casa de Arlete. Precisamos conversar com seus pais para marcarmos a data do casamento. Não pode demorar muito, pois dentro de três meses preciso ir para a Inglaterra.

– Faça isso, meu filho. É triste saber que vai partir novamente, mas sabemos que é preciso para que possa ter uma carreira brilhante, e sabendo que vai com Arlete, ficamos mais tranquilos.

– Ele saiu e voltou algumas horas depois. Estava acompanhado por Arlete e Flora. As duas estavam felicíssimas. Arlete, assim que me viu, correu e me abraçando disse:

– Estou muito feliz, Selma! Finalmente vamos nos casar, daqui a dois meses! Meus pais concordaram e disseram que daqui a duas semanas, no sábado, farão uma grande festa para o nosso noivado e para comunicar e convidar a sociedade.

– Ao ouvir aquilo, percebi que o casamento ia mesmo se realizar e que precisava encontrar uma maneira de impedir. Fingindo uma alegria que não estava sentindo, disse:

– Fico feliz em ter você como minha cunhada!

– Saiba que esse é o meu sonho, desde pequena, Selma!

– Ficamos aquela tarde toda conversando, rindo e fazendo planos para a festa do sábado. Nós três combinamos que iríamos à nossa costureira para fazer três lindos vestidos. Quando foram embora, fui para o meu quarto e chorei muito. Depois de chorar, sequei os olhos e pensei:

– Eles vão se casar mesmo. Preciso encontrar uma maneira de impedir! Não quero que meu irmão se case nunca! Nem com ela, nem com ninguém!

– Foi aí que tive a ideia que mudaria toda minha vida. No dia seguinte, logo pela manhã, pedi a Josias que me levasse até a casa de Matilde. Eu não sabia o que havia acontecido com ela, pois desde a nossa formatura nunca mais a vi. Ela veio em casa algumas vezes, mas eu sempre mandei dizer que não estava. Ela não servia para ser minha amiga, era pobre. Assim que cheguei, ela, surpresa, me recebeu com todo carinho e alegria:

– Selma! O que está fazendo aqui tão cedo?

– Eu, fingindo alegria também, a abracei e disse:

– Vim visitar você. Desculpe eu ter vindo sem avisar. Tem algum problema?

– Claro que não, Selma. Estou dando aula em uma escola para crianças, mas vai ser por pouco tempo. Prestei um concurso e vou trabalhar em

uma escola do Estado. Vou ser funcionária pública e dar aula para crianças pobres. Esse sempre foi o meu sonho!

– Para mim, aquilo nada significava. Eu nem sabia muito bem o que era ser funcionária pública, muito menos o que era criança pobre. Sorri e menti:

– *Estou muito feliz por você, Matilde, e pelas crianças.*

– *Só estou curiosa em saber o porquê de você ter vindo em um dia de semana, Selma, ainda mais levando em consideração que faz muito tempo que não nos vemos.*

– *É verdade, Matilde, mas estou precisando da sua ajuda e espero que não me falte.*

– *Claro que ajudarei sempre que precisar! Você é minha amiga, mesmo eu não sendo da sua classe social sempre me tratou com muito carinho.*

– Eu ri por dentro e pensei:

Será que ela nunca percebeu que nós só a aceitamos porque era inteligente e poderia nos ajudar com as notas no colégio?

– Vendo que ela faria tudo o que eu quisesse, perguntei:

– *Você sabe que meu irmão vai se casar com Arlete?*

– *Sabia que iam se casar, mas não quando.* – Disse sorrindo.

– *Já marcaram o dia. Vai ser daqui a dois meses!*

– *Tão rápido! Seu irmão já se formou e voltou para casa?*

– *Sim, e combinou com meus pais e os de Arlete que se casariam daqui a dois meses. Por isso, os pais resolveram dar uma festa daqui a duas semanas para comunicar e convidar as pessoas da sociedade.*

– *Uma festa? Que bom! E você está aqui para me convidar?*

– *Isso mesmo! Você não poderia deixar de ser convidada! É nossa amiga de tanto tempo e sei que adora festas!*

– *Obrigada, Selma. Estou muito feliz por ter se lembrado de mim!*

– *Estou aqui para dizer que, se você me ajudar, vou comprar um vestido só para você. Desta vez não vai usar vestido meu ou das meninas! Ele será só seu...*

– *O que está dizendo, Selma?*

– *O que ouviu, Matilde! Vou ainda comprar sapatos e pedir ao nosso cabeleireiro que faça um lindo penteado em você!*

– Isso que está dizendo é verdade?

– Claro que é! Você só precisa participar de uma brincadeira!

– O que preciso fazer?

– Percebi que seus olhos brilhavam muito! Sentindo que ela faria qualquer coisa que eu quisesse, continuei:

– Nós estamos pensando em fazer uma brincadeira com Arlete no dia da festa, mas para isso precisamos da sua ajuda.

– Que brincadeira?

– No sábado, durante a festa, meu irmão irá para o jardim e você irá em seguida. Assim que se aproximar dele, você irá abraçá-lo e beijá-lo. Arlete será levada até lá e verá vocês se beijando.

– O que está dizendo, Selma?

– O que você ouviu, Matilde! Vamos enganar Arlete somente para ver sua reação e podermos rir muito!

– Isso não vai dar certo, Selma! Sabemos como Arlete é ciumenta, vai ficar possessa e é capaz de me bater na frente de todos os convidados!

– Aí é que vai estar a graça, Matilde! Quando ela ficar braba, todos nós entraremos e diremos que era somente uma brincadeira! Ela, vendo todos rindo e aliviada em saber que não foi traída vai rir também.

– Será que ela vai entender e aceitar, Selma?

– Claro que vai! Como pode duvidar vendo todos nós dizendo que é mentira? Ela vai rir muito, como todos nós!

– Não sei, não, Selma. Estou com medo...

– Percebendo que ela não aceitaria minha proposta, pensei rápido e falei:

– Você pode ir amanhã comigo até a loja para comprarmos os tecidos para mandar fazer os nossos vestidos?

– O meu também?

– O seu também, Matilde! Quero que fique bem bonita! Você merece!

– Você vai amanhã?

– Sim. Para que dê tempo de ficarem prontos, Matilde! Depois de escolhermos os tecidos, poderemos também escolher os sapatos. Quer ir comigo?

– Ela ficou me olhando parecendo que pensava e respondeu:

– Está bem. Você tem certeza de que vai sair da maneira como está pensando? Que não vai ter problema algum?

– Claro que não vai ter problema algum, Matilde! Nós vamos dar boas risadas!

– Não comente com ninguém a respeito do que conversamos. Combinei com Flora que ia conversar com você e, se aceitasse, eu falaria com ela.

– Não vou comentar, mesmo porque não tenho como me encontrar com elas nem com ninguém antes do dia da festa. Sabe que trabalho e preciso preparar as aulas, por isso não tenho muito tempo. Além do mais, Flora e Arlete, depois que terminamos o colégio, nunca mais me procuraram, até tentei entrar em contato com elas, mas não consegui.

– Isso aconteceu por falta de tempo. Depois da formatura, muita coisa aconteceu e ficamos ocupadas.

– Sei disso e não me importei. Gosto de vocês e sei que também gostam de mim.

– Saí da casa dela feliz, pois sabia que meu plano daria certo. Assim que Arlete visse meu irmão com Matilde não suportaria e largaria dele para sempre. Estava tudo certo. A vontade de Matilde em ser como uma de nós faria com que fizesse aquilo que eu quisesse.

Ao ouvir aquilo, Roberto colocou as mãos sobre o rosto e se afastou um pouco. Selma, ao ver que ele se afastou, perguntou:

– O que está acontecendo, Roberto? Por que se afastou?

Ele olhou para ela e demonstrando todo o desespero que estava sentindo, quase chorando, respondeu:

– Como pode me fazer essa pergunta, Selma? O que acha que estou sentindo ao ver que a mulher boa e carinhosa e ótima mãe pôde um dia ter uma mente tão perversa? Estou enojado com tudo isso!

Ela que, enquanto contava a história havia parado de chorar, voltou a ficar com os olhos cheios de lágrimas:

– Tem razão. Sei que errei muito e nem posso dizer que era criança, pois não era; mas eu mudei, Roberto! Eu sou, agora, essa que você conhece! Precisa me perdoar! Somos uma família e amo vocês dois!

– Desculpe, estou muito nervoso com tudo isso que está acontecendo, vendo que nossa família está desmoronando e que na realidade ela nunca existiu, foi tudo uma mentira!

– Não fale assim...

– Papai tem razão. Mamãe, a senhora deveria ter contado a ele, assim que o conheceu...

– Hoje entendo isso, mas naquele tempo fiquei com medo de perdê-lo, Carlos. Eu tinha e tenho consciência de tudo o que fiz e sei que não mereço ser feliz. Preciso que me perdoem por tudo que ainda não contei.

– Está bem. Eu amo a senhora. É minha mãe muito querida, e acho que se fez algo de ruim se redimiu. Continue contando.

Selma olhou para Roberto que, lentamente, voltou para onde estava e ficou olhando para ela, esperando que continuasse a contar o que havia acontecido. Ela continuou:

– No dia seguinte, logo pela manhã, eu estava em frente à casa de Matilde. Ela, sorridente, atendeu a campainha que Josias tocou. Entrou no carro e fomos para uma loja de tecidos. Deixei que escolhesse aquele que queria. Depois, fomos até a costureira e ela escolheu o modelo e também os sapatos que seriam confeccionados com o mesmo tecido do vestido. Pela primeira vez eu estava fazendo isso sem a companhia de Flora e de Arlete. Sempre que havia uma festa comprávamos os tecidos e escolhíamos os modelos juntas. Depois da costureira eu disse:

– *Agora o Josias vai me deixar em casa e levar você até a sua, Matilde. Quando chegar vou telefonar ao cabeleireiro para que venha no sábado à tarde nos fazer um lindo penteado.*

– *Nem estou acreditando que tudo isso está mesmo acontecendo, Selma! Pela primeira vez, vou usar um vestido só meu, que eu escolhi! Estou muito feliz, parecendo a Cinderela!*

– *Está vendo como contos de fadas podem se tornar realidade? Quem sabe nesse baile você encontre o seu príncipe encantado?*

– Ela começou a rir:

– *Quem sabe... Embora eu já tenha um príncipe encantado, mas ele nunca me olhou. Tomara que no baile ele me olhe...*

– *Tem um príncipe? Quem é? Eu conheço?*

– Ela, com os olhos brilhantes, respondeu:

– *Conhece, sim, mas não vou dizer quem é...*

– *Agora me deixou curiosa, quem é ele?*

– *Promete que não vai rir e me achar louca?*

– *Claro que não vou rir. Só estou curiosa e quem sabe eu possa ajudar você!*

– *Você me ajudaria, Selma?*

– *Claro que sim, Matilde, você é minha amiga!*

– *Desde que o conheci me apaixonei por ele, mas sempre soube que ele nunca se interessaria por mim...*

– *Quem é ele, Matilde?*

– *José Luiz...*

– *José Luiz? Não pode ser, Matilde! Ele é nosso amigo e você nunca demonstrou que gostava dele!*

– *Nunca demonstrei e não vou demonstrar agora. Só estou rezando para que ele olhe para mim com olhos diferentes dos de um amigo. Estou com muita esperança que isso aconteça na festa!*

– *Vou conversar com ele.*

– Não vai contar, vai?

– *Não. Fique calma. Só vou dizer que você está linda e fazer com que olhe com interesse. Vou pedir que a convide para dançar e daí para frente fica por sua conta...* – eu disse, piscando um olho.

– Ela sorriu. Quando o carro ia entrando no portão da minha casa para me deixar em frente à porta, eu disse:

– *Não entre, Josias. Matilde está atrasada para ir à escola. Leve-a rapidamente.*

– *Está bem, senhorita.*

– Desci do carro e, enquanto ele saía, acenei com a mão dando adeus. Matilde, deslumbrada com tudo o que estava acontecendo, também acenou. Fiquei olhando e, quando desapareceram, voltei-me, entrei e comecei a andar em direção à porta. A distância era de mais ou menos vinte metros. Enquanto caminhava pensava:

José Luiz? Como pode? Quem é ela para querer um rapaz como ele?

– Eu nunca havia pensado em José Luiz a não ser como amigo, mas naquele instante tive um pensamento diferente a seu respeito. Jamais permitiria que ele se interessasse por ela ou por ninguém. Sempre soube que ele me amava e muitas vezes demonstrou isso, mas sempre o desencorajei. Ele não era o rapaz que eu sonhava. Eu queria alguém diferente dele mas, naquele momento, comecei a achar que poderia namorá-lo, mesmo que fosse apenas por algum tempo, somente para mostrar a Matilde que ele nunca seria dela.

Roberto e Carlos olharam para ela ao mesmo tempo. Ela, entendendo o que estavam pensando, disse:

– Sei o que estão pensando e hoje entendo. Eu era muito mimada e sempre tive tudo o que queria. Por isso, não poderia permitir que alguém tivesse aquilo que eu julgava ser meu. Hoje aprendi que, quando temos muito, queremos sempre mais e nos julgamos superiores a todos os outros. Mas, naquele dia, eu estava disposta a não permitir que José Luiz se interessasse por ela.

– Não consigo me conformar que você era assim, Selma...

– Nem eu, papai. Essa pessoa não pode ser minha mãe...

– Entendo e aceito o que estão pensando e dizendo. Não existe desculpa para tudo o que fiz, mas fiz e procurei me redimir, sendo uma boa esposa, mãe e ajudando as crianças do orfanato. Sofri muito para entender isso e consegui. Podem ter certeza de que nunca mais serei aquela novamente...

– Está bem, Selma. Mas continue, por favor. Quase não estou conseguindo ficar aqui e só não vou embora por estar preso.

– Eu poderia ir embora, mas não vou, papai. Preciso ouvir toda a história. O que aconteceu na festa, mamãe?

– Durante os dias que antecederam a festa, eu e Matilde saímos quase todas as manhãs e à tarde eu me encontrava com as meninas na minha casa ou na casa delas. Uma vez, Arlete estava toda feliz nos mostrando o enxoval que havia mandado fazer. Era tudo muito bonito. Ela pegou um jogo de lençóis brancos, todo bordado a mão. Achei lindo. Ela, percebendo o meu olhar, disse:

– Este fui eu mesma que bordei, Selma!

– Você bordou por que, Arlete?

– Este é especial, vai ser usado na nossa primeira noite! Quero que ela seja inesquecível!

Ao ouvir aquilo, Flora começou a rir:

– *Você não tem nem casa, Arlete! Está indo para a Inglaterra!*

– *Sei disso, Flora, mas vamos passar a primeira noite em um hotel. Papai disse que, enquanto estivermos viajando, ele vai nos comprar uma casa grande e linda para que quando voltarmos tenhamos a nossa própria casa.*

– *Papai também disse que quando eu me casar vai me dar uma casa. Espero que seja perto da sua.*

– Arlete sorriu e beijou o rosto de Flora, que retribuiu. Elas eram muito apegadas e se adoravam. Fiquei calada. Estava com muita raiva daquela conversa. Fiquei mais convencida de que precisava fazer tudo para impedir aquele casamento. Sem imaginar o que eu estava pensando, Flora perguntou:

– *Por que o mistério com o seu vestido, Selma?* Não estou entendendo.

– Fui pega de surpresa e levei alguns segundos para responder:

– *Não está entendendo o que, Flora?*

– *Sempre compramos os tecidos e escolhemos os modelos juntas, mas, desta vez, você está fazendo tudo sozinha, por quê?*

– *Minha mãe cismou de escolher comigo. Achei que vocês não iam querer sair com ela, por isso não contei. Querem sair com ela?*

– *Claro que não, Selma! Sua mãe é muito chata!* – respondeu rindo.

– Depois de algum tempo, fui embora. Eu e Matilde continuamos a nos encontrar todos os dias. Eu precisava fazer com que ela entendesse todos os detalhes do meu plano para que nada desse errado. No dia em que fomos fazer a segunda prova dos vestidos, e assim que ela o vestiu, percebi que havia ficado perfeito. A beleza natural de Matilde, com aquele vestido, sobressaiu muito mais. Tirei da bolsa um colar e brincos que havia comprado para dar a ela. Eram de esmeralda e combinavam com seus olhos verdes e com o vestido, verde também. Ela, ao colocar o colar e os brincos, começou a rir como uma criança que ganha um brinquedo.

– *São lindos, Selma! Prometo que vou cuidar deles muito bem e devolver no dia seguinte da festa!*

– *Não precisa devolver, Matilde. Eles são seus. Comprei para que combinassem com seu vestido e com seus olhos.*

– Meus, Selma? Mas são muito caros!

– Podem ser caros para você mas, para mim, nada representam. Tenho muitas joias e tudo o que quero. E você vai ficar linda!

– Enquanto se olhava no espelho com o vestido, o colar e os brincos, disse:

– Minha mãe está preocupada com tudo isso que você está fazendo por mim, Selma.

– Preocupada, por que, Matilde?

– Depois que meu pai morreu, ela criou, sozinha, eu e meus dois irmãos. Sempre disse que, se quiséssemos crescer na vida, precisávamos estudar e nos preparar. Ela sempre se preocupou muito com a nossa educação e conseguiu a bolsa para que eu estudasse no colégio. Ficou feliz, só que muito preocupada, pois nunca aprovou a minha amizade com vocês.

– Por quê?

– Ela sempre disse que pessoas ricas não se preocupam e nem têm amizade com os pobres. Disse que elas só têm amizade quando podem tirar algum proveito. Por isso, pediu que eu tomasse muito cuidado.

– Você acha isso também?

– Ela, sorrindo, respondeu:

– Sempre soube que vocês se aproveitaram de mim. Sempre fiz os trabalhos escolares, pois sabia que aquela era a única maneira de vocês me aceitarem, mas nunca me importei com isso, eu gostava e ainda gosto de vocês.

– Pensou isso, Matilde?

– Claro que sim, Selma. Vocês mesmas sempre disseram que eu sou inteligente, como poderia deixar de perceber o que faziam comigo?

– Naquele momento me envergonhei, não pelo que tínhamos feito, mas por saber que ela sempre soube e que não éramos tão inteligentes assim, então disfarcei:

– Sempre gostamos de você, Matilde. Claro que podendo nos ajudar foi melhor, mas mesmo que não tivesse nos ajudado a nossa amizade seria a mesma.

– Ela sorriu com ironia. Eu continuei:

– Agora, precisa tirar esse vestido. Amanhã é o grande dia. Venha para minha casa logo pela manhã. Marquei com o cabeleireiro.

– Ela, olhando para o relógio, disse:

– Estou atrasada, Selma! Ajude-me a tirar o vestido!

– Você não vai levar o vestido, Matilde?

– Não, Selma! Minha mãe não aceitaria um presente como esse! Ainda mais se eu disser que foi você quem me deu!

– Você já usou e ganhou muitos vestidos e sapatos meus e das meninas!

– Eu sempre disse que vocês me emprestaram e estão guardados na casa de uma amiga minha. Por isso, para que ela não brigue, o melhor a fazer é você levar o vestido para sua casa e amanhã eu me visto lá e vamos juntas para a festa. Vou dizer a minha mãe que é aniversário de uma professora lá da escola.

– Vai mentir para sua mãe?

– Preciso fazer isso. Ela não aceitará. Tem medo de que algo ruim possa me acontecer.

– Está bem. Faça como quiser.

– Tudo certo, eu estava confiante. No dia seguinte, Matilde chegou cedo. Ela estava animada. Os vestidos e sapatos foram entregues. Passamos o dia nos preparando. Meu irmão estava feliz com toda aquela animação, mas não nos interrompeu, ficou a tarde toda em seu quarto. Finalmente a hora de sairmos de casa chegou. Embora eu soubesse que Matilde era linda, naquele dia ela me surpreendeu. Estava mais linda do que nunca. Meu irmão, assim que a viu, não se conteve:

– Você está linda, Matilde!

– Ao ouvir aquilo, senti muita raiva, pois ele nem olhou para mim. Ao chegarmos à casa das meninas percebemos que estava maravilhosa. Todas as luzes estavam acesas e com uma linda decoração feita com rosas e orquídeas brancas. Várias mesas estavam colocadas para o jantar que seria servido. José Luiz chegou logo depois e, ao nos ver, se aproximou e estendeu a mão:

– Boa noite. Você está linda, Matilde!

– Ela sorriu e percebi que seus olhos brilharam. Eu estava ao lado dela e ainda assim ele pareceu não me ver. Com muita raiva e ao ver que todos me ignoravam, me afastei, achando que estava na hora de colocar meu plano em prática. Olhei à minha volta e vi que Arlete e Flora, como sempre, também estavam lindas. Meu irmão conversava com alguns amigos, e Arlete ria muito conversando com alguns convidados. Caminhei em direção ao meu irmão.

– *Vá até o jardim. Alguém está esperando por você.*

– *Quem?*

– *Não posso dizer, é surpresa!*

– Ele, rindo, caminhou em direção ao jardim. Rapidamente, fui para o lado de Matilde:

– *Está na hora, Matilde. Ele já está no jardim! Vá para lá e faça da maneira como combinamos.*

– *Agora?*

– *Sim, precisa ser antes do jantar. Espere alguns minutos, enquanto eu aviso Flora e os outros. Vamos dar muitas risadas!*

– *Está bem, estou indo.*

– Assim que ela se afastou fui para junto de Arlete e, puxando-a pela mão, disse baixinho em seu ouvido:

– Vá para o jardim, vai ter uma surpresa.

– *Surpresa, Selma? Que surpresa?*

– *Se eu contar vai deixar de ser surpresa!*

– *Está bem, já vou.*

– Ela foi para o jardim e eu fiquei distante, mas em um lugar de onde poderia vê-los. Vi Arlete caminhando em direção ao jardim e, assim que chegou, de longe viu Matilde e meu irmão se beijando. Ela parou, ficou branca como cera e, para minha surpresa, se afastou e saiu correndo sem nada dizer. Eu me aproximei e pude ouvir quando meu irmão, afastando-se de Matilde, perguntou:

– *O que está fazendo, Matilde?*

– *Estamos fazendo uma brincadeira com Arlete.*

– *Que brincadeira?*

– Ela olhou à sua volta me procurando e, ao me ver, gritou:

– *Selma!*

– Eu ia me aproximar para conversar com meu irmão, mas fui empurrada para o lado por Arlete, que voltou correndo e ao se aproximar deles levantou um revólver que estava em sua mão e atirou em Matilde, no meu irmão e depois em sua própria cabeça. Foi tudo tão rápido que ninguém conseguiu evitar. Por ela ter aprendido a atirar, o tiro foi certeiro. Eu era quem estava mais próxima, mas fiquei parada e em choque sem conseguir dar um passo ou dizer qualquer coisa.

– Agora, Selma voltou a chorar copiosamente. Roberto e Carlos levantaram-se ao mesmo tempo. Roberto gritou:

– Meu Deus do céu! Foi isso que você causou? A morte de seu irmão e dessas duas moças? Você planejou uma armadilha que deu errado, Selma?

– Mãe! Não consigo acreditar que tenha feito isso!

– Algumas vezes nem eu consigo acreditar, Carlos. Foi terrível, e sei que nunca poderei me perdoar...

Roberto, inconformado, voltou a se sentar. Selma, quase sem conseguir falar, continuou:

– Somente naquele momento, ao ver meu irmão caído ao lado de Matilde e Arlete na frente deles, pude entender a extensão do meu ato. Quando vi todas as pessoas correrem para lá e começarem a gritar e achando que todos estavam me acusando saí correndo. Estava desesperada e não sabia o que fazer, pois se estivesse em minha casa, correria para o meu quarto, mas não estava. Precisava me esconder das pessoas para poder chorar e pedir perdão. Estava uma correria, as pessoas olhavam para os corpos, choravam, andavam de um lado para outro e abraçavam-se inconformadas. Corri para a porta dos fundos da casa e me sentei sobre a grama que, por ser noite, estava úmida, mas não me importei por estar sujando e molhando meu lindo vestido. Nada mais tinha importância. Ali, sozinha, fiquei relembrando tudo o que havia acontecido. Lembrei da minha infância, daquilo que minha mãe sempre havia me dito:

– *Você é especial, Selma! Nasceu para conseguir tudo o que quiser na sua vida e para ser servida.*

– Enquanto me lembrava de tudo o que havia acontecido na minha vida, apenas conseguia chorar, nada mais. Nem sei quanto tempo fiquei ali, chorando e sozinha, quando Flora, também chorando, se aproximou e ficou em pé, parada na minha frente:

– Selma! Como isso foi acontecer? O que será que deu em Arlete para ter tomada uma atitude desesperada como essa?

– Senti que naquele momento era hora de eu dizer o que havia feito, mas fiquei com medo, pois, além de ter perdido meu irmão, Arlete e Matilde, sabia que perderia a amizade de Flora. Por isso me calei e apenas me levantei, a abracei e chorei muito. Estávamos assim quando Esmeralda, a mulher que havia criado as duas desde pequenas, foi até nós:

– *Flora, Selma, procurei vocês por toda parte. A polícia já chegou e o delegado quer falar com todos que estavam na festa. Vocês precisam entrar e ir falar com ele.*

– Ao ouvir aquilo, estremeci. Fiquei com muito medo de ser presa, pois sabia que embora não houvesse apertado o gatilho eu era a culpada de tudo aquilo e outra vez me calei. Mesmo não querendo e tremendo muito, fui obrigada a acompanhar Esmeralda e Flora. Assim que chegamos à sala, vimos um senhor que conversava com alguns policiais. Eu tremia e chorava muito. Assim que me aproximei, ele, olhando firme para mim, perguntou:

– *Por que está chorando e tremendo dessa maneira, moça?*

– Novamente, senti que deveria contar o que havia acontecido, mas outra vez fiquei com muito medo de ser presa e não consegui dizer uma palavra. Esmeralda foi quem respondeu:

– Ela é irmã do rapaz e amiga das moças. Está muito nervosa...

– Ele continuou me olhando de uma maneira que me causava mais medo ainda:

– *Sabe o que aconteceu ou qual foi o motivo dessa tragédia?*

– Não conseguindo falar e soluçando, apenas acenei com a cabeça dizendo que não.

– *Está bem. Você está muito nervosa, mais tarde voltaremos a conversar.*

– Ao ouvir aquilo, saí e voltei para o lugar onde estava, sentei-me no chão e continuei chorando sem conseguir parar. Meus sentimentos estavam desencontrados. Chorava porque meu irmão havia morrido, mas mais ainda pelo medo que sentia de ser presa.

Mario Augusto e Matilde estavam lá acompanhando tudo o que Selma dizia. Matilde, com lágrimas nos olhos, disse:

– Ainda hoje, mesmo após sabermos o motivo de tudo, ainda é difícil nos lembrarmos desse dia, não é, Mario Augusto?

– Verdade, Matilde. Levei muito tempo para entender e aceitar o que Selma havia feito...

Matilde ia dizer alguma coisa, quando uma névoa negra envolveu a delegacia e uma voz disse, gritando:

– Pois eu ainda não perdoei você, Selma, e nunca vou perdoar! Merece tudo o que está acontecendo e ainda vai acontecer! Agora, está dando uma de santa, dizendo que está arrependida, mas isso não vai fazer com que eu volte e recupere minha vida que você tirou! Agora, quer meu perdão, mas nunca vai conseguir! Vou destruir sua vida como destruiu a minha, a de Mario Augusto e a de Matilde! Demorei muito para encontrar você e não vou sair do seu lado até que tenha me vingado totalmente!

– Não faça isso nem fale assim, Arlete. A lei é justa e tudo vai acontecer como tem de ser. Hoje ela está arrependida e pretende mudar tudo o que fez.

– Arrependida? Arrependida coisa nenhuma! Ela só está pensando no que fez porque está em uma situação ruim! Durante todos esses anos viveu sua vida e construiu uma família, o que evitou que acontecesse comigo e com Mario Augusto! Eu a odeio e vou odiar para sempre!

– Quando você voltou para a Espiritualidade não quis ouvir o que todos tinham a dizer e o que havia acontecido no passado. Preferiu voltar para destruí-la, e isso nada de bom trouxe para você. Olhe-se, Arlete, e veja como está. Toda suja, descabelada e com as roupas rasgadas. Você sempre foi linda e agora parece uma mendiga. Ainda há tempo, venha conosco. O lugar para onde vamos levar você é lindo e vai se sentir muito bem. Deixe que a Lei de Deus faça sua justiça para com Selma.

– Quem são vocês? Eu não os conheço e, com certeza, também não me conhecem! Não existe Lei de Deus alguma, pois se existisse Ele não teria permitido que ela tirasse nossas vidas e ficasse impune como ficou!

Ao ouvir aquilo, Matilde olhou para Mario Augusto:

– Ela não está nos reconhecendo, Mario Augusto?

– Não, Matilde. Como sente muito ódio, atraiu para si essa nuvem densa e pesada, o que a impede de nos ver. Precisamos tentar fazer com que ela remova esse sentimento ruim, para que assim possa nos ver e ser ajudada.

– Precisamos conseguir, Mario Augusto. Precisamos levá-la conosco.

Voltando-se para Arlete, disse:

– Deus existe, sim, Arlete. A lei d'Ele também é justa. Venha conosco.

Ao ouvir o que Matilde falou, Arlete, com os olhos vermelhos e faiscando de tanto ódio, gritou:

– Não sei quem é você, só sei que não tem nada a ver com a minha vida! Cuide da sua que eu cuidarei da minha! Não vou a lugar algum! Não vou sair do lado de Selma nem por um minuto! Só não entendo o que vocês estão fazendo aqui, tentando ajudar essa traidora.

Matilde, sorrindo, respondeu:

– O ódio não nos leva a lugar algum, Arlete. Venha conosco e vai encontrar a paz que tanto procura...

– Nunca, nunca! Estou indo embora porque a luz que está saindo de vocês me faz mal, mas voltarei trazendo alguns amigos. Isso que está acontecendo com ela é pouco! Ela vai perder tudo, assim como fez conosco!

Antes que Mario Augusto ou Matilde tivessem tempo de dizer alguma coisa, Arlete desapareceu.

– Infelizmente, ela não quis nos ouvir, Matilde, e isso vai fazer com que continue perdida e sofrendo muito.

– Verdade, Mario Augusto. Precisamos orar por ela e pedir ajuda, pois quando ela voltar vai ser difícil controlá-la.

Enquanto isso, Selma continuava a contar o que havia acontecido no seu passado:

– Fiquei sentada ali por muito tempo. Senti que meu vestido estava molhado por causa da grama, mas pela primeira vez não me importei. A dor e o medo que sentia eram imensos. Não conseguia acreditar que aquilo havia acontecido. Nem por um minuto pensei que Arlete seria capaz de uma coisa como aquela. Estava ali pensando e chorando, quando minha mãe se aproximou. Continuava com a roupa e os cabelos no lugar. Apesar de tudo o que acontecera, ela continuava como se tivesse chegado naquele momento na festa. Aproximou-se e com aquela voz de reprovação que eu conhecia muito bem perguntou:

– *O que está fazendo sentada aí no chão, Selma?*

– Sem responder, levantei-me e, chorando, tentei me abraçar a ela, que me afastou com as mãos.

– *Não se atreva a me encostar com esse vestido molhado e sujo! Está horrível! Vá para o banheiro, lave o rosto e arrume esse cabelo. Se estivéssemos em casa, poderia trocar esse vestido por outro lindo, mas como não estamos tente ficar da melhor maneira possível!*

– *Mamãe, elas morreram e o Mario Augusto também...* – eu disse chorando.

– Sim, morreram. Estou arrasada, ele é meu filho. Estou sofrendo tanto que nem sei como explicar, mas nem por isso as pessoas precisam me ver chorando ou desarrumada! O que sinto só diz respeito a mim! Ande, vá se recompor!

– Naquele momento odiei minha mãe por tudo o que era e o que me havia tornado. Não entendia como, em um momento como aquele, ela podia ainda estar pensando na sua aparência.

– Está dizendo que sua mãe foi culpada pelo que você fez, Selma? – Roberto perguntou, indignado.

– Naquele momento, sim, Roberto. Hoje entendo que a única culpada fui eu, mas naquele dia eu precisava encontrar um culpado.

– Acredito que, embora ela tenha criado você dessa maneira, depois que cresceu você poderia ter mudado sua maneira de pensar. Você não era mais criança quando tudo isso aconteceu, já era adulta. Desculpe-me, Selma, mas não entendo sua atitude. Você sempre gostou de ser especial, poderosa. Não entendo como pôde mudar tanto e se transformar na pessoa que é hoje. Será que continua a mesma e durante todo esse tempo esteve disfarçando?

– Não, Roberto! Eu mudei quando conheci você e me completei

quando você nasceu, Carlos. Finalmente, ao lado de vocês encontrei a paz que tanto precisava. Eu jurei que dedicaria minha vida fazendo com que vocês fossem felizes e praticando caridade de todas as maneiras que conseguisse. Por isso, fiquei muito feliz quando conheci Marília e vi que poderia ajudar aquelas crianças que tanto precisavam.

– Como a senhora chegou a esta cidade e se tornou pobre, mamãe?

– Depois do que minha mãe disse, fui ao banheiro e me arrumei da melhor maneira possível, pois sabia que ela não me perdoaria se não a obedecesse. Quando saí do banheiro, vi Flora e sua mãe, que também estavam com as roupas e os cabelos impecáveis. Olhei para a sala, todas as pessoas que ali estavam conversavam, provavelmente sobre o acontecido, mas de uma maneira educada e sem muito alarde. Sentindo-me mal com tudo aquilo, aproximei-me de meu pai que, ele sim, estava muito abatido e conversava com alguns amigos, e disse:

– Papai, não estou me sentindo bem. Posso pedir ao Josias para me levar para casa?

– Ele olhou nos meus olhos, que estavam vermelhos de tanto chorar, e beijando minha testa respondeu:

– Claro que pode, filha. Se eu pudesse também iria, mas não posso. Peça ao Josias que leve você e depois volte para nos pegar.

– Ia saindo, quando vi Mirtes, a mãe de Matilde, entrando, chorando e gritando. Passou por mim, mas não me viu. Aos prantos perguntou:

– Onde está minha filha?

– Alguém apontou para o jardim. Ela entrou correndo, ia se jogar sobre Matilde, mas foi impedida por um policial. Não podendo se aproximar, começou a falar:

– Eu sempre disse a você, filha, que essa amizade com essas moças ricas seria muito ruim! Olhe o que aconteceu! Você nunca pertenceu ao mundo delas! Tenho certeza que elas foram culpadas de tudo isso, vou descobrir tudo!

– Ao ouvir aquilo, embora soubesse que ela não teria condições ou dinheiro para descobrir qualquer coisa, mas com medo, saí correndo dali sem olhar para ninguém. Assim que saí pela porta da frente da casa, vi Josias, que estava em pé ao lado do carro conversando com outro motorista. Quando me viu, abriu a porta para que eu entrasse. Assim que entrei, ele fechou a porta, entrou no carro, ligou o motor e saiu. Depois que saímos e entramos na rua que nos levaria para casa, ele perguntou:

– Sei que a senhorita está muito triste, mas não adianta chorar dessa maneira nem ficar triste. Os três já estão sendo recebidos no céu. Fique tranquila, eles vão ficar bem.

– Não me chame de senhorita, Josias. Você me conhece desde que eu era criança.

– Por conhecê-la desde criança é que preciso chamá-la por senhorita.

– Embora saiba que nem sempre correspondi, sei que você sempre foi meu amigo. Estou desesperada e não sei o que fazer...

– Tem motivo para ficar desesperada, mas nada precisa fazer, apenas esperar, pois cedo ou tarde tudo se resolve...

– Nervosa e achando que ele havia descoberto o que eu havia feito, quase gritei:

– Acha que tenho motivo, por quê?

– Como, por quê? Seu irmão e suas amigas morreram, qualquer pessoa ficaria nervosa...

– Naquele momento, percebi que ele não sabia de coisa alguma do que eu havia feito e continuei:

– Não suporto mais esta vida, preferia ter morrido no lugar do meu irmão e das meninas.

– Não diga isso! Tudo está sempre certo nesta vida e tudo acontece como tem de acontecer.

– Nem tudo acontece como tem de acontecer, Josias. Algumas vezes as coisas são planejadas...

– Acha que houve algum planejamento para que tudo terminasse assim?

– Quem, eu? Não! Só estou um pouco atordoada.

– Neste momento, você não precisa chorar por eles, apenas rezar para que estejam bem. Eles não precisam de lágrimas, precisam de oração para que aceitem o que aconteceu e sigam em paz.

– Não entendo o que está dizendo, Josias. Primeiro diz que não posso me desesperar e agora diz que não posso chorar?

– Ele começou a rir:

– *Está vendo como nada do que pensamos é o certo? Somos livres para escolhermos o destino que queremos e somos, também, responsáveis por nossas escolhas. Por isso, se quiser chorar, chore.*

– Eu não entendi o que ele estava dizendo, mas não me preocupei. Queria chegar logo em casa, ir para o meu quarto e chorar muito. Josias tinha razão. Nada que eu fizesse poderia mudar o que aconteceu, por isso só me restava chorar e pedir perdão. Naquele momento, me lembrei de Etelvina. Sabia que Josias a conhecia e que gostava dela. Ele acompanhou tudo o que aconteceu, quando minha mãe a despediu. Emocionada, disse:

– *Sabe, Josias, queria que Etelvina estivesse lá em casa para que eu pudesse chorar em seu colo. Sei que ela me abraçaria sem se preocupar se meu vestido ou meus cabelos estão em ordem. Naquele tempo eu era tão feliz. Por que tudo teve de mudar?*

– *Tudo tem um tempo certo para acontecer. Etelvina ensinou a você as primeiras coisas que deveria levar para o resto da sua vida.*

– *Estou com muita saudade dela e sentindo sua falta. Sei que se ela estivesse aqui muita coisa teria sido evitada. Eu não seria assim como sou. Onde será que ela está?*

– *Quando sua mãe a despediu e falou mal dela para suas amigas, ela não conseguiu mais encontrar emprego. Voltou para a cidade onde nasceu e onde estava sua família.*

– *Você sabe onde fica essa cidade?*

– *Sei, mas por que está perguntando?*

– *Estou pensando em ir me encontrar com ela. Estou precisando muito dela...*

– *Já faz muito tempo, Selma. Você era apenas uma criança quando ela foi embora. Como pode estar sentindo saudade dela?*

– *Não sei, fazia muito tempo que não me lembrava dela e não sei por que estou sentindo isso agora. Você tem o endereço dela?*

– *Tenho sim. Durante todos esses anos, nunca deixamos de nos corresponder. Vou pegar um dos envelopes de suas cartas e vou dar a você.*

– *Vocês ainda se comunicam?*

– *Sim. Sempre escrevemos um para o outro.*

– *Contou a ela o que me tornei?*

– *Claro que sim. Ela sempre quis saber ao seu respeito.*

– *O que disse a ela?*

– *Que você se tornou uma moça linda.*

– Só isso?

– *O que queria que eu dissesse mais? Você é mesmo uma moça linda!*

– *Não disse que eu me tornei egoísta, fútil e ruim como minha mãe?*

– *Eu devo ter comentado, mas ela já sabia pois conhecia sua mãe e sempre me dizia que não importava a maneira como você fosse criada, por dentro você era uma menina maravilhosa.*

– *Não sou, Josias! Não sou! Sou uma pessoa horrorosa!*

– *Sempre é tempo de mudar as coisas e parece que você está mudando.*

– Chegamos e assim que descemos ele disse:

– *Espere um pouco. Vou ao meu quarto, buscar o endereço de Etelvina. Estou fazendo isso porque acredito que será muito bom para você conversar com ela. Sinto que está precisando.*

– Foi para o seu quarto e voltou trazendo um envelope.

– *Aqui está o endereço, escreva para ela. Sei que vai ficar muito feliz.*

– *Vou fazer isso. Obrigada, Josias.*

– Com o envelope na mão, entrei na casa e ele voltou para a casa de Flora. Meus pais continuavam lá e, a qualquer momento, precisariam voltar para casa.

Selma ia continuar, quando um policial abriu a porta que dava para as celas e falou:

– Dona Selma, o delegado pediu que eu viesse aqui e avisasse que chegou uma senhora e um advogado que querem falar com a senhora. Ela disse que é sua mãe. Como a senhora e seu marido estão sob custódia, eles precisam entrar aqui.

Ao ouvir aquilo, Selma estremeceu. Havia adiado por muito tempo aquele reencontro, mas agora não teria como fugir. Olhou para Roberto e depois para Carlos e disse:

– Está bem. Por favor, peça que entrem.

O policial saiu e Selma, voltando a olhar para o marido e o filho, tentou sorrir:

– A fera chegou, estejam preparados. Só estou fazendo isso por você, meu filho, não quero que vá para um orfanato. Como você disse, não é órfão. Todo esse engano vai ser esclarecido e logo poderemos voltar para casa.

O reencontro

O policial voltou logo depois, acompanhado por um homem e uma senhora. Selma, tremendo muito, ficou olhando para a senhora sem conseguir falar.

– A senhora olhou em seus olhos, depois para Carlos e Roberto, e demonstrando descontentamento, perguntou:

– Selma, o que você fez com sua vida? Olhe no que se transformou! Além de estar presa, o que é uma vergonha, está vestida com essas roupas horríveis, que provavelmente foram compradas na feira, e com esse cabelo horroso!

– Também estou feliz em rever a senhora, mamãe, e a você também, José Luiz. Mas o que está fazendo aqui?

Quem respondeu foi Alda, sua mãe:

– Ele, embora tivesse sido preparado, não quis ser político ou diplomata; resolveu ser um simples advogado. A única coisa boa é que ele é o melhor advogado que conheço e está aqui para tirar você dessa situação!

– Boa tarde, Selma. Embora esta não seja uma situação em que eu quisesse reencontrar você, estou feliz por vê-la. Sua mãe pediu que eu viesse para ver o que consigo fazer para ajudá-la. Preciso que me conte o que aconteceu e, ao contrário do que sua mãe disse, acho que você está muito bem.

– Obrigada, José Luiz, obrigada! Também estou feliz em revê-lo mas triste por ser nesta situação. Vou contar o que aconteceu, mas, antes de qualquer coisa, quero que saiba que eu e meu marido somos inocentes das acusações.

– Tenho certeza que sim, Selma...

– Assim que ele conseguir tirá-la daqui, você vai comigo para casa! Em seguida vai ao cabeleireiro e depois vai mandar fazer vestidos decentes! José Luiz pode dizer o que quiser para te agradar, mas na realidade você está horrível!

José Luiz olhou para Roberto e Carlos e sorriu. Selma, ignorando a presença deles, disse raivosa:

– Não vou para casa, mamãe. Minha casa é aqui ao lado do meu marido e do meu filho. Este é Roberto, meu marido, e este é Carlos, meu filho.

Alda olhou para os dois e, demonstrando horror no rosto, disse:

– Esses?

– Sim, mamãe, *esses*, e eu os amo muito.

– Definitivamente, você enlouqueceu! Como pode, Selma? Esqueceu-se de quem é? Ainda bem que seu pai morreu, senão morreria aqui e agora de tanta vergonha! Como pode fazer isso, Selma?

– Meu pai morreu? Quando e como?

– Morreu, sim, e ainda bem; não está vivendo este momento horroroso! Ficou doente e morreu dois anos depois que você foi embora.

Selma começou a chorar.

– Eu não sabia e nunca pensei que isso pudesse acontecer. Ele era um homem tão forte e saudável...

– Depois que seu irmão morreu e você desapareceu, a vida para ele não teve mais sentido. Entrou em depressão, ficou muito doente e morreu. Embora tenha sido atendido pelos melhores médicos, nada pôde ser feito. Mas isso é o que menos importa; ele morreu, mas eu estou aqui presenciando algo que jamais poderia imaginar que fosse acontecer! Ver você atrás das grades, casada com esse homem e mãe desse menino!

– Sou feliz, mamãe, e é isso que importa.

– Esse homem é negro e está preso também! E esse menino é mulato!

Selma olhou para Roberto, que parecia não entender o que estava acontecendo e estava abismado pela frieza daquela mulher. Olhou para Carlos, que tentava evitar que lágrimas caíssem por seu rosto. Com muita raiva, disse:

– Esse homem é meu marido e esse menino é seu neto, e foi somente por ele que eu a chamei, mas se não quiser aceitá-lo a sua vinda até aqui não tem propósito algum.

José Luiz interferiu:

– Precisamos nos acalmar. Neste momento, nada disso tem importância. Preciso que me conte o que aconteceu, Selma.

Selma, através das grades, segurou a mão de Roberto e abraçou o filho.

– Obrigada, José Luiz. Jamais pensei que o reencontraria em uma situação como essa.

– Não se preocupe com isso, Selma. Vou fazer tudo o que estiver ao meu alcance para que seja feliz com a vida que escolheu.

Selma começou a contar o que havia acontecido com Roberto e com ela desde que conheceu o orfanato. Enquanto Selma contava, Matilde disse:

– Sua mãe, apesar de todo sofrimento, não mudou em nada, Mario Augusto. Continua orgulhosa, perdida na ilusão do dinheiro e da classe social. Ainda não entendeu que nada disso tem importância alguma.

– Verdade, Matilde, e isso me traz um grande sofrimento. Ela teve mais uma chance de se redimir por todo o mal que nos causou no passado, mas não soube e não sabe aproveitar. Renascemos para ajudá-la, mas de nada adiantou. Tomara que consiga, um dia, redimir-se dos seus erros.

– Tomara, Mario Augusto, tomara. Mas, por enquanto, vamos esperar e continuar ao lado dela, tentando ajudá-la.

Selma terminou de contar tudo o que havia acontecido e por fim disse:

– Não entendo o porquê de tudo isso ter acontecido, mas tanto eu como meu marido somos inocentes. Acredito que alguém tenha planejado tudo isso, só não sei qual foi o motivo. Vivíamos tranquilos, com uma vida igual a de todos desta cidade.

– Estou achando tudo isso muito intrigante. Vocês têm algum inimigo aqui na cidade?

– Não, José Luiz. Como disse, somos pessoas comuns e amigos de todos.

– Vou entrar com um *habeas corpus* para tentar fazer que consigam responder em liberdade. Também vou contratar um investigador que conheço para tentar descobrir o que está por detrás de tudo isso.

Selma voltou os olhos para a mãe e disse:

– Sinto muito pelo papai e por não ter estado ao lado dele quando ficou doente, mamãe. Estranho que Flora não tenha me contado quando a reencontrei aqui na cidade.

– Flora esteve aqui, Selma?

– Sim. Ela abriu uma loja de roupas de festa e ficou por mais ou menos três meses. Quando viu que a loja não teria futuro aqui, foi embora.

– Também estou estranhando, pois jantamos juntas dois dias antes de sua viagem para a Europa, sem tempo para voltar, e também não me disse que havia encontrado com você e nem que morava aqui nesta cidade.

– Eu pedi a ela que não contasse a ninguém, pois queria continuar com a minha vida da maneira que sempre vivi e sabia que a senhora não aprovaria.

– Claro que não aprovaria! Você sempre foi especial, nasceu para viver bem e ter tudo o que quisesse! Nasceu para ser servida e não para servir a marido ou a filhos. Poderia sempre ter empregados para fazer isso!

Ao ouvir o que Alda dizia, José Luiz interferiu:

– Agora não é hora para discussão. Podem deixar para depois. Terão muito tempo para conversarem. Vou até o fórum tentar libertar vocês.

Em seguida, olhou para Carlos, que ainda tentava evitar que as lágrimas caíssem sobre seu rosto, e perguntou:

– Quer vir comigo, Carlos? Poderemos almoçar e conversar um pouco.

O menino olhou para a mãe, que sorriu:

– Pode ir, filho. Ele é meu amigo e sinto que agora vai ficar tudo bem.

Alda, ainda olhando com desdém, disse:

– Também vou com vocês, preciso almoçar. Será que nesta cidade tem algum restaurante decente?

– Nenhum igual aos que a senhora gosta e está acostumada a frequentar, mamãe. Como já deve ter percebido, a cidade é pequena, mas a comida é muito boa.

– Está bem. Vou me arriscar, pois, de qualquer maneira, preciso comer. Quando voltarmos vai me dizer o que quer que eu faça para ajudá-la.

Selma olhou para Carlos e, com lágrimas, respondeu:

– Preciso que cuide de Carlos enquanto estivermos aqui.

– Quer que eu leve esse menino para minha casa e fale a todos que é meu neto? Sabe que não posso fazer isso.

– Por favor, mamãe. Não quero que ele vá para um orfanato e foi somente por isso que a chamei.

– Está bem, vou levá-lo; mas vou dizer a todos que é filho de uma empregada.

Selma olhou para Carlos que, agora, chorava:

– Por favor, não, mamãe!

– É preciso, filho. Vai ser por pouco tempo, tenho certeza disso!

– Não quero, mamãe! Prefiro ir para o orfanato...

– Também não quero, Selma! – Disse Roberto. – Essa mulher é um monstro. Embora não quisesse, agora penso que Carlos vai ficar melhor no orfanato.

Alda respirou fundo:

– Ainda bem. Fazendo isso evitarão que eu passe por constrangimentos.

José Luiz, que assim como os outros estava muito constrangido, disse:

– Depois do resultado do *habeas corpus* vamos conversar a esse respeito.

– Também voltaremos para a cidade. O cheiro deste lugar está me fazendo mal.

– Está bem, dona Alda...

Em seguida, colocou o braço sobre os ombros de Carlos, olhou para Selma e Roberto e, sorrindo, disse;

– Fiquem tranquilos, ele vai ficar bem comigo.

– Obrigada, José Luiz. Você sempre foi um grande amigo de Mario Augusto e meu.

Antes de sair, Alda, ainda irritada, disse:

– Depois do almoço, depois que José Luiz tirar vocês daqui, iremos embora. E se, depois que tudo terminar, você quiser voltar para casa, as portas estarão abertas, mas só para você, Selma. Agora vou mandar Josias nos levar para um restaurante.

– Josias está aqui?

– Claro que está. Como acha que chegamos até aqui?

– Posso conversar com ele, mamãe?

– Em um momento como este, você quer conversar o que com um motorista? Aonde você chegou, Selma?

– Não se preocupe, Selma. Vou conversar com o delegado e pedir que autorize a entrada dele.

– Não pode fazer isso, José Luiz! Ele é meu empregado e não permito!

– Venha comigo, dona Alda. Permita que conversem. Isso em nada vai prejudicar Selma.

– Está bem, vou acompanhá-lo, mas sob protesto! Selma, agora que José Luiz está aqui não preciso mais ficar neste lugar. Depois do almoço irei embora e não voltarei aqui. Não consigo suportar tanta humilhação! Feliz foi seu pai que morreu antes de ver o que está acontecendo! O que você fez com o nome da nossa família! Levarei esse menino comigo e ficarei com ele até que seja libertada e, se não for, verei o que fazer com ele!

– Vamos, dona Alda, e você também, Carlos. Venha, vamos almoçar.

– Não quero sair daqui. Não quero ir com essa mulher!

– Precisa se alimentar, filho, e precisa ir com sua avó. Não pode ficar sem um responsável. José Luiz, antes de minha mãe ir embora, pode trazer Josias até aqui? Preciso conversar com ele e gostaria que Carlos ouvisse a nossa conversa.

– Claro que vou fazer isso, Selma. Depois do almoço vou ao fórum e acredito que consiga libertá-los e levá-los para sua casa.

Selma sorriu:

– Obrigada mais uma vez.

– Deveria agradecer a mim, Selma! Sou eu quem está pagando os honorários dele!

– Obrigada, mamãe, mas conseguiremos devolver tudo o que está gastando.

– Não precisa, Selma. Estou fazendo tudo isso em nome da nossa amizade. Sei que Mario Augusto, onde estiver, está feliz por eu poder ajudá-la. Só preciso que fique bem.

Antes que Alda conseguisse dizer qualquer coisa, José Luiz colocou a mão no seu braço e levou-a para fora. Carlos permaneceu ali.

Assim que saíram, Selma desmoronou, sentou-se no chão da cela e começou a chorar em soluços. Roberto por entre as grades segurou sua mão:

– Essa mulher é horrível, Selma! Não consigo acreditar que seja sua mãe! Ela é fria, não tem coração...

– Sei disso, mas o que mais me assusta é que eu era igual a ela. Também agia e pensava como ela. Tinha a ilusão de ser especial e superior a tudo e a todos e que o dinheiro podia comprar tudo. Esse sentimento me levou a praticar aquele crime e fez com que meu irmão, que eu tanto amava, morresse...

Alguns minutos depois, o policial voltou e trouxe ao seu lado Josias que, assim que viu Selma, correu ao seu encontro.

– Menina! O que aconteceu com você? O que está fazendo aqui? Eu pensei que estivesse tudo bem com você. A última vez que me escreveu foi para contar que estava casada, feliz e que ia ter um filho. Por que nunca mais me escreveu?

– Eu, com medo de que meu marido descobrisse quem eu era na realidade, achei melhor não receber mais cartas suas. Perdão, Josias...

– Não se preocupe com isso. Mas por que está aqui, o que aconteceu?

– Foi tudo um engano, mas agora acredito que José Luiz vai poder nos ajudar. Preciso que me faça mais um favor...

– Pode pedir. Sabe que farei qualquer coisa para que fique bem.

– Pedi à minha mãe que viesse até aqui porque eu e meu marido estamos presos e não temos com quem deixar nosso filho. Achei que ela, depois de tudo que aconteceu, tinha mudado, mas percebi que isso não é verdade. Ela, apesar de tudo o que se passou e deve ter sofrido, continua a mesma.

Ao ouvir aquilo, Josias olhou para Roberto.

– Esses são seu marido e seu filho, Selma?

– Sim e nos amamos muito.

– Fez uma boa escolha, mas acho que sua mãe não aprovou, não foi?

– Ela não aprovou, Josias. Não sei como pude acreditar que tivesse mudado. – Disse sorrindo.

– Estou ainda na sua casa e posso garantir que ela mudou, sim. Continua mantendo as aparências quando está ao lado de outras pessoas, mas alguma vezes eu a vi com os olhos vermelhos e inchados de tanto chorar.

– Verdade, Josias? Ela chora?

– Sim e muitas vezes.

– Mesmo assim, não quero que meu filho fique com ela. Ela já destruiu a minha vida e a do meu irmão, não quero que faça o mesmo com ele.

– Tem certeza de que foi ela a culpada de tudo? Ela não criou Arlete, e foi ela quem tomou aquela atitude tresloucada.

– Arlete e Flora foram criadas da mesma maneira que eu e meu irmão. Arlete também achava que podia ter tudo o que queria.

– Mas você, depois daquilo, deu um novo rumo para sua vida. Está casada, vivendo aqui nesta cidade e, pelas roupas que está vestindo, calculo que de uma maneira que nada tem a ver com aquela que vivia. Você, embora não tenha tido culpa de coisa alguma, reagiu e se tornou outra pessoa.

Ao ouvir aquilo, Selma olhou para Roberto que, calado, baixou a cabeça.

– Eu tive toda a culpa, Josias. Embora nunca tenha imaginado que aquilo pudesse acontecer, fui eu que planejei tudo.

– O que está dizendo, Flora?

Entre lágrimas, ela contou tudo o que havia acontecido. E terminou dizendo:

– Como pode ver até você eu usei, Josias. Sempre levei você para poder convencer Matilde a fazer o que eu queria.

– Era meu trabalho e sempre levei vocês para onde queriam ir.

– Bem, de qualquer maneira, como pode ver, embora eu não tenha dado os tiros, fui a única culpada.

– Não podia ter feito isso, Selma!

– Hoje sei que não podia, Josias. Mas, naquele tempo, achei normal. Eu queria impedir o casamento de meu irmão.

– Quando você me pediu o endereço de Etelvina e depois foi embora, imaginei que fosse pela dor e tristeza pela morte do seu irmão, nunca por isso.

– Foi por isso, Josias. Eu não suportei e nem suporto a culpa e o medo de ser presa. Os três morreram, sim, por minha causa.

– Agora tudo passou, você é outra pessoa. Renunciou a tudo o que tinha para viver uma vida modesta. – Josias disse, passando a mão por seus cabelos num gesto carinhoso.

– Mas como pode ver, nada passou. O passado sempre volta para nos assombrar. Acredito que, enquanto tudo não for esclarecido, não terei paz. Hoje, estou sendo vítima das mesmas armadilhas que usei...

– Nisso você está certa, Selma. Colhemos sempre o que plantamos. Porém, a dor, a maldade e o sofrimento passam e sempre teremos oportunidades de nos redimir de erros que praticamos. Acredito que tenha se arrependido, mesmo assim precisa pagar pelo que fez.

– Estou pronta para isso. Preciso que me ajude.

– Pode pedir.

– Poderia cuidar do meu filho enquanto estivermos aqui?

– Bem que eu gostaria, mas não tem como. Eu me casei, tenho duas meninas, mas continuo morando na casa de sua mãe. Não teria como eu levar o seu menino sem que ela ficasse sabendo.

– Eu havia me esquecido disso, não tem mesmo como você me ajudar; mesmo assim, acho que pode fazer algo por mim.

– O quê?

– Enquanto Carlos estiver com minha mãe, pode dar atenção e ele, ocupar seu tempo para que permaneça o mínimo possível ao lado dela? Não quero que ele sofra discriminação alguma.

Josias olhou para Carlos e, sorrindo, disse:

– Isso eu posso fazer, pode ficar tranquila. Não vou tirar os olhos desse menino.

– Obrigada, Josias. E que Deus abençoe você e toda sua família!

– Não tem o que agradecer, Selma. Somos amigos, não somos?

Ela sorriu e ele continuou falando:

– Falando em Deus, você sabe que Ele é nosso Pai e Criador e que nunca nos abandona? Ele nos deu o livre-arbítrio para que escolhêssemos a vida que queríamos ter e como vivê-la. Você não nasceu rica para ser má; pelo contrário: com tanto dinheiro, poderia ter feito muito bem a muitas pessoas. Estamos aqui, vivendo a vida que pedimos. Você, talvez, não precisasse passar pelo que está passando, mas usou o seu livre-arbítrio, fez suas escolhas e precisa arcar com o resultado dessas escolhas.

– O que está falando, Josias? Acha que eu escolhi essa vida, que eu quis fazer o que fiz? Embora não quisesse, ainda culpo minha mãe por ela ter me tornado a pessoa má que era!

– Para você fica mais fácil culpar sua mãe, mas não é verdade. Seu irmão foi criado da mesma maneira e nunca foi mau, sempre foi um menino muito bom. A bondade e a maldade não dependem dos outros. Nascemos bons ou ruins e podemos fazer nossas escolhas. Para isso Deus permitiu que renascêssemos.

– Renascemos? O que está dizendo, Josias?

– Aprendi isso com a doutrina que sigo e em alguns livros que li. Quando nascemos, estamos tendo a chance, mais uma vez, de nos reencontrarmos com amigos e inimigos e de nos perdoarmos mutuamente. Você teve o momento de escolha e escolheu. Certas ou erradas, foram suas escolhas. Se quiser, tenho no carro alguns livros e posso dar a você para que leia. Talvez não consiga fazer isso aqui, mas leve para sua casa e, quando chegar a hora, eles estarão lá. Leia e tente entender o que está se passando com vocês. Você quer?

Ela não sentia vontade alguma de ler algum livro, menos ainda sobre religião, mas, para não magoar o amigo que demonstrava tanta vontade de ajudar, respondeu:

– Quero, sim, Josias, obrigada!

Ele sorriu e saiu. Ela olhou para Roberto:

– Ele sempre foi meu amigo, desde que eu era criança, Roberto, e mesmo nas minhas malcriações sempre me perdoou.

– Também achei que é uma boa pessoa.

– Ele é sim. Foi o responsável pela minha vinda a esta cidade, o que me deu a oportunidade de conhecer você e ter Carlos. Tomara que José Luiz consiga nos libertar, pois não sei o que faremos com nosso filho. Não suporto a ideia de ficar longe dele, ainda mais sabendo que ele está ao lado de minha mãe...

– De uma coisa tenho certeza: não quero que ele vá morar com sua mãe, não quero!

– Nem eu, Roberto, nem eu; mas não há outra solução. Não quero que ele vá para um orfanato...

Carlos, embora não quisesse ir com a avó, entendeu que não havia outra solução.

Josias, colocando o braço sobre o ombro de Carlos, disse:

– Agora vamos almoçar, você deve estar morto de fome!

O menino olhou para os pais:

– Desculpem, mas estou com fome mesmo!

Selma e Roberto sorriram. Ela disse:

– Vá almoçar, filho. Ficaremos aqui, pode ter certeza...

Eles saíam, e Selma e Roberto, por trás das grades, ficaram de mãos dadas.

Ajuda necessária

Mario Augusto e Matilde, que estiveram ali ao lado deles durante todo o tempo, olharam-se e sorriram.

– Ainda bem, Mario Augusto, que Selma se arrependeu e entendeu que ninguém é superior a ninguém, embora só tenha acontecido depois de toda tragédia.

– Mesmo que só tenha acontecido por força da tragédia, estou feliz por isso, Matilde. Ela, assim como nós, esqueceu-se de tudo o que havia prometido antes de renascer, embora tenha tido a presença de Etelvina para ajudá-la a se modificar. Embora minha mãe tenha obrigado Etelvina a se afastar de Selma, elas ainda se reencontraram, e Selma, ao lado de Etelvina, conseguiu recomeçar sua vida. Etelvina está ao seu lado há muito tempo.

– Verdade, Mario Augusto; porém, ainda é tempo até para que dona Alda também entenda o engano que a ilusão do poder e do dinheiro pode causar.

– Esse é o meu desejo, Matilde, fazer com que minha mãe entenda isso. O que você sentiu quando descobriu o que Selma havia feito com você e com nós três?

– Quando acordei deste lado, não entendi o que havia acontecido. Acordei em um quarto desconhecido. Fiquei olhando por todo ele, sem imaginar que lugar era aquele. As paredes pintadas em um azul bem claro, parecia até um quarto de bebê. Havia um armário branco e um pequeno sofá também azul. Através da janela, que estava aberta, pude ver que o dia estava brilhante e lindo. Embora o ambiente fosse de paz, comecei a ficar preocupada e curiosa. Sentei-me na cama e continuei olhando tudo, quando uma senhora entrou. Ela tinha o rosto calmo e feliz:

– Bom dia, Matilde. Precisa se levantar. Esteve dormindo por muito tempo.

– Ainda assustada e curiosa, perguntei:

– Que lugar é este? Onde estou e quem é a senhora?

– Não se preocupe com isso. Logo lembrará tudo o que aconteceu.

– Tudo o que aconteceu, me lembrar? Do que está falando?

– Acalme-se, está tudo bem. Agora, vou ajudar você a se levantar. Vai tomar um banho, trocar de roupa e, depois, vamos passear no jardim. Você precisa respirar ar puro e tomar sol, está muito pálida.

– Ao ouvir aquilo, olhei para um espelho que havia em frente à cama e, realmente, tive de concordar com ela, estava pálida mesmo. Ela me ajudou a descer da cama. Abriu uma porta e pude ver um banheiro maravilhoso, uma banheira cheia de água. Na resisti e coloquei a mão para ver se estava quente. Além do calor, assim que coloquei a mão comecei a sentir um aroma doce que saía da água. Fiquei deslumbrada com tudo aquilo. Ainda muito curiosa, voltei a perguntar:

– Que lugar é este?

– Já disse para você não se preocupar. Logo se lembrará de tudo.

– Eu estava curiosa, sim, mas com uma vontade enorme de tomar um banho naquela água perfumada. A senhora, sorrindo, disse:

– Agora vou sair para que possa tirar o pijama e entrar na banheira.

– Só naquele momento foi que olhei e vi que estava vestindo um pijama claro, quase branco. Logo que ela saiu, tirei o pijama, entrei na banheira e fiquei ali, deitada, apenas aproveitando aquele momento. Não tenho ideia de quanto tempo fiquei ali. A senhora voltou:

– Pronto, agora já pode sair. Já deve ter se acalmado.

– *Tem razão. Embora curiosa e um pouco assustada, estou mais calma. Só preciso saber que lugar é este e quem é a senhora.*

– Ela sorriu, colocou uma toalha sobre uma banqueta que havia ali:

– *Aqui está a toalha e a roupa que vai usar durante o tempo em que ficar aqui. Agora, vou sair para que você possa se secar e vestir esta roupa. Logo mais eu volto e poderemos ir ao jardim.*

– Ela saiu e eu me levantei, saí da banheira e me sequei. Em seguida, peguei a roupa que ela havia deixado e, só aí, vi que se tratava de um vestido longo, de um tecido macio e, também, azul, o que me fez rir e pensar:

Será que tudo aqui é azul?

– Logo depois, ela voltou:

– *Agora que está pronta e linda, podemos ir até o jardim e, se quiser, poderá tomar café.*

– Eu, embora ainda preocupada, estava encantada com aquele lugar e como estava sendo tratada. Quando saímos, o meu encantamento aumentou. O jardim era lindo, com flores e folhagens lindas que eu nunca tinha visto. Admirada, eu disse:

– *Nossa! Aqui é lindo, parece que estou no céu!*

– Ela, rindo, disse:

– *Posso garantir que não é o céu.*

– Não entendi o que ela quis dizer, mas não me importei. Naquele momento, eu estava inebriada com tanta beleza. Começamos a andar e chegamos a uma mesa que estava colocada para o café, com tudo o que você possa imaginar. Ela apontou uma cadeira. Assim que me sentei, perguntei:

– *Agora que estamos aqui, a senhora vai responder as minhas perguntas? Que lugar é este e quem é a senhora?*

– Ela, ainda com toda sua calma, perguntou:

– *Olhe bem para mim, não está me reconhecendo?*

– Eu, admirada com aquela pergunta, olhei bem para ela, mas não consegui reconhecê-la.

– *Estou tentando, mas não consigo me lembrar de algum dia ter visto a senhora...*

– *Você se lembra do que aconteceu no dia em que encontrou, em uma gaveta, uma fotografia e perguntou à sua mãe quem eram as pessoas que estavam nela?*

– Naquele momento, me lembrei daquele dia e do que aconteceu:

– *Lembro-me quando perguntei e minha mãe respondeu:*

– *Essa jovem que está ao lado sou eu. Essa senhora é minha mãe, sua avó, essa menina é você com três ou quatro anos. Você se lembra da sua avó? Ela morreu alguns meses depois que tiramos essa fotografia. Ela foi uma mulher, mãe e avó maravilhosa.*

– Quando minha mãe perguntou, fiquei pensando mas não consegui me lembrar da minha avó. Depois, olhei para ela atentamente e, como se fosse um filme, me lembrei de passear com ela pela praça que havia perto da minha casa. Ao me lembrar, me levantei e quase gritei:

– *A senhora é a minha avó?*

– *Ela, rindo, levantou-se e abriu os braços. Eu, emocionada, me abracei a ela. Ficamos assim por muito tempo. Enquanto ficamos abraçadas, apareceram, na minha mente, imagens de quando eu era criança em que eu estava no colo dela, estávamos passeando de mãos dadas ou brincávamos com minha boneca. Depois que nos separamos eu disse:*

– *Como não reconheci a senhora? Agora me lembro que estávamos sempre juntas.*

– É verdade, sua mãe precisava trabalhar e era eu quem cuidava de você e de seus irmãos.

– Ela fez com que eu me sentasse novamente. Ainda confusa com o que estava acontecendo, eu disse:

– *Estou feliz em reencontrar a senhora e não me conformo de não tê-la reconhecido.*

– *Não fique preocupada em não ter me reconhecido, Matilde. Você não poderia se lembrar de mim, era muito pequena.*

– *Mas como estou me lembrando agora?*

– *Agora, você está aqui, um lugar cujas energias são leves e o espírito fica mais livre e, assim, poderá se lembrar de tudo o que aconteceu.*

– Não entendi o que ela falou, Mario Augusto; mas não me importei, pois estava com muitas dúvidas e precisava de respostas:

– Estou feliz por estar com a senhora, só não estou entendendo uma coisa.

– Que coisa?

– Minha mãe disse que a senhora tinha morrido; se isso aconteceu, como está aqui e por que ficou escondida durante todo esse tempo?

– Ela não se conteve e começou a rir.

– Sua mãe falou a verdade; porém, eu nunca me escondi.

– Como não se escondeu? Disse a todos que tinha morrido!

– Eu não disse, Matilde, eu morri.

– Como morreu? A senhora está aqui, bem viva na minha frente! Como isso pode acontecer?

– Simplesmente porque a morte não existe, é apenas uma mudança de plano.

– Não estou entendendo. O que está querendo dizer? Como a morte não existe? De que mudança de plano está falando?

– Fiquei muito triste quando descobri que estava com uma doença terminal. Não que tivesse medo da morte, mas por ter de deixar vocês. Eu os amava e ainda amo muito. Quando cheguei aqui, me falaram da necessidade que tive de voltar para que sua mãe e vocês pudessem continuar suas vidas e cumprir tudo o que haviam planejado. Quando cheguei aqui, também fiquei surpresa ao ver como você está.

– Ao ouvir aquilo, Mario Augusto, parei e, em seguida, disse quase gritando:

– Espere um pouco, se a senhora está morta e eu estou aqui, está dizendo que também estou morta?

– Ela sorriu e acenou com a cabeça, dizendo que sim. Entrei em pânico:

– Não pode ser, eu não estou morta! Estou aqui sentindo, vendo o meu corpo, e conversando com a senhora! Como posso estar morta?

– Você está sentindo e vendo seu corpo, mas ele não existe mais, Matilde.

– Está dizendo que sou um fantasma?

– Ela segurou minha mão e, ainda sorrindo, disse:

– Se você fosse vista por aqueles que ainda estão na Terra, com certeza diriam que viram um fantasma.

– Senti meu corpo estremecer, Mario Augusto. Foi uma sensação estranha. Comecei a chorar sem conseguir parar. Ela me abraçou, e passando a mão pelos meus cabelos, disse:

– *Pode chorar. Isso acontece com todos que chegam aqui, ainda mais com aqueles que não conhecem ou nunca se interessaram em saber a respeito da vida após a morte. Logo mais, você vai ficar bem.*

– Eu fiquei desesperada e, agora, abraçada a ela, gritei:

– *Eu não posso estar morta! Sou muito jovem e tenho muitos planos para o futuro! Quero ser professora e estudar muito para poder ficar rica e, assim, dar uma boa vida para minha mãe e meus irmãos! Isso que a senhora está dizendo não pode ser verdade! Tenho muito que fazer!*

– *Tudo o que sonhou e planejou, Matilde, ficou para trás. Sua vida, agora, é aqui. Garanto que por aqui há muito o que fazer.*

– *O que vou fazer agora?*

– *Vai continuar vivendo e escolhendo o caminho que quer seguir. Seu espírito, agora, está livre para trabalhar pelo seu aperfeiçoamento e de todos os que continuam caminhando ao seu lado.*

– Eu não estava entendendo e aceitando o que ela estava dizendo, Mario Augusto. Chorei por mais algum tempo, depois parei e disse:

– *Não me lembro do que aconteceu e como morri, só que estava no baile, linda e muito feliz.*

– Ela se afastou de mim e, olhando em meus olhos, contou tudo o que havia acontecido naquela noite e como eu, Arlete e você havíamos morrido. Fiquei desesperada:

– *Arlete me matou, matou Mario Augusto e se matou também? Não pode ser! Como chegou a esse ponto, vovó? Era apenas uma brincadeira de Selma!*

– *A brincadeira tomou uma proporção inesperada, Matilde. Tudo saiu do controle.*

– O que aconteceu com Selma? Foi ela quem planejou tudo!

– Nada aconteceu com ela. Depois daquela noite, Selma mudou radicalmente. Hoje é uma pessoa totalmente diferente daquela que você conheceu. Está casada e tem um filho pequeno.

– Ela mudou? Como assim mudou, vovó?

– Aquela tragédia, embora tenha sido planejada por ela, fez com que começasse a ver a vida de uma maneira totalmente diferente. Sofreu muito e fugiu para uma cidade do interior. Lá conheceu Roberto, se casou e teve um menino. Está vivendo tranquila. Não com todo o luxo que tinha, mas tranquila. Hoje dedica seu tempo para ajudar meninas que estão no orfanato. Com isso, mesmo que não saiba, está se redimindo.

– Como pode estar vivendo uma vida tranquila, vovó? Ela é uma assassina! A senhora disse que ela se casou e que tem um filho. Quanto tempo faz que estou aqui?

– Já faz alguns anos.

– Alguns anos? Como pode ser se acabei de acordar?

– Quando você chegou estava muito confusa e assustada. Foi levada para o hospital onde recebeu o primeiro tratamento. Quando acordou, ainda estava nervosa, e as vibrações que vinham da Terra mais pioravam a sua situação, por isso resolvemos que o melhor seria que continuasse dormindo, até que tudo se acalmasse e você pudesse se lembrar de tudo o que aconteceu, entendesse e aceitasse.

– Entender, aceitar? Como? Selma destruiu a minha vida, todos os meus sonhos! Ela devia estar presa ou ter morrido, como aconteceu com nós três!

– Você não deve se preocupar com o que está acontecendo com Selma ou o que venha a acontecer, Matilde. Precisa aceitar o que aconteceu e continuar vivendo aqui, estudando e aprendendo. O nosso principal foco deve ser a evolução espiritual. Cada um tem seu livre-arbítrio e por ele é responsável. Por isso, todos sempre colherão de acordo com o que plantou.

– Como não me preocupar? Ela está livre e feliz, mesmo depois de ter matado nós três? Ela destruiu a nossa vida! Minha mãe e meus irmãos devem ter ficado desesperados! Preciso ir até lá para ver como estão!

– Ainda não pode, Matilde. Está com as energias fracas e precisa se fortalecer.

– Estou me sentindo muito bem!

– Porque está aqui, mas na Terra as energias são densas e pesadas. Se você for agora poderá se sentir muito mal, até se perder e não encontrar mais o caminho de volta. Tenha paciência, logo mais poderá ir. Se insistir em sair daqui, nada poderemos fazer para impedir, pois você também tem

seu livre-arbítrio, mas pense bem.

– Eu quero ir até a minha casa, preciso ver como minha mãe está!

– Ela está sendo atendida por seu pai e, logo mais, vou para lá também. Fique tranquila, em momento algum ela ficou sozinha, tudo o que tiver de acontecer acontecerá e todos terão a oportunidade de exercer o perdão, pois só assim poderão continuar no aprendizado e na redenção.

– Eu até que desejo ficar em paz, mas não consigo, ao menos até que possa encontrar Selma.

– Isso acontecerá no momento certo, Matilde, tenha paciência.

– Onde estão Arlete e Mario Augusto? Eles sabem o que aconteceu?

– Sim, sabem. Eles também chegaram confusos e assustados e tiveram o mesmo tratamento que você. Quando Mario Augusto acordou, alguns meses depois do acontecido, explicamos tudo a ele, que demorou um pouco para entender e aceitar. Depois de muito conversarmos, entendeu e aceitou e está trabalhando na recepção dos que chegam...

– Mario Augusto está bem? Não se revoltou?

– A princípio, sim, mas depois foi entendendo que tudo está sempre certo e agora está bem. Veio aqui várias vezes para ver como você estava. Está muito preocupado com Arlete.

– Por quê? Onde ela está?

– Assim que ela deu o tiro que a levou à morte, foi retirada do corpo, com violência, por espíritos que ela, com seu temperamento ciumento e violento, atraiu e que, por isso, estiveram ao seu lado durante muito tempo.

– Vocês permitiram? Nada fizeram para impedir?

– Claro que tentamos, mas ela estava muito envolvida com eles, e também ao se suicidar e assassinar vocês criou à sua volta uma névoa densa que impediu que nos aproximássemos. Ela estava totalmente à mercê deles. Ficamos acompanhando de longe, e muito tristes ao ver que ela, após saber o que havia acontecido, reagiu com ódio e desejo de vingança. Nada pudemos fazer, pois o livre-arbítrio pertence a cada um. Desde então, tem procurado por Selma. Estamos à distância, acompanhando tudo o que ela faz, tentando enviar boas energias e esperando o momento em que ela entenda que está perdendo um tempo valioso e, assim, peça ajuda. Quando

isso acontecer, estaremos prontos e preparados para resgatá-la.

– Fiquei revoltada, Mario Augusto, e quase gritei, furiosa:

– Vocês não poderiam ter abandonado Arlete, vovó, ela teve razão. Selma destruiu as nossas vidas! Ela nos matou! Arlete deve ter ficado furiosa!

– Sim, Matilde, Arlete ficou furiosa, mas devia saber que não podia ter feito o que fez. Todos nós sabemos diferenciar o certo do errado, e todos sabem que tirar a vida nossa ou de outras pessoas nunca foi certo e nunca será. O ódio, o ciúme e a fúria são sentimentos que, embora façam parte de todos nós, precisam ser evitados ou banidos.

– Entendo isso, vovó. Mas Selma, depois de tudo o que fez, está impune! Ela não respondeu por aquilo que fez! Ela não atirou, mas levou Arlete a fazer essa loucura! Ela não pode ficar sem pagar!

– Ninguém fica impune, Matilde. Todos nós temos o nosso livre-arbítrio e teremos de responder por ele. Selma, que aparentemente está impune, no devido momento terá de responder pelo que fez, mas não cabe a vocês buscarem vingança. A estrada da vingança é longa e só pode levar o vingador a um abismo profundo.

– Onde Arlete está?

– Juntou-se a outros que também buscam vingança e está vagando com eles, sem ter um minuto de paz. Precisa de nossa ajuda, mas, enquanto não descobrir isso, nada poderemos fazer. O tempo é todo dela; a nós só resta esperar.

– Também quero me vingar dela, vovó! Também quero procurar por ela! Ela não pode estar casada e feliz!

– Conversei com você até agora para que entenda que tentar se vingar não vai acrescentar coisa alguma à sua vida espiritual. Você tem duas opções: ficar como Arlete, vagando em busca de vingança, ou entregar o futuro de Selma nas mãos de Deus e continuar aprendendo e ajudando a todos os que aqui chegam.

– Não sei o que fazer...

– Quando não sabemos o que fazer, o melhor é ficarmos parados. Espere mais um pouco e, se quiser, procure alguma atividade em que possa ajudar. Garanto a você que por aqui há muito o que fazer. Depois disso, se

achar que ainda precisa se vingar de Selma, o livre-arbítrio será sempre seu.

– Não estou em condições de ajudar ninguém, sou eu que precisa de ajuda!

– Está bem, embora sempre tenhamos condições de ajudar. Pense bem em tudo o que eu falei e, quando decidir o que fazer, basta me comunicar.

– Diante do que ela falou, Mario Augusto, fiquei pensando. Eu estava com muita raiva de Selma, mas tinha medo de me aventurar e ficar vagando sem destino. Aqui, ao menos, eu estava protegida, mas não tinha intenção de ajudar em qualquer coisa. Disse isso à minha avó, que sorrindo me abraçou e falou:

– Preciso sair. Tenho um trabalho importante para fazer. Quando decidir o que quer fazer, me avise. Estarei esperando.

– Ela saiu e eu fiquei ali me lembrando de tudo o que aconteceu. Quando me lembrei de todo o trabalho que Selma teve para me convencer a ajudá-la, fiquei com muita raiva de não ter percebido que ela, ao me procurar depois de tanto tempo após a formatura, deveria estar tramando alguma coisa. Porém, fiquei tão feliz por poder voltar a frequentar os mesmos lugares que elas, as festas, que não parei para pensar.

– Não poderia saber, Matilde.

– Eu sabia pois as conhecia, Mario Augusto. Sabia como elas agiam quando queriam alguma coisa. Selma, especialmente, sempre teve tudo o que queria e da maneira que queria e, por incrível que pareça, sempre a admirei por isso.

– É verdade, Matilde. Selma, desde que era bem pequena, sempre conseguiu o que quis. Quando fui para o colégio interno ela ainda era uma criança e, por isso, não convivemos muito. Sempre que eu voltava para casa, por poucos dias, ela fazia tudo para me agradar. Para mim, ela sempre foi perfeita, até o ciúme que sentia por Arlete me parecia normal.

– Hoje sei que o ciúme é um sentimento que todos têm mas que precisa ter um limite, não pode ser possessivo.

– Verdade, Matilde. O ciúme traz o apego e nos julgamos donos do outro, quando isso não é verdade. Todos somos livres e não pertencemos a ninguém.

– Quando tomei conhecimento de tudo o que aconteceu, me lembrei do ciúme doentio de Arlete e Selma para com você. As duas queriam decidir a sua vida, Mario Augusto. Com muito ódio, lembrei-me das várias vezes que minha mãe havia me alertado contra elas; mas eu, iludida pela vida de luxo que elas tinham e querendo ter e ser igual a elas, nunca dei atenção à minha mãe e me deixei levar. Depois daquele dia em que conversei com minha avó, fiquei por muito tempo com muita raiva, sem aceitar que eu também tinha minha parcela de culpa. Embora estivesse com medo de me aventurar, só queria me vingar. Fiquei o tempo todo me martirizando e procurando alguma maneira de me vingar de Selma. Um dia em que eu estava, como sempre, quieta e somente tentando encontrar uma maneira de me vingar, Péricles se aproximou. Eu já o conhecia, pois foi ele a primeira pessoa que vi ao acordar no hospital. Depois, fiquei sabendo que ele era médico e atendia a todos os que chegavam e precisavam ir para o hospital. Ele se aproximou. Eu estava calada, distante, e nem olhei pra ele:

– *Como você está, Matilde?*

– Sem me mover ou sequer levantar os olhos, não respondi. Péricles, parecendo não ligar para o meu comportamento, voltou a perguntar:

– *Como você está, Matilde?*

– Vendo que não iria embora enquanto eu não respondesse, olhei para ele e respondi:

– *Estou bem.*

– *Não me parece que está bem. Fica sempre aqui, parada e calada. Não participa da vida de todos. Está sendo bem tratada, precisa de alguma coisa?*

– *Não tenho do que reclamar. Todos me tratam muito bem, só que...*

– *Só que o que, Matilde?*

– *Apesar de ter sido muito bem acolhida, me sinto uma prisioneira. Não posso ir para onde, realmente, eu queria.*

– *Para onde você quer ir?*

– *Quero ver o que aconteceu com Selma!*

– *Por que e para que, Matilde?*

– *Como por que, Péricles? Eu a odeio e espero que ela seja presa, e quando ela chegar aqui eu estarei esperando pra me vingar! Ela está presa?*

– Sua avó já disse que Selma não está presa. Daquele dia em que conversaram até hoje nada mudou. Depois que tudo aquilo aconteceu, ela foi para uma cidade do interior, se casou e acaba de ter um filho.

– Fiquei com mais raiva do que já estava e perguntei, gritando:

– Está bem, se casou e teve um filho? Como isso pôde acontecer, Péricles? Ela planejou e fez com que Arlete cometesse aquela loucura! Por que ela não está presa?

– A polícia não conseguiu provas e nem levou em consideração a possível culpa dela, Matilde.

– Como não? Foi ela quem me enganou e planejou tudo!

– Ela planejou, mas não apertou o gatilho.

– Mas foi ela que nos envolveu a todos com suas mentiras! Fez com que Arlete matasse a mim, ao Mario Augusto e depois desse fim à própria vida! Como a polícia não a investigou? Não há justiça na Terra?

– Na Terra pode não ter; mas aqui, um dia, em algum momento, ela terá de responder. Porém, esse ódio que está sentindo não está atingindo Selma. A única prejudicada por ele é você mesma...

– Como prejudicada? Estou bem aqui no meu canto. Não estou sentindo dor alguma.

– Está bem aqui no seu canto, porém está fugindo da verdade e não consegue fazer coisa alguma para poder se melhorar espiritualmente. Ficar parada sem nada fazer não é crescimento, Matilde.

– Não tenho e não vou fazer coisa alguma enquanto não me vingar de Selma! Enquanto não souber que ela está queimando no fogo do inferno!

– O céu e o inferno estão dentro de cada um. Você, neste momento, está vivendo um inferno. Está cheia de ódio, o que faz com que sofra muito, e só há uma maneira de se livrar desse sofrimento, desse inferno.

– Eu não quero me livrar desse ódio; pelo contrário, a cada dia que passa ele aumenta mais!

– Enquanto você odeia, fica nervosa e inquieta, Selma está vivendo sua vida.

– Falando assim, você faz com que eu fique com mais ódio, Péricles!

– Pode ficar com mais ódio, mas é a verdade. Enquanto você perde um tempo enorme, ela está se regenerando e conseguindo crescer espiritual-

mente. Coisa que você também, se quiser, pode fazer. Não perca mais tempo, Matilde. Volte a viver. Ficar aqui sofrendo, se magoando e imaginando uma maneira de se vingar vai te levar a uma depressão que, por sinal, já está começando, eu diria até que está bem adiantada.

– Eu não acreditei no que ouvi, Mario Augusto, e, mesmo sem querer, comecei a rir:

– Depressão? Como posso estar em depressão, Péricles? Estou morta!

– Assim como na Terra ou em qualquer outro lugar, existem muitos espíritos em depressão. Alguns já chegam aqui depressivos; outros, assim como você, a adquirem aqui. Tanto em um caso como no outro, a depressão pode causar muita dor e pode levar a momentos cada vez piores. Você ainda tem tempo para se modificar, esquecer o que Selma fez e continuar seu aprendizado, e a melhor forma é começando a ajudar aqueles que precisam.

– Como posso esquecer o que Selma fez, Péricles? Ela destruiu os meus sonhos e tudo o que planejei para minha vida! Ela me matou!

– A nossa tendência sempre foi e ainda será a de colocarmos a culpa do mal que nos acontece em outras pessoas, quando, na realidade, a culpa sempre é nossa mesmo.

– Está dizendo que eu sou a culpada por tudo o que aconteceu? Foi ela quem me matou!

– Não existem inocentes, Matilde. Desde a nossa criação, vamos aprendendo a distinguir o que é certo e o que é errado e que precisamos sempre tentar somente fazer o certo. Porém, nem sempre isso acontece. Você disse que Selma a enganou. Será que ela a enganou mesmo ou foi você quem se deixou enganar na ilusão de ser igual e ter uma vida como a dela de luxo e de riqueza?

– Não tive o que falar, Mario Augusto. Ele tinha razão. Eu sempre soube que elas me usavam, mesmo assim continuei ao lado delas, pois era o que eu mais queria: ser igual e ter a vida delas.

– Ele foi bem claro ao fazer essa pergunta, Matilde. Você não tinha mesmo nada a falar.

– Verdade, Mario Augusto. Depois que Péricles fez a pergunta, ficou me olhando, esperando o que eu tinha a dizer. Percebendo que eu não tinha o que falar, ele abriu os braços e eu me aconcheguei e chorei muito. Depois de algum tempo abraçados ele se afastou e disse:

– *Isso não quer dizer que elas agiram certo, menos ainda Selma. Mas você não deve nem pode perder tempo com isso. Precisa continuar a sua caminhada e tem muito a fazer. Na hora certa, tudo isso vai ser esclarecido e cada um colherá de acordo com o que plantou.*

– *Obrigada por suas palavras, Péricles. Eu precisava mesmo ouvir isso.*

– *Que bom que entendeu. Agora, o que deseja fazer? Vai continuar aqui no seu canto?*

– *Não, Péricles. Gostaria de saber onde está meu pai! Ele está aqui? Posso vê-lo?*

– *Ele vive aqui, mas no momento não está. Desde que você voltou, ele foi para sua casa ficar ao lado de sua mãe. Ela ainda sofre muito e não se conforma com sua morte. Sua dor e seu sofrimento só não atingiram você porque nós a protegemos.*

– *Ela ainda está sofrendo, mas se passaram tantos anos...*

– *Os anos passaram para você também, e até há pouco ainda estava revoltada.* – Péricles disse rindo.

– Eu também ri, Mario Augusto. Ele tinha razão. Então, perguntei:

– *Agora que estou bem, gostaria muito de ir até a minha casa, ver minha mãe e meus irmãos. Posso, Péricles?*

– *Por enquanto, ainda não pode ir até lá, Matilde. Primeiro precisa se fortalecer.*

– *Estou bem, Péricles! Confesso que não estava, mas agora estou e me sinto pronta para ir à minha casa. Sinto que minha mãe precisa de mim.*

– *Precisa ficar mais algum tempo aqui. Sua mãe está sendo ajudada não só por seu pai mas por outros amigos também. Ela vai ficar bem. Está passando por um momento de difícil decisão, mas precisa passar por ele. Agora, fique aqui por mais um tempo, depois vá até Laura. Ela vai te mostrar algum trabalho que você possa fazer para auxiliar aqueles que chegam aqui. Muitos deles chegam confusos e precisam de ajuda.*

– *Não sei como e se poderei ajudar, Péricles. Não me sinto forte o bastante e temo prejudicar mais do que ajudar.*

– Quando existe o desejo de ajudar não existe fraqueza, apenas força, e a maneira de ajudar surgirá.

– Está bem, Péricles. Vou fazer isso.

– Ele sorriu e me abraçou novamente.

– Vá, minha filha, comece a trabalhar pelos outros. Assim fazendo não terá tempo para pensar no que passou e toda a sua dor desaparecerá.

– Eu ainda não havia aceitado totalmente que eu fora culpada do que me aconteceu; mesmo assim, a vontade de deixar de odiar foi muito grande e fui falar com Laura.

– Foi aí que você me reencontrou.

– Verdade, Mario Augusto. Você já trabalhava há muito tempo com Laura. Acho até que foi por isso que Péricles pediu que eu fosse falar com ela. Ele sabia que eu o reencontraria.

– Ele estava com razão. O nosso reencontro foi maravilhoso, Matilde. Eu, quando cheguei aqui, como tudo havia acontecido muito rapidamente, fiquei muito tempo sem saber o que havia se passado e que lugar era este. Olhava à minha volta e via um lugar maravilhoso, com muita paz; mesmo assim, não queria ficar aqui e disse isso a Laura, que estava sempre ao meu lado. Ela me ajudou muito e me contou tudo o que havia acontecido. Quando terminou, incrédulo, eu disse:

– Estou entendendo tudo o que está me falando, Laura; só não consigo acreditar que Selma tenha feito isso que está dizendo. Sei que ela me ama e jamais teria me matado.

– Ela não pretendeu matar você ou as meninas; pelo seu egoísmo causado pelo ciúme e pelo apego ela só queria separar você de Arlete; porém, as coisas saíram de seu controle.

– Está dizendo que voltei antes da hora? Que se não fosse por ela, nós três teríamos vivido mais tempo?

– Não. Ninguém volta antes da hora, a não ser para evitar que se acrescentem mais dívidas.

– Como assim?

– Todos, quando renascem, escolhem o caminho que vão seguir, onde poderão, além de resgatar comportamentos e fracassos passados, mudar

alguns vícios antigos e também ter um longo aprendizado. Porém, se no meio do caminho não aceitam sua vida como ela vem, se revoltam e resolvem escolher outro caminho que possa prejudicá-lo ainda mais, podem ser obrigados a retornar para o seu próprio bem.

– Foi isso o que aconteceu para que voltássemos tão cedo?

– Antes de renascerem, vocês conversaram muito, conheciam os sentimentos que precisavam ser mudados. Arlete sempre foi ciumenta e possessiva, e deveria mudar esse comportamento. Selma também, além de ciumenta e possessiva, sempre foi muito apegada a você, sempre se sentiu superior e nunca respeitou as outras pessoas que não pertencessem ao seu meio social ou racial. Arlete, além de tudo, também sempre se sentiu superior às demais pessoas e, por isso, assim como Selma e Flora, sempre as humilhou e se aproveitou delas. Por isso, depois de muito conversarem, vocês resolveram quem desta vez seria diferente. Voltariam ricas, mas com todas as possibilidades e oportunidades de agirem de modo diferente, pois, embora tivessem muito dinheiro, o usariam para ajudar as pessoas criando empregos e ajudando-as a caminhar no bem. Prometeram que, por motivo algum, as humilhariam; mas, como pudemos ver, elas não cumpriram o que prometeram.

– Isso acontece muito, Laura?

– Muito, Mario Augusto.

– Por quê?

– Quando planejamos, estamos aqui cercados por toda proteção e com energias leves, e, ao tomarmos conhecimento do que aconteceu na encarnação anterior, queremos resgatar tudo de uma só vez e planejamos uma nova vida de sacrifícios e provas muitas vezes difíceis de serem cumpridas. Claro que somos alertados por nossos amigos no sentido de que essas provas serão muito difíceis e dolorosas, mas não aceitamos, pois achamos que conseguiremos vencer. Renascemos felizes e confiantes. Porém, quando começamos a viver aquilo que planejamos, não aceitamos, nos revoltamos ou, como aconteceu com vocês, nos esquecemos do que planejamos. A dor e o sofrimento fazem parte das escolhas que fizemos e, sempre, nos ajudarão espiritualmente.

– Estou entendendo, mas é muito difícil vencermos, Laura. Tanto eu como Selma, Arlete e Flora fomos criados como sendo especiais e tendo como futuro tudo o que quiséssemos. Sempre nos disseram que, com dinheiro, poderíamos ter tudo e todos. Tendo sido criados assim, como poderíamos agir diferente?

– Embora o espírito nasça como criança e os pais tenham o dever de educá-lo e encaminhá-lo, todos são espíritos antigos e cada um tem seu próprio livre-arbítrio. Enquanto crianças precisam seguir os ensinamentos e a educação que recebem dos pais, mas, depois de adultos, devem usar seu livre-arbítrio, podendo ou não acatar o que lhes foi ensinado, pois mesmo que não tenham aprendido saberão discernir o certo e o errado.

– Mesmo assim é quase impossível, Laura. Volto a dizer que nunca deveríamos ter escolhido nascer ricos e com pais preconceituosos e orgulhosos. Acredito que, se tivéssemos sido criados de uma forma diferente, nada disso teria acontecido, pois não teríamos sido orgulhosos como fomos.

– Como já disse, Mario Augusto, poderia ser mais fácil, mas não melhor para o crescimento espiritual. Vocês escolheram nascer ricos e com os pais que tiveram, exatamente para poderem fazer o contrário do que fizeram. Por isso, se tivessem nascido de uma maneira diferente, com todas as dificuldades, não teriam mérito algum se mudassem. O mesmo aconteceu com Matilde, que escolheu nascer pobre para aceitar e vencer tudo o que desejava mudar.

– Quando você fala, sinto que tudo está certo, mas ainda acho que essa escolha é muito difícil de ser atingida.

– Sim, é muito difícil, mas não impossível, porque em qualquer momento sempre teremos ao nosso lado oportunidades e amigos para nos ajudar a cumprir a nossa missão e o que nos propusemos a fazer.

– Missão? Como pode dizer que todos têm uma missão se a maioria das pessoas passa pela vida sem nada construir, sem fazer nada de extraordinário que as deixassem famosas e reconhecidas? São pessoas comuns que simplesmente vivem.

– Laura, rindo, disse:

– Ninguém passa pela vida sem nada construir, Mario Augusto. Todos

trazem uma missão que de uma maneira ou de outra cumprem, mesmo que não seja na sua totalidade. Alguns, como aconteceu com vocês, trouxeram uma única missão: a de conseguirem vencer o orgulho, o preconceito e, realmente, dar valor àquilo que tem valor e às pessoas que caminhariam ao lado de vocês e, como viu, não conseguiram cumprir. Ao contrário do que muitos pensam, aqueles que se destacam podem até ser aplaudidos mas não são especiais, apenas são devedores e precisam atingir muitas pessoas com seu pensamento e atitudes na tentativa de ajudá-las. A missão de cada um é a de vencer seus próprios sentimentos ruins e trocá-los pelos bons. Alguns precisam, somente, criar seus filhos ajudando-os a encontrar e seguir seu caminho.

– Agora entendi melhor, Laura. Não é tão complicado...

– A Espiritualidade não é complicada, Mario Augusto; somos nós que a complicamos.

– Você falou das meninas mas nada disse a meu respeito, Laura. Ou eu que deveria ter mudado?

– Você sempre foi o motivo de muitas desavenças entre elas. Sempre soube que elas gostavam de você de uma maneira possessiva e se aproveitava disso. Dava atenção exagerada a todas e depois, com os amigos, se divertia muito com isso. Essa sua atitude causou, durante muitas encarnações, tragédias igual a esta que se repetiu. Você combinou que desta vez ficaria apenas com Arlete e não daria chance alguma às outras. Prometeu e, desta vez, cumpriu.

– Entendi, mas por que fizemos isso, Laura? Por que fizemos essas escolhas? Não seria melhor e mais fácil se voltássemos com uma vida diferente daquela anterior, tendo e sendo aquilo que não tivemos ou fomos na encarnação ou encarnações passadas? Não seria melhor que tivéssemos renascido pobres?

– Vocês conversaram muito a esse respeito e chegaram à conclusão de que nascendo pobres poderiam se revoltar por não serem ricos, o que já estavam acostumados com as encarnações passadas, e, novamente, colocariam tudo a perder. Cabe a cada espírito se esforçar para vencer suas dificuldades e fraquezas, pois só assim poderá evoluir. Quando Jesus disse

"amai ao próximo", Ele não disse "Amai só aos vossos amigos", mas a todos, porque se não fosse assim não haveria mérito algum. Quando Jesus falou isso, Ele nos fez ver que para conseguirmos caminhar para a luz precisaríamos vencer todos os nossos problemas. Renascer é sempre uma oportunidade de crescimento, aprendizado e retorno à pureza do espírito como ele foi criado

– O que aconteceu? Afinal, por que fracassamos?

– Selma, Arlete e Flora escolheram nascer ricas para poderem respeitar as pessoas sem se importar com a condição social delas. Com dinheiro, poderiam ajudar as outras pessoas. Escolheram e decidiram; porém, quando chegaram à Terra, com as energias pesadas do corpo e as tentações, que precisavam aparecer para que mudassem os sentimentos, esqueceram-se do prometido e continuaram a ser como sempre. Matilde escolheu renascer pobre, pois assim poderia aceitar sua vida e ser feliz sem querer ser alguém que não era e sem precisar pertencer a outra família. Porém, não se conformou.

– Entendo o que está dizendo, mas é muito difícil ser pobre, Laura...

– Sim é verdade; porém, esse era o objetivo de Matilde, sua missão. Entender que a riqueza pode ser boa, mas que pode também ser um entrave para o crescimento espiritual. Como acontece com todos, ela teve muita ajuda. Nasceu bonita e inteligente, com facilidade para aprender. Poderia ter usado isso para melhorar sua condição social mas, pela ambição e inveja, preferiu se deixar escravizar pelas outras. O espírito foi criado para ser livre e nunca escravizado. Matilde nasceu em uma boa família onde foi bem recebida e amada. Embora seu pai tenha morrido cedo, o que foi necessário para o crescimento espiritual dela e de toda sua família, teve uma mãe que sempre lutou por todos e conseguiu fazer com que ela estudasse em uma boa escola que a ajudaria a conseguir uma profissão e, através dela, crescer não só financeiramente como espiritualmente também. Porém, nunca aceitou sua condição social, sempre quis pertencer a um mundo que não era o seu.

Ao ouvir aquilo, Matilde, constrangida, disse:

– Laura teve razão em tudo o que falou, Mario Augusto. Realmente eu nunca me conformei em ser pobre e, movida pela ambição e pela inveja, me deixei escravizar. Tive muitas oportunidades, mas não enxerguei e fracassei mais uma vez.

– Todos fracassamos, Matilde. Eu ouvi tudo o que Laura me contou, e embora tenha entendido, o meu único desejo era o de voltar para minha casa. A única coisa que eu sabia era que não podia estar morto, pois eu sentia meu corpo com suas necessidades:

– *Eu não posso estar morto, Laura! Sinto meu corpo e vejo perfeitamente você e este lugar lindo. Você deve estar brincando. Quero voltar para minha casa e para a minha vida...*

– Ela, com sua paciência sublime, sorriu e foi me mostrando que a realidade agora era outra. Quando entendi e aceitei, fiquei preocupado com meus pais. Perguntei:

– *Isso é mesmo verdade, Laura? Estou morto?*

– *Não, Mario Augusto. Agora é que você está vivo, muito vivo! Seu corpo foi quem morreu, mas seu espírito voltou. Agora você está em casa.*

– *Não consigo aceitar, parece que estou sonhando e, se isso for verdade, meus pais devem estar desesperados e Selma, mesmo tendo participado e ser culpada de toda essa tragédia, deve estar desesperada também. Preciso ir para casa, Laura, quero ver todos!*

– *Você não está preparado, precisa ficar mais algum tempo aqui até se fortalecer. Depois, poderá voltar.*

– *Como não estou preparado, Laura? Estou muito bem!*

– *Está se sentindo bem porque aqui as energias são limpas, mas o mesmo não acontece na Terra. Lá as energias são pesadas e você não ficaria bem. Agora que tomou conhecimento da sua real situação, precisa se preparar para poder voltar e rever seus familiares e amigos.*

– *Preciso saber como estão. Meu pai nunca foi de conversar muito, sempre esteve envolvido com seu trabalho, mas minha mãe deve estar desesperada.*

– *Sim, estão sofrendo muito, mas você nada pode fazer. Para que fique bem e pronto para voltar, precisa se preparar.*

– *Não entendo quando diz que preciso me preparar. Como isso pode ser feito, Laura?*

– *Você pode se preparar trabalhando aqui na ajuda daqueles que chegam. Não se preocupe com a sua família, tudo tem um tempo certo para acontecer.*

– *Ajudando como? Não sei como se faz isso, nunca me preocupei com as outras pessoas...*

– *As pessoas, quando chegam, estão confusas e precisam de ajuda. Esse é o nosso trabalho e poderá ser o seu. Seu pai está prestes a voltar e você precisa estar preparado para recebê-lo.*

– Vendo que seria bom para mim ter alguma atividade, fui trabalhar na recepção. Em uma manhã, estava atendendo as pessoas que chegavam, quando Laura se aproximou:

– *Precisamos conversar, Mario Augusto.*

– *Pois não, Laura. Pode ser aqui?* – Perguntei surpreso.

– *É melhor irmos para a minha sala.*

– Fomos e, após nos sentarmos, sorrindo, disse:

– *Hoje é um dia especial para você, Mario Augusto.*

– *Por quê?* – Perguntei ainda mais curioso.

– *Seu pai está voltando e ele vai precisar de muitos cuidados.*

– *Ele está voltando por quê? Não estava doente...*

– *Depois que aquilo aconteceu, ele, sem você e não sabendo o paradeiro de Selma, ficou muito nervoso. Depois esse nervosismo se transformou em depressão, até agora em que está retornando.*

– *Disse que ele precisa de muita ajuda, por quê?*

– *Ainda está deprimido e levará algum tempo para ficar bem. Durante esse tempo você precisará ficar ao seu lado.*

– *Claro que vou ficar! Quando ele vai chegar?*

– *Logo mais, está a caminho.*

– Saí da sala e fiquei ansioso esperando por meu pai, Matilde. Desde que voltei e Laura havia conversado comigo e comecei a trabalhar na recepção, não sabia o que estava acontecendo na minha casa com ele ou com minha mãe. A expectativa de rever meu pai me deixou emocionado e ansioso.

Matilde começou a rir.

Mario Augusto se admirou:

– Por que está rindo, Matilde? Não estou entendendo.

– Desculpe-me, Mario Augusto, mas é estranho e engraçado notarmos que, mesmo depois de termos voltado, continuamos com os mesmos sentimentos. Você disse que estava ansioso, como isso pode acontecer estando aqui e sabendo como tudo funciona?

– Ele também começou a rir:

– É verdade, Matilde, mas os sentimentos são do espírito e ainda levaremos muito tempo para nos libertarmos de alguns. Fui avisado que meu pai havia chegado e que estava em um quarto no hospital. Corri para lá e, ao vê-lo, me assustei.

– Por que, Mario Augusto?

– Embora meu pai não tenha estado muito presente em nossas vidas e na nossa educação, pois viajava muito, eu me lembrava dele altivo, bem vestido e sempre pronto para conversar sobre qualquer assunto, era um homem instruído e respeitado. Mas quando entrei no quarto e o vi não consegui reconhecê-lo. Estava muito magro, e seus olhos, embora fechados, pois estava dormindo, estavam fundos em um rosto abatido. Aquilo me impressionou muito. Ele, que havia sido tão poderoso no seu meio, não lembrava nem um pouco o que havia sido. Fiquei parado olhando para ele, quando Laura entrou no quarto e, ao me ver olhando para meu pai, aproximou-se, pegou minha mão e perguntou:

– *Tudo bem com você, Mario Augusto?*

– Olhei para ela e acenei com a cabeça, dizendo que não.

– *Por que não está bem? Devia estar feliz por poder receber seu pai.*

– *Desculpe-me, Laura, mas está sendo difícil reconhecer o meu pai. Ele está totalmente diferente do que era e, se eu não soubesse que é ele,* não acreditaria...

– *Diante da chamada morte, todos se igualam, Mario Augusto. Seu pai, que viveu sempre entre os poderosos, quando aconteceu aquela tragédia e se viu sem você e sem Selma, descobriu que tudo pelo que havia vivido era apenas uma ilusão, se entregou ao desespero e à depressão e, aos poucos, foi se transformando e ficou assim. O aprendizado, para ele, foi muito difícil e ainda vai ser, pois, mesmo estando aqui não vai aceitar, por algum tempo, o que aconteceu. Ele, que era tão poderoso, não conseguiu evitar a sua chamada morte e o desaparecimento de Selma. Por isso, vai precisar de muita ajuda sua e de todos nós, pois vai demorar a entender que aqui ele é apenas um espírito como todos nós.*

– Laura saiu e eu fiquei ali, Matilde passando a mão sobre os cabelos dele e me lembrando das poucas vezes em que ele conversou ou brincou comigo e com Selma. Sem perceber, a cada pensamento eu sorria, me lembrando de como fiquei feliz nesses momentos. Comecei a perceber também que ele, que estava com o rosto crispado e tenso, começou a sorrir e sua expressão a ficar tranquila. Algum tempo depois, Laura voltou:

– Ele está despertando, Mario Augusto, por isso vou ficar aqui ao seu lado. Como ele está?

– Parece que bem, Laura. Enquanto eu me lembrava de alguns momentos bons que tivemos, ele parece que ouviu o que eu pensava e ficou tranquilo. Foram meus pensamentos que fizeram isso?

– Foram sim, Mario Augusto, e o inverso também aconteceria: se você pensasse só nos momentos ruins, ele ficaria pior. O pensamento tem uma força imensa e não temos a menor ideia do que representa essa força e o que podemos fazer com ela para o bem e para o mal. Agora você precisa se afastar para que eu o receba, depois poderá conversar e fazer com que ele fique bem.

– Está bem. – Dizendo isso, me afastei e ela tomou o meu lugar e continuou a passar a mão sobre os cabelos do meu pai. Aos poucos, ele foi abrindo os olhos e, como acontece com todos, ficou algum tempo olhando por todo o quarto. De onde estava, ele não podia me ver. Depois de olhar todo o quarto, olhando para Laura, perguntou:

– Que lugar é este, onde estou?

– Não se preocupe com isso. Posso garantir a você que está bem e protegido.

– Não estou entendendo, o que aconteceu e por que estou aqui?

– Ele começou a ficar agitado. Laura, com a voz carinhosa e ainda afagando sua cabeça, sorriu:

– Fique tranquilo. Logo mais, vai tomar conhecimento de tudo e terá todas as respostas. Estava dormindo e acabou de acordar.

– Eu estava muito bem, sonhando com meu filho que morreu, foi as-

sassinado. Esse sonho foi tão real que consegui ouvir sua voz. Desde que ele morreu eu não tive mais um minuto de paz.

– Por que está dizendo isso? Você não foi o culpado da morte dele.

– Sim, tem razão, mas nunca fui um bom pai. Passei toda a minha vida em busca de dinheiro e poder, nunca tive tempo para os meus filhos. Mesmo quando estava em casa, ficava lendo sem interesse algum por eles ou pelo que estavam fazendo. Sinto que éramos como estranhos. Depois que ele morreu e minha filha desapareceu foi que senti o quanto eles faziam falta na minha vida. O que mais me entristeceu, claro que além da morte do meu filho, foi não saber por que minha filha desapareceu. Mesmo que eu nunca tenha dado valor, eles eram a razão da minha vida.

– Isso acontece muito, Homero. Muitas vezes só damos valor para as pessoas quando pensamos que as perdemos.

– Quando pensamos, não! Nós as perdemos mesmo! Não entendeu quando eu disse que meu filho morreu e nunca mais vou voltar a vê-lo e que minha filha, apesar de ter gastado uma fortuna, não consegui encontrá-la e não sei nem se está viva ou morta?

– Ouvi sim o que disse, mas não posso concordar. Não perdeu Mario Augusto, e Selma está bem.

– A senhora conhece meus filhos? Sabe o nome deles?

– Conheço, sim, e garanto que ambos estão vivendo suas vidas.

– Como vivendo suas vidas? Mario Augusto está morto! E Selma desapareceu!

– A morte não existe, Homero. Mario Augusto não morreu, ele voltou para sua verdadeira casa, a casa do Pai.

– Não estou entendendo o que está dizendo, como assim casa do pai? O pai dele sou eu e ele não está na minha casa!

– Ele, assim como todos nós, é filho de criação de Deus, por isso Ele é o Pai de todos nós, e foi para o Pai que Mario Augusto voltou...

– Está dizendo que ele não morreu? Como pode ser isso, se fui ao seu enterro? Foi o dia mais triste da minha vida...

– Sei que isso aconteceu, eu também estava lá e vi todo o seu sofrimento, mas, agora, esse sofrimento terminou. Você veio ao encontro do seu filho...

– Está dizendo que ele não morreu, que está aqui? Isso significa que também morri?

– Qual é a última coisa que se lembra antes de acordar aqui?

– Eu estava muito triste, não me conformava com o que tinha acontecido. Senti uma dor muito forte no braço e comecei a suar e a cair. Não conseguia controlar o meu corpo.

– Foi isso mesmo que aconteceu. Você teve um infarto e não resistiu.

– Está dizendo que morri?

– Sim.

– Ele ficou surpreso, Matilde, olhou para as mãos:

– Não pode ser! Estou sentindo e vendo o meu corpo! Como posso estar morto?

– É assim mesmo que acontece, Homero. Sentirá seu corpo e suas necessidades por algum tempo, mas depois isso nada vai significar para você.

– Ele, muito assustado, sentou-se sobre a cama, Matilde. Laura se afastou, e assim ele pode me ver. Quando isso aconteceu, ele gritou:

– Mario Augusto! É você mesmo, meu filho?

– Não suportei mais e me aproximei, chorando:

– Estou aqui, papai, Agora tudo vai ficar bem.

– Ele, ao me ver, sem perceber, desceu da cama e veio ao meu encontro, Matilde, e, chorando muito, nós nos abraçamos. Ele se afastava, olhava nos meus olhos e beijava meu rosto sem parar:

– Você está vivo, meu filho, e está aqui! Perdão pela minha indiferença, eu não sabia o que estava fazendo...

– Não se preocupe com isso, meu pai. Já passou. Agora que estamos juntos novamente, teremos muito tempo para conversar.

– Ficamos assim por muito tempo, Matilde, nos abraçando e chorando, até que Laura, que esteve ali durante todo o tempo, disse:

– Agora que já se reencontraram, preciso voltar aos meus afazeres. Mario Augusto, acompanhe seu pai até a sua casa. Aproveite para mostrar a cidade. Sei que ele vai adorar.

– Sorri e, beijando seu rosto, peguei meu pai pela mão e saímos do prédio. Durante o caminho até chegar à minha casa, fui mostrando a cidade para ele e o preparando para o reencontro que teria com uma das suas irmãs que havia chegado antes e que ainda estava aqui. Eu também morava em sua casa. Não preciso nem dizer como esse reencontro foi emocionante e maravilhoso...

– Imagino, Mario Augusto. Eu não consegui reencontrar meu pai nem visitar minha casa para rever minha mãe e meus irmãos. Ainda estou esperando por esse dia maravilhoso, mas sei que vai chegar.

– Com certeza, Matilde. Esse dia vai chegar e eu estarei ao seu lado.

Olharam para Selma e Roberto, que conversavam.

– Por enquanto, precisamos ficar ao lado deles. Selma está passando por um momento ruim que ela mesma atraiu para si, mas, como Deus está sempre presente, em qualquer situação, estamos aqui até que tudo se esclareça. Fui requisitado para ficar ao lado de Selma neste momento e fiquei feliz quando vi que você, Matilde, estaria ao meu lado.

– É verdade, Mario Augusto. Ela vai precisar da nossa ajuda para que se mantenha bem e possa resgatar todo o mal que fez, não só a nós como a ela mesma. Ainda bem que, assim como aconteceu com você, eu tive Péricles ao meu lado e, aos poucos, ele foi me contando o que havia acontecido. Demorei muito para entender o que havia se passado e que não adiantaria ficar me remoendo no ódio e no desejo de vingança; o que eu teria de fazer era continuar no meu aprendizado, e a melhor maneira seria trabalhar em favor daqueles que aqui chegavam. Fiquei feliz quando reencontrei você. Aqui, vi muitas pessoas chegarem desoladas e assustadas, por nunca terem se conformado com a posição social que tiveram na Terra. Sempre tentei fazer o melhor possível para que elas ficassem bem, pois conhecia muito bem o que sentiam e aquela situação que viveram. Pensei e repensei minha vida e entendi que nunca, jamais, poderia julgar ou condenar alguém, pois, muitas vezes, todos nós magoamos outras pessoas, e na ânsia de aceitar ou não a posição social que tivemos escolhemos e podemos praticar atos pelos quais nos arrependeremos por muito tempo. Selma errou muito, mas conseguiu, através do arrependimento e do trabalho, se redimir. Claro que ela teve ajuda tanto de amigos aqui da Terra como dos espirituais, mas soube acatar e aproveitar. Hoje, ela está sendo vítima de uma armadilha igual a que provocou, tomara que consiga se salvar e se redimir. Eu e você estaremos até o fim intuindo e ajudando na medida do possível, mas, por causa do livre-arbítrio, nunca poderemos decidir por nenhum deles.

– Verdade, Matilde. Mas, seja como for, estaremos esperando sua decisão.

Dizendo isso, Mario Augusto e Matilde jogaram luzes sobre Selma e Roberto.

Amigos trabalhando

Enquanto isso, Marília, após a visita de Roberto, estava triste e pensativa. Sem imaginar, Péricles e Zenaide chegaram e ficaram ao seu lado. Ele, estendendo os braços em sua direção, disse:

– *Sei que você está triste por tudo o que aconteceu com Selma, Marília, mas precisa se lembrar da grande amizade que existiu e ainda existe entre vocês. Ela está precisando muito da sua ajuda. A amizade entre vocês é de muito tempo e não pode ser esquecida.*

Enquanto Péricles falava, Zenaide fazia com que surgissem imagens de Marília e Selma nos momentos de luta e de felicidade em relação ao orfanato. Momentos em que elas ficaram apavoradas e outros em que se encantaram ao verem os trabalhos das meninas prontos, e o quanto Selma trabalhou pelo orfanato sem nunca ter recebido dinheiro algum.

Sem entender o porquê de se lembrar de tudo aquilo, Marília levantou-se e, nervosa, pensou:

Selma não pode ter feito isso, tem alguma coisa errada! Não sei o que pode ser, mas que tem, tem.

No mesmo instante, lembrou-se de sua mãe que também acompanhou tudo e sabia o quanto Selma havia trabalhado para ajudar o orfanato. Pegou a bolsa, chamou Rita e disse:

– Estou indo para a casa de minha mãe. Vou conversar com ela a respeito do que Selma fez.

– Está bem, dona Marília. Não se preocupe, eu cuido de tudo. A Sandra vai me ajudar.

– Ainda bem que ela está aqui, não é, Rita?

– Verdade, dona Marília. E se não fosse pela senhora nenhuma de nós estaria aqui. Por mais que eu faça, nunca vou conseguir agradecer.

– Não precisa agradecer, porque se não fosse por você eu não teria conhecido Sandra, que amo como filha, e nem o orfanato que já ajudou tantas crianças.

– Por mais que eu pense, não consigo acreditar que dona Selma tenha roubado o orfanato, dona Marília. Ela se dedicou por tanto tempo e não tinha motivo algum para isso. Embora não seja rica, seu Roberto tem um bom salário e ela sempre teve uma vida boa. Ela não fez isso, dona Marília. Sei que não fez...

– Também não consigo acreditar, Rita. Vou até a casa de minha mãe para falar com ela a esse respeito. Antes, vou telefonar para Eduardo e pedir que vá almoçar na casa de mamãe. Quero ver o que ele pode fazer para ajudar, Selma.

– Faça isso, dona Marília. Alguma coisa está errada e precisamos descobrir o que é...

Marília pegou o telefone e discou o número. Do outro lado da linha uma voz de mulher atendeu:

– *Escritório do juiz, bom dia.*

– Sou eu, Jandira. Preciso falar com Eduardo.

– *Desculpe-me, dona Marília. Ele está trancado na sua sala, estudando um processo que vai julgar hoje à tarde e disse que não quer ser incomodado. O que a senhora precisa falar com ele é muito urgente?*

– Não, não é urgente, Jandira. Somente diga a ele que vamos almoçar na casa de minha mãe e que estou esperando por ele lá.

– *Está bem, dona Marília, vou avisar.*

– Obrigada, Jandira.

Marília desligou o telefone e, sorrindo, disse:

– Estou indo, Rita. Cuide de tudo.

Rita sorriu e Selma, pegando sua bolsa, saiu.

Assim que chegou à casa de Berta, foi recebida por ela com um largo sorriso e os braços abertos.

– Minha filha, que bom que está aqui. Veio me visitar?

– Também, mamãe. – Respondeu sorrindo.

– Também? Não estou entendendo, embora esteja curiosa para saber o motivo da sua visita. Você, neste horário, deveria estar no orfanato. O que aconteceu?

Entraram e sentaram-se ao redor da mesa da sala.

– O que aconteceu, Marília?

– A senhora não sabe o que aconteceu com Selma?

– Só sei o que aconteceu com Roberto e estou muito triste, mas por que está me fazendo essa pergunta? Aconteceu alguma coisa com Selma?

Marília, entre lágrimas, contou tudo e terminou dizendo:

– Está presa lá na delegacia...

– Presa? E você não fez nada para impedir isso?

– Não tinha como, mamãe! Todo o dinheiro foi encontrado na casa dela!

– Como pode acreditar nisso, Marília? Selma jamais faria uma coisa como essa!

– Por isso que estou aqui. Na hora, fiquei nervosa e acreditei, mas, depois de pensar bem, também não acredito que ela tenha nos roubado. Conseguimos todo aquele dinheiro à custa de seu trabalho e dedicação. Estou estranhando, também, o que aconteceu com Roberto. Ele sempre me pareceu um homem muito bom e responsável. Jamais se deixaria envolver com uma menina como aquela.

– Alguma coisa muito ruim está acontecendo com eles e precisamos ajudá-los, Marília! E somente Eduardo pode fazer isso.

– Eu telefonei para ele e pedi que venha almoçar aqui. Mas antes de falar com ele, queria falar com a senhora e com papai. Papai foi juiz por muitos anos e deve ter alguma opinião sobre o fato e como ajudar meus amigos. Ele está em casa?

– Não. Como faz todas as manhãs, deve estar sentado na praça. Ele diz que, depois de ficar tantos anos dentro de um escritório, precisa tomar sol e conversar com as pessoas, mas deve estar chegando para o almoço.

– Está bem, mamãe. Quando ele chegar, vamos esperar por Eduardo. Assim, todos juntos poderemos conversar a respeito e encontrar uma maneira de tirar Selma daquela delegacia!

– Onde está o menino e o que aconteceu com ele?

– Não sei, mamãe. Roberto foi ao orfanato para pedir que eu ajudasse Selma, mas eu me recusei. Estava muito nervosa...

– Não podia ter feito isso, filha! Selma está passando por um momento difícil e é nessas horas que precisamos de amigos.

– Sei disso, mas fiquei tão chocada quando vi o dinheiro em sua casa que só tive aquela reação. Vou conversar com papai e, juntos, vamos pedir ao Eduardo que a ajude no que for preciso.

– Vamos fazer isso, filha. Gosto muito de Selma.

Estavam tão envolvidas na conversa que não perceberam quando Lourenço entrou na casa:

– Bom dia! Que bom ver a minha filha querida aqui em casa!

– Bom dia, papai! Também estou feliz por estar aqui! – Marília disse, andando em direção ao pai para abraçá-lo e beijá-lo.

– Estou feliz por ver minha filha, e também preocupado com o que aconteceu com Selma e o marido.

– O senhor já soube?

– Esta cidade é pequena e as notícias correm rápido. Agora, com os dois presos, estou preocupado com o garoto...

– Os dois presos? O que está dizendo, papai? Roberto também está preso?

– Sim, Marília. Uma prisão em família é sempre um bom assunto, ainda mais em uma cidade como esta em que nada acontece.

– Por isso que estou aqui, pai. Queria sua opinião sobre tudo isso que está acontecendo. Como juiz experiente, sei que poderá me ajudar a entender.

– Só conheço os dois através de você. Sei que Selma tem ajudado muito no orfanato, mas, você sabe, o dinheiro muitas vezes faz com que as pessoas sejam capazes de coisas jamais imaginadas.

– Não consigo me conformar com isso, papai. Não acredito que Selma faria uma coisa como essa...

– Ela pode até ter feito, pois, como eu disse, o dinheiro e a ganância podem nos levar a cometer erros; só estou estranhando ela ter guardado o dinheiro em casa, pois deveria saber que lá seria o primeiro lugar a ser procurado. O que aconteceu com o marido dela também não está bem explicado. Conheço aquele rapaz e sei que é um ótimo funcionário no laticínio e que sempre ajudou as pessoas com menor recurso doando leite para muitas famílias... Tudo isso está muito estranho. Mas, enfim, nada se pode fazer. A lei existe para ser cumprida e, enquanto não for tudo esclarecido, eles precisam continuar presos.

– O que o senhor faria se ainda fosse juiz em um caso como esse, sabendo que sempre foram pessoas de bem?

– Eu teria de cumprir a lei, minha filha.

– Sei disso, papai, mas são meus amigos...

– Precisamos esperar Eduardo chegar, Marília. Ele é o juiz e saberá o que fazer, ou pelo menos dizer o que pode ser feito. – Berta disse, interrompendo a conversa dos dois.

– Tem razão, mamãe. Vamos esperar por ele.

– Bom dia! O cheiro da comida está muito bom! Ainda bem, pois estou morrendo de fome!

Todos se voltaram para Eduardo, que acabara de entrar. Marília foi até ele para recebê-lo e Berta, sorrindo, disse:

– Bom dia, meu filho! A comida, além de cheirosa, está pronta! Estávamos somente esperando por você!

– Embora esteja estranhando Marília vir almoçar aqui em um dia de semana, fiquei feliz, pois sua comida é muito boa, dona Berta.

Beijou a testa de Marília e estendeu a mão para cumprimentar Lourenço, que a apertou com um sorriso. Em seguida, foi ao banheiro, lavou as mãos e sentaram-se para começar a comer. Enquanto pegava a comida que estava sobre a mesa, perguntou:

– Que dia importante é hoje pelo qual estamos almoçando aqui, Marília?

– Pelo visto não está sabendo o que aconteceu hoje pela manhã.

– Logo cedo entrei na minha sala e fiquei estudando um processo, mas o que aconteceu?

– Selma e o marido estão presos.

– O quê? Presos por quê? Como não me telefonou para me avisar, Marília?

– Fiquei tão nervosa e atordoada que me esqueci de falar com você. Mas o importante é que eles estão presos e precisam da sua ajuda, Eduardo...

– Claro que farei tudo o que estiver ao meu alcance para ajudá-los, mas preciso saber o motivo de estarem presos.

Enquanto comiam, Marília foi contando o que havia acontecido e terminou dizendo:

– Foi isso que aconteceu com Selma, Eduardo. Quanto ao Roberto, não sei o motivo. Deve ter alguma coisa a ver com aquelas fotos.

– Selma roubou o dinheiro do orfanato? Não posso acreditar! Foi ela quem mais trabalhou para que você conseguisse esse dinheiro!

– No momento em que vi o dinheiro lá, fiquei tão nervosa que nem por um minuto pensei que não pudesse ter sido ela. Depois, Roberto veio ao orfanato me pedir ajuda e eu me recusei a ajudá-los. Nem me lembrei de falar com você. Somente depois de algum tempo comecei a duvidar de que tudo aquilo houvesse acontecido e que deveria ser algum engano. Por isso telefonei para que viesse almoçar aqui e, assim, todos nós juntos poderíamos conversar a respeito. Pode ajudá-los?

– Ainda não fui notificado pelo delegado. Preciso esperar, mas se o dinheiro foi encontrado na casa dela e sem saber o motivo pelo qual Roberto também está preso, vai ser muito difícil serem colocados em liberdade.

– Eles não podem continuar presos, o que vai acontecer com o menino? Ele tem apenas treze anos...

– Vou ver o que consigo. Mas, se eu nada puder fazer, o menino, por lei, terá de ficar aos cuidados do Conselho Tutelar, o que significa que precisa ir para um abrigo, a não ser que alguém se responsabilize por ele.

– Posso levá-lo para o orfanato. Lá tem lugar pra ele.

– Essa é uma solução, Marília. Eles vão precisar de um advogado.

– Eles não devem ter dinheiro para contratar um advogado.

– Assim que os documentos chegarem vou conversar com o Quintino. Ele poderá cuidar desse caso. Agora, depois de tomar um cafezinho, vou para o fórum. Tenho muito trabalho.

– Está bem. Enquanto isso, eu e mamãe vamos até a delegacia conversar com Selma e Roberto para poder tentar entender o que realmente aconteceu e no que podemos ajudar.

– Vamos sim, minha filha. Eles estão precisando de ajuda e precisamos fazer o possível para ajudá-los.

– Obrigada, mamãe.

Assim que terminaram de tomar o café, saíram. Péricles e Zenaide sorriram a as acompanharam.

O amor sempre vence

Enquanto isso, na delegacia, separados pela grade entre as celas, Roberto estava sentado com os joelhos dobrados e a cabeça sobre eles. Em silêncio, permanecia pensativo. Selma percebeu e, também sentada, falou:

– Sei que você está decepcionado por eu nunca ter contado a minha história, Roberto, mas eu, assim que o conheci, não tive coragem, e Etelvina achou melhor deixar as coisas como estavam. Ela sempre dizia:

– *É melhor não contar a ninguém quem você é realmente, Selma, pois se as pessoas souberem a verdade poderão te discriminar e não ajudarão você a recomeçar. Saber quem você é não vai fazer diferença alguma em sua vida.*

– Ao ouvir aquilo e já apaixonada por você, Roberto, perguntei:

– *Nem ao Roberto? Ele precisa saber.*

– *Nem ele, menina. Ele conheceu você pobre e com vontade de trabalhar, não precisa saber que sua família tem dinheiro.*

– Ao ouvir aquilo, achei que Etelvina tinha razão, Roberto. Era tudo muito recente e eu estava sofrendo muito. Vim para esta cidade na tentativa de esquecer tudo e me tornar outra pessoa. Depois, as coisas aconteceram tão rápido e eu fiquei com medo de que, se as pessoas me conhecessem realmente, não me aceitariam. Achei que meu segredo ficaria esquecido e escondido para sempre. Hoje, sei que o passado sempre volta para nos assombrar e que a mentira não tem força para se manter. Sinto muito! Espero e desejo do fundo do coração que me perdoe.

Lentamente, ele levantou a cabeça e, olhando em seus olhos, disse:

– Estou pensando em tudo o que ouvi e não consigo entender o porquê de nunca ter me contado, de ter confiado em mim. Sempre fui sincero com você.

– Sei disso. Várias vezes quis contar, mas tive medo de que não entenderia. Embora eu nunca tenha me esquecido daquela noite terrível, com o tempo, nosso casamento e o nascimento de Carlos as lembranças foram ficando distantes. Depois, com meu trabalho no orfanato, me senti útil e me entreguei totalmente à ajuda das crianças. Achei que ninguém precisaria saber da mulher terrível que eu havia sido. Ela morreu, Roberto. Hoje sou outra pessoa...

– Eu não a conheci antes, por isso não consigo imaginar que tenha sido da maneira como contou. Sempre fomos felizes, claro que com altos e baixos, mas nunca imaginei que um dia ouviria o que você contou. Não entendo o que está acontecendo nem por que estamos aqui, presos, mas algo me diz que tem a ver com esse passado que você escondeu por tanto tempo.

– Será, Roberto? Aqui na cidade ninguém sabe disso.

– Não sei, Selma, mas eu não fiz aquilo de que sou acusado e tenho certeza de que você não roubou o dinheiro. Só pode ter sido uma armação de alguém que tem muito ódio de nós dois.

– Quem poderia ser?

– Talvez Flora. Você não disse que ela esteve por aqui?

– Sim, mas ficou pouco, e José Luiz disse que ela está viajando há muito tempo. Como ela poderia ter feito isso estando na Europa?

– Não sei, mas só pode ter sido ela.

Selma, com os olhos fixos no horizonte, ficou se lembrando do seu passado e de Flora.

Estava assim, pensativa, quando viu que, acompanhadas pelo delegado, Marília e Berta entraram no corredor e foram até as celas. Assim que as viu, Roberto e Selma levantaram-se. Selma, com lágrimas nos olhos, disse:

– Dona Berta, sei que a senhora veio aqui para me condenar, mas juro que não roubei o dinheiro das crianças, jamais faria isso...

– Sei disso, minha filha, fique calma. Viemos aqui para dizer que acreditamos em você e que faremos tudo o que pudermos para que saia daqui o mais rápido possível.

Ao ouvir aquilo, Selma olhou para Marília que, também em lágrimas, disse:

– Estou aqui para pedir desculpas, Selma. Somos amigas há tanto tempo, eu não tinha o direito de duvidar de você, embora as evidências sejam muito fortes.

– Por que mudou de ideia, Marília? O que aconteceu?

– Não sei, Selma. Acho que foi algum amigo espiritual que me fez acreditar em você. – Disse rindo.

– Amigo espiritual?

– Sim, Selma. A doutrina que estudo nos ensina que sempre, quando precisamos, temos ao nosso lado amigos que nos intuem e nos ajudam a tomar decisões.

– Seria tão bom se fosse verdade, não é?

– Eu acredito muito nisso, Selma! Pense bem na sua vida. Quantas vezes, quando passou por um momento difícil, não teve uma ideia que a ajudou a encontrar uma solução que mudou tudo?

Selma ficou pensando:

Quando decidi pedir o endereço de Etelvina, estava desesperada, sem um caminho para seguir... – Sorriu e disse:

– Você tem razão, Marília, mas mesmo assim acho difícil que isso seja verdade. Mas, do fundo do meu coração, gostaria muito que fosse.

– Acredito muito nisso e acho que foi o que aconteceu comigo, Selma. Eu estava muito nervosa, confusa, e até com raiva de você, quando, de repente, comecei a me lembrar do tempo em que nos conhecemos, de todo o trabalho e tempo que você dedicou ao orfanato. Conversei com mamãe e chegamos à conclusão de que você não poderia ter feito isso do que está sendo acusada. Algo muito estranho está acontecendo com vocês e vamos descobrir o que é.

– Obrigada, Marília. Obrigada, dona Berta. Eu não fiz, não fiz! Roberto também é inocente!

– Fique calma, Selma. Tudo tem um motivo e um tempo certo. Acredite que tudo vai ser esclarecido e ficar bem.

– Como ficar bem, dona Berta? Eu e meu marido, apesar de sermos inocentes, estamos aqui, presos!

– Não existem inocentes, Selma. Todos nós somos culpados de alguma coisa. Vocês estarem presos deve ter algum motivo e deverá servir para que tirem algum aprendizado.

– Aprendizado? Que aprendizado poderemos ter estando presos sem nada dever, dona Berta?

– Você está muito nervosa e com razão, mas de nada vai adiantar ficar assim. Precisa pensar com calma quando e por que tudo isso está acontecendo.

– Já pensei e repensei, mas não encontro explicação, dona Berta! Minha vida estava em ordem. Eu estava feliz com tudo o que estava acontecendo no orfanato e, de repente, tudo virou de cabeça para baixo.

– Sei disso, mas tente ficar calma, Selma. Com o tempo tudo será esclarecido e você terá sua vida de volta.

Selma respirou fundo e tentou sorrir. Marília continuou:

– Estou preocupada com Carlos. Como e onde ele está?

– Como nós, está assustado e com medo do seu futuro. Está almoçando com minha mãe e um amigo que é advogado e vai tentar nos libertar.

– Sua mãe? Você nunca disse que tinha família, Selma...

– Nunca disse, porque não queria me lembrar dela nem do meu passado, Marília; mas não adiantou, ele veio ao meu encontro...

– Não estou entendendo. Como alguém pode querer se esquecer da família e do passado? O que aconteceu para que tomasse uma atitude radical como essa, Selma?

– Para que entendam, precisam conhecer minha história e tudo o que aconteceu e que me levou a tomar essa atitude. Vou contar.

– Seja qual for sua origem, em nada vai mudar a nossa amizade, Selma, gostaria de saber.

– Também estou curiosa, Selma. Marília sempre me falou muito bem de você.

– Obrigada, Marília, e a senhora também, dona Berta. Não podem imaginar a felicidade que estou sentindo em saber que, mesmo em meio a tantas dúvidas, ainda acreditam em mim. Tenham paciência, a história é longa.

Elas sorriram e Selma começou a contar como havia sido sua vida até o dia em que chegou à cidade. Marília e Berta estavam tão envolvidas ouvindo Selma que não perceberam quando Alda, mãe de Selma, chegou, parou na porta e ficou ouvindo Selma, que continuava contando tudo o que havia acontecido até o dia em que começou a envolver Matilde a fazer aquilo que ela tanto queria, separar Mario Augusto de Arlete.

Marília e Berta ouviam atentamente, embora algumas vezes não conseguissem esconder o espanto:

– Embora sempre tenha achado que você era uma moça fina e de boa educação, nunca pensei que fosse rica, Selma.

– Ela é muito rica, sim! Ao ouvir você contar essa história, estou entendendo o porquê de ter sumido da maneira que sumiu, Selma! Você foi a responsável pela morte do meu filho, do seu irmão?

Selma, assim como os outros, se assustou. Não haviam percebido a presença deles. Ao ver que Carlos não estava ali, perguntou;

– Onde estão Carlos e José Luiz, mamãe?

– Seu filho está lá fora conversando com uma amiga e vai entrar logo. José Luiz foi até o fórum e pediu que eu viesse para cá.

Ao ouvir aquilo, Roberto, que estava sentado, levantou-se e colocando a mão sobre o braço de Selma disse:

– Fique tranquila, Selma. Carlos deve estar com Fabiana. Eles estão sempre juntos.

Selma sorriu e, olhando para a mãe, disse:

– O que a senhora perguntou é verdade, mamãe. Eu fui a responsável por tudo o que aconteceu, pela morte de Mario Augusto, Matilde e Arlete.

– Várias vezes, depois que sumiu, cheguei a pensar que você tivesse tido alguma participação naquela tragédia. Porém, sabia que você não havia apertado o gatilho, pois todos nós vimos Arlete atirando. O que você fez para levá-la a cometer aquela loucura, Selma?

– É isso que estou fazendo, confessando a minha culpa. Quero que também ouça...

– Acha que qualquer coisa que disser vai fazer com que a dor de ter perdido meu filho vai passar? Ele era um menino muito bom, estudioso e tinha um lindo futuro pela frente! Por mais que chore, que se arrependa, não vou conseguir perdoar você! Eu a odeio!

– Perdoe-me, mamãe. Eu não sabia o que estava fazendo, estava totalmente iludida, mas hoje sei que a ilusão tem um preço muito alto. Perdoe–me, mamãe...

– Pode dizer o que quiser e se arrepender da forma que quiser que eu nunca perdoarei você! Nunca!

– Acalme-se, senhora. Hoje, Selma é outra pessoa, não é nem a sombra daquela que foi, tem uma vida honesta e feliz.

Alda olhou para Berta, que foi quem falou:

– Desculpe-me, senhora, por um instante esqueci quem eu sou. Pela minha posição não posso me descontrolar dessa maneira, mas perdi meu filho e descubro que a culpada pela morte dele foi ela, minha filha! Como quer que eu fique?

Enquanto disse isso, Alda, respirando fundo, passou as mãos pelos cabelos para colocá-los no lugar. Em seguida, tirou da bolsa um lenço e o passou, com cuidado, pelos olhos e pelo rosto para que a maquiagem não fosse danificada.

Berta, tentando manter-se calma, continuou:

– A senhora tem razão de estar nervosa. Não conseguiria entender o que uma mãe sente quando seu filho morre, mas, agora, o que foi feito já foi e não temos como voltar ao passado. Sua filha está aqui e seu neto também. Eles são a sua família...

Alda olhou para os dois e com desdém disse:

– Ela não é mais minha filha e nem esse menino é meu neto! Não pode ser! Não quero que seja!

Carlos olhou para Selma que, assim como ele, chorava.

Berta, ao ver as lágrimas deles, tentando não bater naquela mulher tão insensível, disse:

– Não fale assim, senhora. Seu neto é um menino muito bom, estudioso e ama os pais. A senhora deveria ficar feliz em ver que, apesar de tudo, sua filha constituiu família e, até hoje, embora vivendo com simplicidade, era feliz e, se Deus quiser, voltará a ser. Não quer ouvir o resto da história?

– Para mim, essa história não importa! Nada do que ela disser vai trazer meu filho de volta!

– Tem razão, nada vai trazê-lo de volta, mas a senhora poderá ainda ser feliz. A vida é muito curta e Deus sempre nos dá oportunidades de aperfeiçoamento e aprendizado. Algumas coisas ruins que nos acontecem na maioria das vezes servem para o nosso crescimento. Seu filho deve estar bem, mas a senhora ainda tem muito que viver e que aprender.

Alda quase gritou:

– Como se atreve a dizer que tenho o que aprender? Meus pais eram ricos e influentes! Fui educada pelos melhores professores! Falo, fluentemente, seis idiomas! Tive e tenho toda a educação que preciso!

– É verdade, a senhora teve toda a educação acadêmica que alguém poderia ter, só que nada aprendeu sobre a vida. Algumas pessoas, assim como a senhora, por mais que sofram, não conseguem tirar de seu sofrimento alguma coisa boa e continuam sendo como sempre foram. O orgulho sempre fala mais alto.

Alda ficou furiosa:

– Quem a senhora pensa que é para falar assim comigo? A senhora não sabe quem sou! Não me conhece e nem sabe a que família pertenço!

– Não a conheço e nem sei quem é e a que família pertence, mas isso não me importa! Estou vendo que a senhora não passa de uma pessoa má e sem coração! Agora, não sei a senhora, mas eu e minha filha gostaríamos de ouvir o resto da história que Selma tem para contar. Continue, Selma. Queremos muito saber tudo o que aconteceu.

Selma olhou para a mãe, apertou a mão de Roberto e depois continuou contando até o dia da festa. Marília, ao ouvir a tragédia que havia acontecido naquela noite e que terminara com a morte dos três, sem conseguir se conter, levou a mão à boca e, indignada, disse:

– Que horror, Selma! Como pode ter uma ideia igual a essa? Nem por um momento pensou que aquilo poderia acontecer?

Selma voltou a chorar:

– Claro que não, Marília! Se eu tivesse achado isso, nunca teria levado em frente meu plano! Eu amava meu irmão...

Berta, percebendo a tensão do momento, disse:

– Estamos aqui para ouvir Selma, Marília, não para julgá-la. O julgamento pertence a Deus, pois somente Ele sabe o motivo de tudo o que nos acontece. Continue, por favor, Selma.

Novamente, Selma agradeceu a presença de Berta e continuou contando até o momento em que Josias lhe deu o endereço de Etelvina.

– Quando pedi ajuda a ele, com o envelope na mão, disse:

– Aqui está o endereço de Etelvina, mas o que pretende fazer com ele, Selma?

– Não tenho condições de continuar aqui. Vou até Etelvina, sei que ela vai me receber e me ajudar. Por favor, não conte nada aos meus pais. Preciso ficar algum tempo sozinha para poder pensar na minha vida e o que vou fazer.

– Você teve alguma coisa a ver com essa tragédia?

– Mesmo sabendo que a culpa era toda minha, não sei se por medo, culpa ou vergonha, menti:

– Não, Josias! Claro que não! Não sei o motivo de Arlete ter tomado uma atitude como aquela.

– Está bem, vou atender o seu pedido; mas, por favor, vá mesmo para a casa da Etelvina. Ela vai saber como ajudar você.

– Desde ontem, meus pais não saem do quarto. Você pode me levar até a rodoviária? Vou deixar um bilhete e eles, provavelmente só sentirão minha falta amanhã ou talvez daqui a uma semana.

– Não fale isso. Eles estão preocupados com você.

– Nunca tiveram preocupação alguma comigo ou mesmo com Mario Augusto. A única preocupação deles sempre foi a de saber como nós nos comportaríamos perante a sociedade.

Ao ouvir aquilo, Alda, sentada em uma cadeira que o delegado havia levado para lá e que também estava envolvida por Arlete e seus companheiros que incentivavam sua raiva, levantou-se e gritando disse:

– Como pode pensar e dizer isso, Selma? Eu e seu pai sempre tivemos uma única preocupação: a de que vocês tivessem uma boa educação para poderem vencer na vida! Demos tudo o que precisavam para que isso acontecesse!

– Sei que a sua intenção foi essa, mamãe, mas poderia ter-nos ensinado tudo de uma maneira diferente, fazendo com que aprendêssemos a respeitar as pessoas da maneira como eram e não por seu poder aquisitivo ou condição social. Aprendi isso a duras penas.

– Do que adiantou esse aprendizado se conduziu você até aqui, dentro de uma cela de delegacia? Se tivesse seguido tudo o que sonhei para você, hoje estaria linda e com uma família respeitável. E poderia estar morando em uma casa tão grande e bonita como a nossa!

– Minha família é respeitável, mamãe!

Com Arlete falando ao seu ouvido, Alda repetiu o que ela dizia:

– Se você acha que esse marido e esse filho são coisas boas para você, fique à vontade. Conforme-se com pouco, mas sempre achei que merecia muito mais. Como é que você, que sempre foi tratada como uma pessoa especial, que tinha o mundo inteiro à sua frente e em suas mãos, se transformou nisso, uma criminosa? – Alda falou com ironia na voz.

Não querendo discutir com a mãe, Selma, para mudar de assunto, perguntou:

– Mamãe, onde está José Luiz?

– Já disse que ele foi ao fórum e pediu que eu viesse para cá e o esperasse, pois ia tentar libertar vocês.

– Esse advogado é o mesmo José Luiz, seu amigo de infância, Selma?

– É, sim, Marília. Ele disse que vai fazer o possível para nos tirar daqui para que possamos responder em liberdade. Disse também que vai descobrir o que aconteceu realmente.

– Tomara que consiga, Selma.

– Tomara, Marília, tomara...

– Continue a contar o que aconteceu, Selma.

Selma sorriu para Berta e continuou:

– Peguei o envelope que Josias me deu, fui ao meu quarto e coloquei algumas roupas em uma maleta. Peguei o dinheiro que tinha, que não era muito mas daria para eu viver por um tempo. Escrevi um bilhete dizendo que iria para algum lugar onde pudesse pensar na minha vida. Depois, voltei para o jardim, entrei no carro e Josias me levou para a rodoviária. Enquanto me ajudava a descer do carro, ele disse:

– *Boa viagem. Tomara que consiga encontrar sua paz.*

– *Obrigada, Josias. Mandarei notícias.*

– Algum tempo depois, o ônibus chegou. Entrei, me sentei e fiquei pensando e tentando imaginar o que encontraria na minha viagem...

– Você veio assim, sem saber se Etelvina a receberia?

– Confesso que em nenhum momento me preocupei com isso. Sabia que ela me receberia, pois, embora tenha convivido com ela ainda muito pequena, a conhecia e sabia do seu imenso coração, dona Berta.

Instigada por Arlete, Alda, nervosa, disse:

– Como pôde confiar em uma mulher que não conhecia ao invés de confiar em mim, que sou sua mãe, Selma?

– Desculpe-me, mamãe, mas eu não sabia o que fazer. Sabia que a senhora estava ou deveria estar desesperada pela morte de Mario Augusto, e não tive coragem de conversar com a senhora a respeito do que eu havia feito e o que estava sentindo. Sabia também que Etelvina era compreensiva, amorosa e que entenderia o que estava acontecendo e o momento pelo que eu estava passando.

Mesmo sob a influência de Arlete, Alda ficou sem saber o que dizer e se calou.

– Você saiu assim de casa, Selma? Não se preocupou com o que seus pais sentiriam?

– Hoje, entendo que o que fiz foi errado, Marília; mas, naquele momento, eu os culpava por terem me criado da maneira como fizeram. Hoje, entendo, também, que ao invés de aceitarmos nosso erro sempre procuramos acusar outra pessoa, quando, na realidade, apenas nós somos responsáveis por tudo o que nos acontece.

– É verdade. Sempre, apesar de tudo, o nosso orgulho fala mais alto e demoramos a assumir nossos erros. Continue a contar como chegou a esta cidade, Selma.

Selma ia continuar contando, quando o soldado entrou no corredor e caminhou até as celas para retirar sa bandejas de comida que havia servido algum tempo atrás.

Todos olharam para ele que, constrangido com as bandejas nas mãos, saiu. Selma, sorrindo, disse:

– Quando eu poderia imaginar que algum dia eu estaria assim, presa atrás de grades?

Alda virou o rosto. Berta, com sua calma de sempre, disse rindo:

– Sempre tem a primeira vez...

– Espero que seja a última. – Selma disse, com a voz trêmula.

Assim que o soldado saiu, todos voltaram os olhos para Selma que, tentando sorrir, continuou:

– Fiquei ali por meia hora até que o ônibus parou. Subi os degraus e olhei por todo ele. Pela primeira vez em minha vida, entrei em um ônibus. Sentei-me em uma poltrona e fiquei olhando. Ele começou a andar e em breves minutos estava na estrada. Eu, por mais que tentasse, não conseguia afastar do meu pensamento a imagem de Mario Augusto, Matilde e Arlete mortos. Meu coração se apertava, mas eu não conseguia chorar. Meu único desejo era ficar bem longe de tudo aquilo, achando que se eu me afastasse dali poderia esquecer o que havia acontecido. Quando o ônibus parou na rodoviária e o motorista disse o nome da cidade, desci e fiquei olhando tudo. Olhei para os lados e não sabia que caminho tomar. Depois de algum tempo, ali parada, fui até um bar que havia ali e, mostrando o papel com o endereço de Etelvina, perguntei onde ficava. Ele, muito agradável, saiu detrás do balcão, me acompanhou até a saída da rodoviária e, com a mão, me mostrou a rua que ficava a mais ou menos cinco minutos dali. Com a maleta na mão, comecei a andar. Para mim, uma cidade como esta era novidade. As pessoas vestidas pobremente caminhavam tranquilas ou conversavam nas portas das casas, todas muito juntas. Eu que sempre vivera em uma casa imensa com jardim grande e florido, estranhei tudo o que via, mas, mesmo assim, estava ansiosa para rever Etelvina. A rua era revestida de pedras, e meu sapato de salto fino muitas vezes ficou preso entre as frestas. Depois de caminhar, o que para mim pareceu muito, cheguei ao portão da casa. Procurei, mas não encontrei uma campainha. Bati palmas com muita força. Precisei bater por duas vezes, pois a casa ficava nos fundos do terreno. Depois de algum tempo, vi que Etelvina apareceu na porta e caminhou em minha direção. Ansiosa, fiquei olhando, curiosa para ver o que ela diria ao me ver. Assim que se aproximou, disse:

– *Boa tarde, moça. Posso ajudar em alguma coisa?*

– Estranhei a maneira como ela falou. Ela não me reconheceu, o que me deixou muito abalada. Nervosa, eu disse:

– *Sou eu, Selma, Etelvina. Não está me reconhecendo?*

– Ela ficou me olhando e tentando me reconhecer. Porém, logo percebi que não se lembrava de mim, mas como poderia se lembrar? Quando minha mãe a mandou embora de casa, eu era ainda uma criança.

– *Sou eu, Selma, Etelvina, a filha da dona Alda. Não se lembra dela também?*

– Ao ouvir o nome de minha mãe, seu rosto se modificou.

– *Dela eu me lembro sim e nunca vou conseguir esquecer. Foi a pessoa que mais me humilhou e tratou mal. Agora, estou me lembrando de você, minha menina. Cresceu muito e está uma moça linda! Entre, vamos conversar e você vai me dizer o motivo de estar aqui.*

Ao ouvirem aquilo, todos olharam para Alda, que manteve a cabeça levantada e passou a mão pelo cabelo novamente, tentando demonstrar que, apesar de tudo o que havia passado, não mudou seu modo de ser e de pensar.

Após olhar para a mãe, Selma continuou:

– Ela abriu o portão e me abraçou.

– *Estou velha, mesmo. Como pude me esquecer de você? Josias sempre me escreve, dizendo como você e seu irmão estão.*

– Segurando em meu braço, fez com que eu entrasse e caminhamos juntas, pelo corredor, até os fundos do quintal. Ela abriu a porta e entramos em uma sala pequena, mas muito limpa e arrumada. Em seguida, me mostrou uma cadeira para que eu me sentasse.

– *Está com fome, menina?*

– Eu estava com muita fome, pois na noite anterior, na festa, estava tão envolvida com meu plano que não comi coisa alguma. Depois, pensando em como fazer para fugir dali e durante a viagem, também fiquei sem comer. Como não respondi, Etelvina rindo disse:

– *Sabe menina, não sei se você está com fome, mas eu estou. Venha comigo até a cozinha. Tenho sobre o fogão arroz, feijão e carne. Podemos comer juntas.*

– Fomos até a cozinha e vi, sobre a mesa, um prato usado, o que me fez pensar que ela já havia comido, mas achei melhor não comentar. Ela tirou o prato da mesa e colocou sobre a pia, depois abriu um armário, tirou dois pratos e foi até o fogão de lenha com uma chapa de ferro por cima que ficava sempre quente. De duas panelas, pegou arroz e feijão, de outra um pedaço de carne cozida, e colocou sobre a mesa, na minha frente. Sorrindo disse:

– *Agora a gente já pode comer. Não é muita coisa, mas vai matar a nossa fome.*

– Como eu estava com muita fome, fiquei calada e comecei a comer. Ela sorriu e, mesmo sem vontade, começou a comer também. Quando terminamos, ela sorriu e falou:

– *Agora, me conte o que aconteceu para que esteja aqui, menina...*

– Contei tudo o que havia acontecido desde o dia em que ela foi embora. Falei sobre a pessoa egoísta, orgulhosa e prepotente que havia me tornado e o que havia feito que causara a morte de meu irmão, de Arlete e de Matilde. Ela me ouviu em silêncio, mas ao saber que Mario Augusto e Arlete estavam mortos, chorando, disse:

– *Nunca pensei que um dia isso pudesse acontecer. Seu irmão era um menino muito carinhoso.*

– *Por isso estou aqui, Etelvina. Não apertei o gatilho, mas planejei tudo. Nunca imaginei que Arlete pudesse ter uma atitude como aquela, mas eu a conhecia e sabia como era ciumenta.*

– Ao ver que eu chorava muito sem conseguir me controlar, levantou-se e me abraçando disse:

– *Você teve um pouco de culpa, mas não toda. Cada um de nós tem seu livre-arbítrio e Arlete usou o dela para cometer essa tragédia. Ela deveria ter parado para refletir no que fazer, mas preferiu usar da violência. A culpa não foi só sua.*

Ao ouvir aquilo, Arlete, que acompanhava o que elas conversavam, tomada de muito ódio começou a rodopiar e a gritar:

– Agora, a culpada sou eu? Não vou aceitar isso! Foi Selma quem me levou a cometer aquilo!

No mesmo instante, aqueles que estavam acompanhando Arlete começaram também a gritar e a rodopiar. Com as mãos jogavam uma nuvem densa e negra, que fez com que o ambiente ficasse pesado. Selma e Etelvina começaram a abrir a boca e a se sentirem muito mal. Péricles, Mario Augusto, Matilde e Zenaide colocaram-se ao redor deles para protegê-los das nuvens. Péricles, demonstrando autoridade, disse:

– Acalme-se, Arlete. Você já sofreu muito perdida no vale. Sabe o que fez e, por isso, precisa ouvir tudo o que estão dizendo.

– Eu não tive culpa alguma! Foi Selma, somente ela!

– Não existem inocentes, Arlete! Todos nós somos devedores e, em algum momento, precisamos acertar as contas. Apesar de tudo, Etelvina está dizendo uma verdade. Você poderia ter agido de uma maneira diferente, mas deixou o orgulho e o ciúme falarem mais alto. O ciúme é um dos sentimentos mais perniciosos, ele nos faz pensar que somos donos da pessoa que amamos, quando, na realidade, ninguém pertence a ninguém. Fomos criados livres.

– Como orgulho? Eu jamais poderia aceitar que Mario Augusto me trocasse por uma moça pobre como Matilde! Eu era perfeita e ele só poderia escolher a mim! Eu nunca poderia aceitar uma traição, e Selma sabia disso!

– Está vendo? Você, apesar de tudo o que sofreu, ainda continua com esse seu orgulho perverso. Pode ter nascido em um berço de ouro, mas nem por isso é melhor ou pior do que qualquer outra pessoa. O tempo na Terra é curto e serve para que aprendamos sobretudo essa verdade.

– Selma não pode ficar impune!

– Claro que Selma se aproveitou das suas fraquezas e vai ter de acertar as contas. Aliás, já está acertando. Está passando por momentos muito ruins e não tem ideia do que vai acontecer com sua vida. Agora, acalme-se, Arlete, para que possamos continuar ouvindo o que Selma e Etelvina estão conversando.

Mesmo contra a vontade, mas diante da autoridade de Péricles, Arlete e seus companheiros voltaram ao lugar onde estavam. Selma continuou:

– Eu, embora triste, desesperada e me sentindo culpada por tudo o que havia acontecido, estava me sentindo muito bem ao lado de Etelvina e perguntei:

– O que aconteceu com você depois que saiu lá de casa?

– Depois que sua mãe viu que eu contava a você a história de Jesus e me fez sair do seu quarto, fui para a cozinha. Logo depois, ela chegou e me olhando com muita raiva disse:

– Quem você pensa que é para falar com minha filha da maneira como estava falando?

– Eu estava apenas contando uma história para ela...

– Você estava querendo mostrar a ela a grande diferença que existe entre pessoas como nós e vocês! Embora não aceite, somos, sim, melhores que você e todos da sua raça! Temos muito dinheiro, coisa que você nunca terá! Você e todos da sua raça nasceram para servir, e pessoas como nós nascemos para sermos servidos!

– Não foi essa a minha intenção, senhora!

– Claro que foi! Você deseja que ela se envergonhe da situação que tem? Quer que ela seja infeliz por ter dinheiro, por ser branca e linda?

– Não foi isso, senhora...

– Não vou mais discutir com você. Pegue suas coisas e vá embora agora mesmo.

– Estava anoitecendo, Selma, e eu não tinha para onde ir. Fiquei desesperada. Nervosa e tremendo muito, disse:

– Eu não tenho para onde ir. Trabalho aqui há tanto tempo. Sou sozinha,

minha família não está aqui. Por favor, dona Alda, não me mande embora...

– Isso não é da minha conta, saia agora mesmo! Como não cumpriu minhas ordens não vou dar a você dinheiro algum!

– Não posso sair assim, durante a noite, sem dinheiro algum. Preciso que me dê o suficiente para que eu compre uma passagem para minha cidade! Por favor, deixe que eu fique até amanhã cedo. Trabalho há tantos anos com a senhora e sempre procurei cumprir com minhas obrigações. Por favor...

– Não tenho nada a ver com isso! Trabalhou, mas nunca foi de graça, sempre recebeu o seu salário! Não posso permitir que continue aqui, pois poderá roubar alguma coisa. De gente como você pode-se esperar tudo!

– Jamais roubaria a senhora ou qualquer outra pessoa! Só que, agora, não tenho para onde ir...

– Não quero ouvir mais, pois nada do que disser vai fazer com que eu mude de ideia! Pegue suas coisas e saia! Vou ficar aqui para ver o que está levando!

– Aquelas palavras me ofenderam profundamente. Eu era pobre, sim, mas sempre respeitei as casas em que trabalhei antes da sua. Ela ficou parada:

– Pare de falar e vá buscar suas coisas!

– Sem alternativa, fui para meu quarto e peguei minhas roupas, que não eram muitas, pois como eu trabalhava de uniforme não precisava de outras roupas. Estava sem dinheiro, pois o pouco que recebia pelo meu trabalho eu mandava para cá, para minha irmã que cuidava da minha filha.

– Meu Deus! O que você fez, Etelvina? Onde dormiu aquela noite?

– Chorando, saí dali e comecei a andar sem destino, tentando imaginar um lugar para onde pudesse ir. Ao passar por uma igreja, vi que algumas pessoas entravam e também entrei. Era hora da missa e o padre estava falando sobre a parábola do bom samaritano. Fiquei ouvindo e, como sempre tive muita fé, fiquei ali até que as pessoas começassem a ir embora. Quando todos saíram, continuei sentada. Um homem saiu de uma porta que ficava ao lado do altar e, aproximando-se, disse:

– Boa noite, senhora. Sou o sacristão e está na hora de fechar a porta da igreja. A senhora precisa sair.

– Fiquei desesperada:

– Mas não tenho para onde ir.

– Ele, parecendo não se interessar pelos meus problemas, ficou ali parado e me olhando. Contei o que havia acontecido e terminei dizendo:

– Por favor, moço, deixe que eu passe a noite aqui. Amanhã, bem cedo, eu vou embora...

– Ele colocou a mão no meu braço e, enquanto fez com que eu me levantasse, disse:

– Sinto muito, mas preciso fechar a igreja e, por isso, a senhora não pode ficar aqui. É uma ordem do padre.

– Tentei, ainda, argumentar, mas foi em vão. Ele me acompanhou até a saída e, assim que saí, fechou a porta com muita pressa.

– Meu Deus, Etelvina. O que você fez?

– Do lado de fora, ainda olhei para aquela porta que sempre pensei ser da casa de Deus. Chorando e vendo que não poderia voltar para lá, desci os degraus da escada, que não era muito alta, e comecei a caminhar. Enquanto caminhava, me lembrei do que o padre havia falado sobre o bom samaritano e, ainda chorando, pensei:

Como é fácil falar no que Jesus ensinou; mas, como é difícil colocar em prática! O que vou fazer, Senhor? Para onde posso ir a esta hora?

– Em frente à igreja havia uma praça e nela um coreto que, naquele momento, estava apagado. Cheguei junto dele, me sentei e fiquei olhando para a água que estava parada, assim como eu. Olhei à minha volta e não vi ninguém que pudesse me ajudar. Pensei em você, no seu irmão e no quanto eu os amava. Sabia que sua mãe não tinha o que ensinar, pois estava sempre preocupada consigo mesma e com o que as pessoas poderiam pensar. Pensei na enorme injustiça que ela havia praticado comigo, que sempre fiz tudo para cuidar de você, minha menina. Depois de algum tempo e de chorar muito, pensei:

Meu Deus! Está frio e eu não estou bem agasalhada. Como passar a noite assim ao relento? Pela manhã, vou até a casa de algumas amigas da dona Alda e ver se uma delas pode me dar um emprego. Elas sempre disseram que a qualquer momento, se eu quisesse, poderia trabalhar para elas. É isso o que vou fazer, mas vai ficar para amanhã. Agora, estou muito cansada e com muito frio. Meus dentes estão batendo.

– Coloquei minhas pernas e pés sob meu vestido e me encolhi o máximo que podia. De onde eu estava, podia ver a porta da igreja. Sem conseguir parar de chorar, pensei:

Dizem que a igreja é a casa de Deus. Não acredito! Deus nunca iria impedir que eu entrasse e passasse a noite em sua casa em um momento como esse que tanto preciso...

– Senti mais frio e me encolhi ainda mais.

Meu Deus, não sei por que estou nesta situação. Sempre fui uma boa pessoa e acho que não merecia isso. Meu anjo da guarda me proteja!

– Fiquei ali chorando. A cada minuto que passava sentia mais frio, e a dor por tudo o que havia acontecido aumentava. Estava ali, quando ouvi uma voz, minha conhecida:

– Etelvina! O que está fazendo aqui na praça a esta hora?

– Surpresa, olhei para Olinda, minha amiga que não via há muito tempo, e comecei a chorar. Ela se sentou ao meu lado e me abraçando disse:

– O que aconteceu, Etelvina? Por que não está no seu trabalho?

– Contei o que havia acontecido. Ela, me apertando ao seu peito para me aquecer e com o braço em volta dos meus ombros, disse:

– Levante-se, vamos embora. Você vai passar a noite lá em casa e, amanhã, poderá pensar no que fazer.

– Seu marido e filhos não vão se importar?

– Claro que não! Afinal, quem manda lá em casa sou eu. – Disse rindo, o que me fez rir também.

– Como ela apareceu assim do nada, Etelvina?

– Naquele momento eu estava tão feliz por ela estar ali que não me preocupei com isso, Selma. Ela fez com que eu me levantasse e, abraçadas, fomos para sua casa. Assim que chegamos, fui recebida com um sorriso por Valdo, seu marido, que eu não conhecia. Assim que entramos, Olinda disse:

– Valdo, esta é Etelvina, minha amiga de muito tempo. Ela vai ficar aqui por alguns dias.

– Seja muito bem-vinda, Etelvina! Agora entendo a vontade súbita que você sentiu de sair de casa, mesmo sendo noite, Olinda.

– Eu senti que precisava, Valdo, pois sabia que alguém estava precisando de ajuda, mas nunca poderia imaginar que fosse você, Etelvina.

– Por isso que não tentei impedir você, já estou acostumado com isso. – Valdo disse, rindo.

– Eu ouvia o que falavam mas não entendia o que diziam. Olinda, olhando para mim e sorrindo, disse:

– Está com fome, Etelvina?

– Não, Olinda. Não estou com fome, só com muito frio.

– Vou fazer um chá para que se aqueça e, depois, vou colocar um colchão no quarto da minha filha e pedir que ela durma nele. Você vai dormir na cama dela.

– Não, Olinda! Eu durmo no chão! Não é justo tirar sua filha da cama...

– Não se preocupe com isso, Etelvina. Ela é criança e até vai gostar de dormir no chão.

– Tem certeza disso?

– Claro que tenho! Venha, vamos até a cozinha preparar o seu chá. Enquanto isso, você me conta com mais detalhes o motivo de sua patroa ter feito isso com você, já que trabalhou para ela durante tantos anos...

– Fomos para a cozinha, Selma. Olinda colocou água para ferver e, enquanto a água fervia, Valdo entrou na cozinha e sentou-se ao meu lado. Contei, em detalhes, tudo o que havia acontecido. Quando terminei, Valdo, inconformado, disse:

– Como ela pôde fazer isso com você, que trabalhou por tanto tempo para ela e sempre foi tão dedicada com sua filha?

– Também não entendi, Valdo. Eu não estava fazendo nada de mal, apenas estava ensinando a menina a não ter preconceito, mas ela não gostou e achou que eu tive uma atitude muito ruim.

– Bem, mas isso não importa mais. Você vai dormir aqui e amanhã vai procurar outro emprego. A vida é mesmo assim, de repente ela nos tira do rumo e temos de encontrar um caminho para voltarmos à estrada.

– Eles riram e eu também. Em seguida, Olinda colocou um colchão no

chão do quarto da sua filha e um lençol limpo tanto no colchão como na cama. Depois de tudo arrumado, disse:

– Agora você vai dormir como um anjo. Amanhã será um novo dia e tudo vai se arranjar.

– Naquele momento, lembrei-me da parábola do bom samaritano sobre a qual o padre havia comentado durante a missa. Olinda ia saindo quando perguntei:

– Você é religiosa, Olinda?

– Ela se voltou e, rindo, respondeu:

– Não, só acredito em Deus. Mas por que está me perguntando isso, Etelvina?

– Por nada. Boa noite!

– Boa noite, Etelvina! Sonhe com os anjos.

– Não sei se vou sonhar com os anjos, mas de uma coisa tenho certeza: estou na casa de um. – Eu disse, também rindo.

– Ela me pareceu ser muito boa, Etelvina.

– Era, sim, Selma.

– Era? Por que, ela morreu?

– Morreu alguns anos depois. Mas, embora eu tivesse voltado para a minha cidade e ela tenha ficado lá, até o dia de sua morte sempre nos correspondemos. Ela morreu jovem ainda e deixou sua filhinha com apenas onze anos.

– Algumas vezes não entendo o que acontece, Etelvina. Como algumas pessoas boas morrem cedo e outras que são horríveis continuam vivas?

– Já pensei isso algumas vezes, mas depois tive de aceitar que Deus deve ter um motivo para que as pessoas boas morram e voltem para junto d'Ele. A única coisa que sei é que naquela noite eu dormi como um anjo, talvez por estar dormindo na casa de um. No dia seguinte, levantei-me bem cedo. Olinda preparou o café da manhã: pão com manteiga e café com leite. Uma mesa simples; porém, enquanto eu comia, parecia que o alimento ia direto para minha alma. Aquela casa transmitia uma paz que nunca havia encontrado em lugar algum. Assim que terminei de tomar o café, vesti o melhor vestido que tinha e fui até a casa da dona Gertrudes, pois várias vezes ela havia me convidado para trabalhar para ela. Tinha três crianças mais ou menos da idade que você tinha.

– Você foi à casa dessa senhora?

– Fui. Mas dona Gertrudes, assim que me viu, disse que não poderia me contratar, pois sua mãe tinha muita influência sobre todas as amigas, e assim que você saiu da sua casa ela telefonou para todas e proibiu que qualquer uma delas me contratasse. Fiquei desesperada, argumentei, mas de nada adiantou. Tive de sair dali e já na rua fiquei pensando no que poderia fazer. Olinda me recebeu com muito carinho, mas eu não poderia continuar na sua casa. Ela tinha uma vida tranquila mas não poderia me sustentar, e eu não poderia permitir que sua filha dormisse no chão por minha causa. Tentei encontrar emprego em outros lugares, mas não consegui. Depois de andar durante todo o dia, resolvi que a única solução seria vir para cá, pois aqui além de eu ter minha casa, que meus pais me deixaram, tinha minha irmã que cuidava da minha filha e talvez conseguisse arrumar algum emprego. O salário não seria o mesmo que recebia na sua casa, mas era a única coisa que eu poderia fazer. Assim que cheguei à casa de Olinda, contei a ela o que havia acontecido e a decisão que havia tomado. Ela, surpresa, disse:

– Como alguém pode ser tão maldosa e deixar que o orgulho e o poder decidam sobre a vida de outra pessoa?

– Não sei, Olinda. Também não entendo, mas deve haver algum motivo para que tudo isso aconteça. Só vou precisar que, se você puder, me arrume o dinheiro para a passagem de ônibus até a minha cidade. Prometo que vou devolver esse dinheiro, só não sei quando, mas vou devolver!

– Ela começou a rir:

– Não tenha tanta pressa, Etelvina. Procure por mais alguns dias, Sei que vai encontrar um emprego.

– Aqui não vou, não, Olinda. Preciso voltar para junto da minha família, da minha filha. Já estou há muito tempo longe deles.

– Está bem, se é isso que deseja... Tenho dinheiro sim, que também não é muito; mas não se preocupe, Etelvina. Sei que vai devolver, só acho que deveria esperar mais algum tempo. Quem sabe não encontra outro emprego?

– Não posso ficar esperando, Olinda. Dona Alda tem muita força. Eu

não posso me aproveitar da sua amizade. Vou para casa esperar para ver o que vai acontecer.

Sendo assim, vou pegar o dinheiro. Você passa esta noite aqui e amanhã vai para a sua cidade, mas se precisar pode voltar quando quiser.

– Obrigada, Olinda.

– Dormi lá aquela noite e no dia seguinte vim para cá. Meu pai havia construído no mesmo terreno duas casas. A dos fundos era minha e a da frente de minha irmã, que era viúva e morava com o seu filho e a minha filha. Ela alugava a minha casa para conseguir algum dinheiro. Quando cheguei, ela se assustou porque eu ia muito pouco até lá. Ela cuidava da minha filha com muito carinho, por isso sempre fiquei tranquila. Chorando, contei a ela o que havia acontecido. Claro que ficou revoltada, pois conhecia meu amor e minha dedicação a você, Selma. Depois, disse:

– Não se preocupe. Trabalho como merendeira na escola da Prefeitura. Vou conversar com um vereador amigo e, quem sabe, talvez consiga algum emprego para você. Mas, mesmo que não conseguir, aqui não vai faltar nada a você, minha irmã. Tem cuidado da gente há tanto tempo... Não se preocupe. Parecia que eu sabia que você ia voltar. O inquilino que morava na sua casa se mudou para outra cidade e eu não quis mais alugar. Vá até lá e veja como está.

– Não sei como, Selma, mas depois dessas palavras me senti bem e tranquila. Fui até os fundos do quintal e entrei em minha casa, que estava da maneira como eu havia deixado. Estava pintada e com um cheiro muito bom. Não tinha móveis, mas mesmo assim fiquei feliz por estar lá. Sabia que precisaria de muito pouco para viver ali. O inquilino, quando saiu, deixou duas camas. Minha irmã a mantinha sempre limpa e, ao ver minha felicidade, saiu e voltou, logo depois, com lençóis limpos e duas toalhas.

– Vai dormir aqui com a Neusinha, mas a comida vamos fazer lá em casa.

– Naquela noite, assim que me deitei na cama com minha filha ao meu lado, agradeci a Deus por tudo aquilo ter acontecido, pois assim eu poderia ficar ao lado dela, e pensei:

Durante tanto tempo cuidei da Selma e abandonei minha filha... Nunca mais vou sair de perto dela.

– Você arrumou emprego, Etelvina?

– Não, Selma. Como a cidade era pequena, as poucas pessoas que podiam pagar já tinham as suas empregadas. Por isso não consegui emprego. Minha irmã tentou, mas também não conseguiu. Ela costurava e me ensinou. Eu fazia algumas costuras e consertos e, assim, ganhava algum dinheiro. Apesar dos momentos de aperto por falta de recursos, estava tão feliz que muitas vezes cheguei a agradecer por sua mãe ter me obrigado a voltar para casa. Tudo correu bem por dois anos. Em uma manhã, meu sobrinho entrou correndo em minha casa. Estava assustado dizendo que a mãe não estava bem e que ela não queria acordar. Assustada, fui com ele. Encontrei minha irmã deitada na cama e, embora parecesse dormir, assim que a vi percebi que estava morta. Comecei a gritar chamando por ela. Ao ouvir os meus gritos a vizinha do lado veio e, ao ver o que havia acontecido, chamou a polícia. Minha irmã morreu e eu fiquei desesperada. Não conseguia aceitar, pois, na noite anterior, havíamos jantado juntas e ela ainda me ajudou com algumas costuras. O médico disse que ela tinha um problema no coração há muito tempo e não sabia, pois nunca havia ido a um médico. De repente, me vi sozinha com minha filha e meu sobrinho, que estava com dezesseis anos. Depois de algum tempo só chorando, senti que não poderia continuar daquela maneira. Minha irmã havia morrido, mas seu filho estava ali e sob minha responsabilidade. A vida continuou. Como ela havia trabalhado por muitos anos para a Prefeitura, seu filho começou a receber uma aposentadoria e, com esse dinheiro, que não era muito, mais o que eu conseguia com as costuras, continuamos a nossa vida. Ele conseguiu uma bolsa de estudos e se formou como contador. O tempo passou. Ele e minha filha cresceram. Ela se casou com um rapaz que morava na Capital, ele começou a trabalhar no laticínio e está lá até hoje. Enfim, está tudo bem na minha vida. Nunca esqueci de você, Selma, e estou feliz que esteja aqui.

– Obrigada, Etelvina, por me acolher em sua casa. Sinto muito pelo que minha mãe fez com você e acho que foi naquele dia que comecei a mudar e a me transformar na pessoa que sou hoje, um monstro...

– Você não é um monstro, Selma. Todos nós precisamos trilhar uma estrada para podermos aprender.

– Eu aprendi, Etelvina. Juro que aprendi.

– Fique tranquila. Vai viver aqui até quando quiser. Só não acho bom dizer para as outras pessoas que você é rica, pois, se assim fizermos, talvez você não encontre um trabalho. Preconceito existe em todo lugar. As pessoas daqui são muito curiosas e vão querer saber sempre mais. Não vamos contar nem mesmo ao meu sobrinho. Vou dizer a ele que você é filha de uma minha amiga da Capital e que vai morar aqui por algum tempo.

Ao dizer isso, Selma voltou-se para Roberto, que a ouvia atentamente:

– Você se lembra desse dia, Roberto?

– Claro que me lembro, Selma. Só não entendo por que vocês não quiseram contar nem mesmo a mim.

– Sua tia achou que seria melhor assim, pois você sabia o que minha mãe havia feito e talvez não entendesse ela querer me ajudar. De qualquer maneira, quando você chegou e nos olhamos, sentimos que algo aconteceu.

Roberto começou a rir:

– Aconteceu mesmo. Assim que vi você, comecei a tremer, e enquanto minha tia dizia que você ia morar na nossa casa, não conseguia desviar meus olhos dos seus.

Marília interrompeu:

– Foi assim que você veio para cá e conheceu Roberto?

– Foi, Marília, e muitas vezes achei que se nada daquilo tivesse acontecido eu jamais teria conhecido Roberto e teria tido meu filho.

Alda, que até aquele momento havia ficado calada, nervosa disse:

– Teria se casado com um homem rico da sociedade e, hoje, não estaria nessa situação.

Todos olharam para ela. Selma sorriu e disse:

– Embora eu esteja aqui, presa, sou muito feliz, mamãe, ao lado de Roberto e do meu filho. Isso me faz pensar que algumas coisas que nos acontecem de ruim muitas vezes é para um bem maior. Etelvina, mesmo tendo que se separar de mim por algum tempo, sempre foi o meu anjo da guarda. Se eu continuasse a ser da maneira como ela me educava, hoje seria feliz e não teria errado tanto. Eu e Roberto somos inocentes, por isso acredito que tudo isto vai passar e voltaremos a ser felizes aqui, nesta cidade, e continuando a viver da maneira que sempre vivemos, não com luxo e riqueza, mas com paz e tranquilidade.

– Como você pode dizer que é feliz, Selma, vivendo em uma cidade pobre e pequena como esta?

– Sou feliz, mamãe, porque tenho uma família e o orfanato para trabalhar. Não preciso de nada, além disso. Aqui, entendi que não existem pessoas melhores ou piores, que ninguém é superior a ninguém. Cada um de nós tem seu próprio valor.

Alda, influenciada por Arlete, estava nervosa e ia dizer alguma coisa, quando José Luiz, acompanhado pelo delegado, entrou e sorrindo disse:

– Consegui a liberdade de vocês. Responderão em liberdade, só não poderão sair da cidade.

– Como conseguiu isso, José Luiz?

– O juiz aceitou o *habeas corpus*, dizendo que vocês são moradores da cidade e muito conhecidos e não sairão daqui até o julgamento. Por enquanto, estão livres.

– Qual é o valor dos seus honorários, José Luiz? Prometo que, de alguma maneira, vou pagar.

– Isso não importa, Selma. O importante é que vocês estão livres e que teremos algum tempo para descobrir o que aconteceu.

– Preciso saber o valor para poder pagar a você, José Luiz.

Arlete, ao ouvir aquilo, gritou:

– Ela não pode se livrar! É culpada! Ela matou Mario Augusto, Matilde e eu! É uma assassina! Precisa ser presa!

– Acalme-se, Arlete. Tudo caminha como tem de ser. Você não pode julgar pois não sabe o que de fato aconteceu.

Sem imaginar que era Mario Augusto quem falava com ela, ficou furiosa:

– Como não sei? Não sei quem você é, mas com certeza não sabe o que aconteceu. Ela mesma confessou que matou a nós três!

– Ela preparou uma armadilha, não imaginou que terminaria em morte, mas não somos nós que devemos julgar. Tudo tem seu tempo e sua hora. O que precisamos fazer é uma prece para que ela fique bem. Selma está há muito tempo se condenando, sabendo o que fez, e disso nunca poderá escapar. A melhor julgadora sempre será a nossa consciência. Precisamos esquecer o que se passou, Arlete.

– Está maluco? Não sabe o que está dizendo! Como posso esquecer que ela tirou a minha vida e impediu que eu e Mario Augusto vivêssemos e fôssemos felizes? Não vou perdoar nem esquecer!

Dizendo isso, Arlete aproximou-se de Alda que, ainda sentindo muita raiva, se deixou envolver por ela e por aqueles que a acompanhavam. Com muito ódio, disse:

– Não permita, dona Alda! Selma é má e não merece ser feliz!

Ao ouvir aquilo, Alda sentiu sua raiva aumentar e olhando com ironia disse:

– Pagar? Como, Selma? Você não tem nem onde cair morta. Claro que está pensando que sou eu quem vai pagar, mas não vou! Só vim até aqui para saber o que havia acontecido com você. Nunca imaginei que era culpada pela morte do Mario Augusto! Hoje mesmo, vou fazer um testamento e deixar todos os meus bens para alguma instituição. Você não vai ficar com um tostão meu!

Todos, surpresos, olharam para ela que, muito nervosa, continuou:

– Desde o dia em que você nasceu, eu só quis a sua felicidade. Teve os melhores professores e escolas, sempre teve tudo o que quis! Nasceu em um berço de ouro e jogou tudo fora para ficar com esse aí? Não merece nada neste mundo! Vamos embora, José Luiz!

– Acalme-se, dona Alda. Não posso ir agora, preciso cuidar de algumas coisas. Se quiser, pode ir com Josias.

De repente, uma luz muito forte iluminou a delegacia. Ninguém viu, somente Arlete e seus companheiros, que se assustaram muito. Nervosa, perguntou:

– Que luz é essa? O que o senhor quer de mim?

– Meu nome é Péricles. Você não me conhece, Arlete, mas estou ao seu lado e de todos vocês há muito tempo. Você não pode continuar aqui tentando impor sua vontade. Precisa me acompanhar.

– Não vou a lugar algum! Encontrei Selma e agora preciso encontrar Mario Augusto e Matilde para me ajudarem na minha vingança! Já procurei por todos os lugares e não os encontrei! Vou continuar aqui até que eles venham! Sei que também estão procurando por mim e, principalmente, por Selma! Assim como eu, devem querer se vingar!

Péricles olhou para Mario Augusto e Matilde, que sorriram. Matilde, sem entender o que estava acontecendo, perguntou:

– Por que ela não consegue nos ver, Péricles? Estamos há tanto tempo ao seu lado...

– Embora Arlete tenha cometido dois erros graves, matar vocês dois e cometer suicídio, ela não aceita sua culpa, prefere culpar Selma. Não estou dizendo que Selma não teve culpa, teve, sim, mas como espíritos livres, vocês poderiam ter se rebelado e não seguido o que ela propunha. Principalmente você, Matilde. Assim como vocês, quando retornaram e aceitaram as explicações que demos para o acontecido e reconheceram a parcela de culpa de cada um, ela teve a mesma ajuda, mas não aceitou, escolheu o ódio, a vingança e preferiu se unir a outros que pensavam como ela. Por isso, levará algum tempo para que possa reencontrar o caminho e vocês.

– Precisamos ajudá-la. Eu sempre a amei e quero poder abraçá-la.

– Por isso estou aqui, Mario Augusto. Alguma coisa pode acontecer para que Selma e Alda tentem se perdoar mutuamente, e para que isso aconteça Arlete não pode continuar aqui, ao lado delas. Elas precisam decidir o que fazer sozinhas.

– O que vai fazer com Arlete, Péricles? Não vai fazer com que sofra...

– Algumas vezes, Mario Augusto, o sofrimento é necessário para que possamos evoluir. Arlete vai ter outra oportunidade de reencontrar o caminho e vocês, só vai depender dela, e para que isso aconteça vou levá-la a um lugar onde sozinha poderá decidir. Porém, não se preocupe, ela nunca estará só. Ficaremos ao seu lado, mas não podemos interferir na sua decisão.

– Poderei ir com ela?

– Não, Mario Augusto. Você e Matilde precisam ficar aqui, ao lado de

Selma e de sua mãe. Ambas vão precisar muito da sua ajuda. Eu e os outros ficaremos com Arlete. Vou tentar conversar com ela, mais uma vez.

– Venha comigo, Arlete. – Disse, voltando-se para ela e com voz firme.

– Já disse que nem eu nem meus amigos vamos sair daqui!

– Vocês e seus companheiros não podem continuar aqui, principalmente você. O livre-arbítrio sempre precisa ser respeitado. Vai ter uma nova chance para entender e aceitar o que aconteceu.

Antes que ela dissesse alguma coisa, e para surpresa de Mario Augusto e Matilde, ela, seus companheiros e Péricles desapareceram.

– Para onde eles foram, Mario Augusto?

– Não sei, mas precisamos continuar aqui, como Péricles disse. Vamos ver o que vai acontecer para que possamos ajudar.

Voltaram-se para Alda que, muito nervosa, perguntou a José Luiz:

– Vai continuar aqui, nesta cidade horrorosa?

– Preciso tentar libertar os dois, ainda hoje, dona Alda.

– Mas você veio no meu carro, como vai voltar?

– Não se preocupe, vou conversar com algum taxista. Acredito que qualquer um vai querer fazer uma corrida grande como essa. Pode ir tranquila.

– É isso o que vou fazer! Não vou ficar nem mais um minuto aqui ao lado dessas pessoas!

Dizendo isso, saiu apressada. Na rua, entrou no carro e, nervosa, disse:

– Vamos embora, Josias! O ar desta cidade está me sufocando!

Josias abriu a porta do carro para que ela entrasse, depois entrou, ligou o motor e saiu.

Na delegacia, eles não entenderam a atitude de Alda e como que, de repente, ela teve aquela reação, pois até ali parecia que estava bem ouvindo o que Selma contava.

Selma, constrangida pela atitude da mãe, disse:

– Preciso que me desculpem. Essa atitude de minha mãe não me causa surpresa, ela sempre foi assim, quando contrariada age dessa maneira.

– Não se preocupe com isso, Selma, conheço sua mãe desde que era criança. – Disse José Luiz.

O delegado entrou no corredor, dizendo:

– Pronto, doutor. Os papéis estão em ordem e assinados. Já podem sair. Por algum tempo, estarão livres. – disse, olhando para Selma e Roberto, que sorriram.

– Obrigado, doutor. Agora, teremos tempo de descobrir o que aconteceu realmente e o motivo.

– Assim espero.

Enquanto dizia isso, o delegado abriu as celas. Roberto e Selma puderam se abraçar e chorar um no ombro do outro. E, assim, abraçados, saíram da delegacia.

Quando chegaram do lado de fora, encontraram Carlos sentado na escada que havia em frente, conversando com Fabiana. Assim que viu os pais, levantou-se e correu para eles, que o abraçaram com muito carinho.

– Agora, podemos ir para casa, meu filho.

– Que bom, mamãe! Eu estava desesperado sem saber o que aconteceria comigo.

– Vai ficar tudo bem, Carlos. Eu e seu pai somos inocentes e vamos provar.

Fabiana, que estava distante, mas que podia ouvir o que falavam, ficou olhando a felicidade deles. Selma, assim que a viu, abriu os braços. Timidamente, Fabiana se aproximou e abraçaram-se. Selma, emocionada, enquanto a abraçava disse:

– Obrigada por ter ficado ao lado de Carlos, Fabiana. Em horas como essa é que mais precisamos dos amigos.

– Não tem o que agradecer, dona Selma. Eu gosto muito do Carlos e da senhora também. Ainda bem que foram soltos.

– Graças a Deus! Tudo o que aconteceu foi um terrível engano.

– Tenho certeza disso, dona Selma. Acredito quer tudo vai ser explicado e resolvido.

– Assim espero...

Em seguida, Selma olhou para os outros e disse:

– Agora, vamos para casa? Lá poderemos conversar.

– Desculpe-me, Selma, mas não poderei ir. Preciso ir para casa e conversar com algumas pessoas que poderão me ajudar a esclarecer o que aconteceu.

– Embora ache uma pena que não possa ficar aqui, também estou feliz por tê-lo ao nosso lado, José Luiz. Nem sei como agradecer por ter vindo até aqui e ter nos libertado. Sei que seu trabalho e tempo são valiosos; portanto, quando quiser, nos mande a conta. Não temos muito dinheiro, mas prometo que pagaremos por todo o seu trabalho.

José Luiz sorriu:

– Não se preocupe com isso. Você é minha amiga de infância e irmã do meu melhor amigo. Além do mais, o trabalho ainda não terminou. Vou reunir algumas pessoas e vamos descobrir o que aconteceu. Assim que tiver algo, voltarei aqui e conversaremos. Por enquanto, vocês não podem sair da cidade.

– Não sairemos, José Luiz. Precisamos ficar aqui e provar a nossa inocência.

José Luiz apertou a mão dos outros e se afastou. Assim que saiu, foi até ao ponto de táxi que havia em frente à delegacia e conversou com o motorista, que ficou contente. Entrou no carro, acenou com a mão e partiu.

Assim que o carro saiu, Selma voltou-se para Marília e Berta:

– Vocês vão para minha casa?

– Desculpe-me, Selma, mas estou muito tempo fora do orfanato. Preciso voltar para lá, mas qualquer coisa que precisar e eu puder ajudar me procure. Enquanto isso, vou investigar e tentar entender o que aconteceu, e como o dinheiro foi roubado e por quem.

– Também preciso ir para casa, Selma. Lourenço deve estar curioso para saber o que aconteceu.

Selma abraçou as duas:

– Obrigada por acreditarem na nossa inocência e pela amizade.

– Fique calma, amiga! Vamos descobrir o que aconteceu, e os verdadeiros culpados serão castigados.

Elas se afastaram. Selma e Roberto começaram a caminhar em direção à rua onde moravam. Carlos e Fabiana foram para a praça e sentaram-se em um dos bancos.

Selma e Roberto caminhavam. Ela percebeu que ele estava em silêncio, coisa que nele não era comum, pois era sempre muito falante. Sabendo o motivo daquele silêncio, disse:

– Sei que você está decepcionado comigo. Sinto muito, mas fiquei com medo de contar. Sentia muita vergonha daquilo que havia feito e no que tinha me tornado.

– Não é por isso que estou decepcionado, pois, por mais que tente imaginar não consigo ver, em você, aquela mulher que descreveu. Sempre foi uma ótima esposa e mãe, e também muito dedicada ao orfanato. O que me decepcionou foi por não ter confiado em mim e me contado antes. Por que não acreditou no meu amor por você, Selma?

– A princípio segui o que Etelvina pediu. Ela achava que seria melhor que ninguém soubesse quem eu era para poder recomeçar minha vida aqui nesta cidade. Realmente ela tinha razão, pois logo consegui um emprego no banco. Depois, quando nos envolvemos, fiquei com medo de contar e você não aceitar. O tempo foi passando, nos casamos, Carlos nasceu e tínhamos uma vida perfeita. Mas hoje sei que nada fica escondido por todo o tempo e que, em algum momento, tudo vem à tona. Sei que está magoado, mas sei também que nossa vida vai fazer com que tudo passe. Nunca pensei que um dia poderia ver minha mãe tão triste e nervosa. Embora ela tenha tentado disfarçar, percebi sua tristeza e seu sofrimento quando contei que havia sido a responsável pela morte de Mario Augusto. Além de ter sido orgulhosa, egoísta e covarde em ter desaparecido da maneira como fiz, sem nada dizer ou ao menos ter mandado notícias durante todo esse tempo. Hoje, como mãe, imagino o que eu sentiria se não soubesse onde Carlos estava. Ficaria louca. Hoje ela está magoada, mas quando tudo isso passar vou fazer o possível e o impossível para que ela me perdoe. Espero conseguir que isso aconteça.

– Você tem razão. Temos uma vida em comum, que por sinal tem sido muito boa; portanto, o tempo vai se encarregar de colocar tudo em seu lugar. Quanto à sua mãe, ela me pareceu muito orgulhosa e pedante, mas também percebi sua tristeza e sua revolta. Porém, acredito que mais cedo ou mais tarde vocês vão se entender.

Ele pegou sua mão e continuaram caminhando. Apesar de tudo o que haviam passado naqueles dias, estavam juntos e sabiam que, enquanto estivessem assim, nada de mal poderia lhes acontecer.

Nunca deixe para amanhã

Enquanto dirigia o carro, Josias olhou pelo retrovisor e viu que Alda tirava da bolsa um pequeno espelho. Enquanto se olhava e colocava alguns fios de cabelo no lugar, disse:

– Não entendo! Como Selma pôde fazer o que fez e ainda querer colocar a culpa na maneira como foi criada e por ter tido tudo na vida? Isso não está certo, Josias. Não está!

– Fique calma, dona Alda. Tudo isso vai passar, e a senhora e Selma poderão se reconciliar.

– Reconciliar? Nunca, nunca! Ela matou meu filho por um motivo banal!

– Ela era muito jovem e não sabia bem o que estava fazendo, dona Alda. Como eu disse, tudo vai passar.

– Como vai passar, Josias? Nunca vai passar! Meu filho não voltará nunca mais! Ele está morto e por culpa dela! Eu a odeio com todas as forças do meu coração!

– Nunca diga isso, dona Alda! O ódio nada resolve, e a senhora sofrerá mais com ele. O perdão sempre é o melhor caminho que temos para seguir.

– Perdão? Como alguém pode perdoar isso que Selma fez?

Josias continuou dirigindo e, olhando pelo retrovisor, viu que Alda, embora nervosa, olhava em um espelho e arrumava os cabelos. Depois, guardando o espelho, muito nervosa, disse:

– Não estou me sentindo bem, Josias. Estou enjoada. Pode parar o carro por um instante?

Assim que terminou de falar, deitou-se no banco do carro.

Assustado, Josias parou, abriu a porta, saiu do carro e, abrindo a porta de trás, vendo que ela estava muito branca, começou a chamar:

– Dona Alda, dona Alda!

Ela não respondeu. Percebendo que alguma coisa estava acontecendo, pois ela além de transpirar muito estava branca como cera. Josias, desesperado, entrou no carro, olhou para o relógio que estava em seu pulso e viu que fazia apenas quinze minutos que estavam na estrada. Pensou:

O melhor a fazer é voltar para a cidade, lá deve ter algum hospital. Dona Alda não está nada bem.

Olhou para os dois lados da estrada e viu que não vinha nenhum carro. Rapidamente fez a volta, acelerou e saiu em disparada.

Alguns minutos depois, entrou na cidade. Perguntou a um senhor que passava:

– Senhor, tem algum hospital aqui nesta cidade?

Hospital não tem, só um pronto-socorro. Quando o senhor chegar ao fim desta rua, vire à direita e logo vai vê-lo.

Enquanto falava, o senhor apontou com o braço. Josias agradeceu e dirigiu rapidamente.

Seguiu a instrução e chegou ao pronto-socorro, que parecia ser pequeno. Parou em frente, desceu, correu e entrou. Logo depois, voltou acompanhado por dois enfermeiros que traziam uma maca. Juntos, tiraram Alda do carro, a colocaram sobre a maca e entraram correndo.

Josias, muito nervoso e assustado, ficou esperando sentado em um dos bancos. Algum tempo depois, o enfermeiro voltou:

– O médico quer falar com o senhor. Ele está ali naquela sala.

Josias se levantou e caminhou em direção à porta que o enfermeiro havia mostrado.

Assim que entrou, percebeu que o médico estava preocupado. Olhou para ele, que disse:

– Sente-se, por favor.

Sentou-se e o médico, tentando sorrir, disse:

– A senhora sofreu um derrame cerebral e seu estado é grave. Neste pronto-socorro, infelizmente, não temos muitos recursos. Vamos dar o primeiro atendimento, mas ela precisa ir para um hospital. Aqui, só temos uma ambulância que não pode sair da cidade. O senhor tem como providenciar o transporte dela? Contratar uma ambulância na cidade vizinha?

– Eu não, mas ela tem recursos. Preciso localizar sua filha, que mora aqui na cidade. Ela encontrará uma maneira de socorrer a mãe. Enquanto eu procuro pela filha dela, ela pode ficar aqui aos seus cuidados?

– Claro que sim. Ela está sendo socorrida e por algumas horas não poderá ser removida, talvez até por um dia. Vai depender da sua evolução. Vá tranquilo.

Josias saiu e chegou à rua. Olhou para os lados e, desesperado, pensou:

Preciso falar com Selma. José Luiz disse que havia conseguido que fossem libertados. Como não sei se foram, o melhor a fazer é eu ir para a delegacia. Se não estiverem lá, ao menos poderei pegar o endereço de Selma, mas não sei onde fica a delegacia. Entrei tão apressado na cidade que nem percebi o caminho que fiz. Sei que é perto da rua principal e que fica logo na entrada da cidade. Não me lembro por onde passei para chegar até aqui no hospital. Preciso perguntar para alguém.

Um casal chegava apressado. A moça estava com uma criança no colo, iam entrar no hospital. Josias parou na frente:

– Desculpem, parece que estão apressados, mas preciso de uma informação. Poderiam dizer onde fica a delegacia?

– O senhor precisa ir por esta rua. Quando chegar à terceira travessa, vire à esquerda. A delegacia fica na esquina da rua principal.

Josias agradeceu, entrou no carro e foi por onde o rapaz havia ensinado. Como estava no meio da cidade, não pôde correr, mas dirigiu o mais rápido que pôde. Finalmente, chegou em frente à delegacia. Parou o carro e, enquanto estava descendo, ouviu uma voz:

– Josias! Por que voltou? Onde está dona Alda?

– José Luiz! Pensei que estivesse indo embora.

– Eu estava, mas vi seu carro voltando e, como não vi dona Alda dentro dele, calculei que havia acontecido alguma coisa e pedi ao taxista que retornasse. Onde ela está?

– Está no hospital, sofreu um derrame. Vim até aqui para ver se encontro Selma.

– Derrame? Como pode ser? Ela estava bem!

– Não sei, José Luiz. Ela estava muito nervosa. Disse que estava passando mal, deitou-se no banco do carro e desfaleceu. Como ainda estava perto da cidade, achei melhor voltar. Vamos entrar e conversar com Selma?

– Eles não estão mais na delegacia, Josias. Só fui embora depois que saíram. Mesmo assim, vamos entrar e perguntar onde fica a casa deles. Além de ter o endereço, o delegado deve saber onde fica a rua, para não precisarmos procurar.

– Vamos fazer isso, José Luiz.

– Primeiro vou dispensar o taxista.

José Luiz pagou e dispensou o taxista e depois entraram, Josias contou ao delegado o que havia acontecido e terminou dizendo:

– Precisamos do endereço de Selma e uma indicação de como poderemos chegar lá.

– Sinto muito pelo que aconteceu com a senhora. Vou pedir ao soldado Tiago que os acompanhe até lá.

– Obrigado, delegado.

O delegado olhou para o soldado que estava ali e disse o que ela precisava fazer, no que foi atendido imediatamente. O soldado abriu a porta e eles saíram.

Assim que chegaram à rua, viram que Carlos e Fabiana vinham na direção do carro. O menino estava nervoso:

– O que aconteceu, por que voltaram? Não vão dizer que meus pais vão ser presos novamente!

– Acalme-se, Carlos. Seus pais estão bem e por algum tempo ficarão livres. Espero que consigamos provar a inocência deles e, assim, nunca mais serão presos. Voltamos porque sua avó passou mal e está no pronto-socorro.

– Passou mal, como assim?

– Não sabemos, precisamos falar com sua mãe. Foi bom que chegaram, assim poderão nos levar até sua casa.

– Claro! Vamos?

– Entrem no carro.

Seguindo a orientação de José Luiz, os dois entraram no carro. Carlos sentou-se no banco da frente para que pudesse indicar o caminho. Fabiana e José Luiz sentaram atrás.

Alguns minutos depois, pararam em frente à casa de Selma. Carlos desceu rápido, entrou correndo pela porta da sala e chamou:

– Mãe! Mãe!

Selma e Roberto, que estavam na cozinha enquanto ela preparava um lanche, se assustaram com o grito desesperado de Carlos. Ela secou as mãos no avental, ele levantou-se da cadeira e ambos correram para a porta que dava para a sala. Ela perguntou:

– O que foi, Carlos? O que aconteceu?

Antes que ele respondesse, viram Josias e José Luiz, que entravam atrás de Carlos. Ao vê-los, Selma sentiu seu corpo estremecer:

– O que aconteceu? Por que vocês voltaram?

Josias contou o que havia acontecido e terminou dizendo:

– Agora precisamos providenciar um transporte para levar sua mãe a um hospital com mais recursos.

– Como vamos fazer isso, José Luiz? Deve ser muito caro e não temos dinheiro...

– Não se preocupe com isso, Selma. O importante é que você vá até o hospital para autorizar a remoção dela.

– Claro! Vamos agora mesmo!

– Pegue seus documentos, Selma. Os documentos dela já apresentei no hospital. Estavam na sua bolsa.

– Obrigada, Josias. Vamos, Roberto? Você, Carlos, se quiser, pode ficar aqui em casa com Fabiana. Assim que tudo estiver resolvido voltaremos para contar a vocês tudo o que aconteceu.

– Não, mamãe! Eu quero ir porque, apesar de não ter gostado de mim, ela é minha avó.

Selma sorriu:

– Está bem, filho. Então vamos!

Saíram da casa e entraram no carro. Assim que todos se acomodaram, Josias também entrou, deu a partida e acelerou. Enquanto ele dirigia, Selma, aflita, perguntou:

– O que aconteceu com minha mãe, realmente, Josias? Quando ela saiu da delegacia parecia estar bem.

– Você conhece sua mãe, Selma. Ela sempre soube disfarçar o que sentia. Quando comecei a dirigir e assim que chegamos à estrada, percebi que ela, embora tentasse, não conseguiu disfarçar seu nervosismo. Começou a ficar inquieta, a arrumar os cabelos e a olhar no espelho sem parar. Estava nervosa por você ter dito que a educação que ela deu a você foi errada. Sabe que sua mãe nunca gostou de ser criticada. De repente, disse que estava passando mal, deitou-se no banco e desfaleceu.

– Percebi que ela estava decepcionada e magoada, mas assim que pudermos conversar vou pedir que me perdoe. É minha mãe, sei que vai me perdoar.

– Vocês poderiam ir morar com ela. Com a morte do seu irmão e do seu pai e a sua ausência, ela se modificou muito. E aquela casa ficou muito grande. Ela quase não sai de casa nem recebe ou faz visitas. Está sozinha. A única coisa que a distrai são as suas orquídeas, que cuida com carinho.

– Fica sempre em casa?

– Só sai duas vezes por semana e vai sempre de táxi. Nunca quis que eu a levasse.

– Para onde ela vai, Josias?

– Não sei, Selma. Ela proibiu que eu a seguisse.

– Não, Josias. Não poderei voltar a morar naquela casa com tantas lembranças ruins.

– Porém, teve também bons momentos. Pense sobre isso, Selma. Garanto que ela vai ficar muito feliz.

– Não vai, não, Josias. Ela não aceitou bem o meu casamento, meu marido e, principalmente, o meu filho. Você a conhece muito bem e sabe o quanto ela sempre foi preconceituosa.

– Eu gostaria de morar em uma casa grande, mamãe. Pelo que entendi, ela tem muito dinheiro, poderemos viver como ricos!

– Não se iluda, meu filho. O dinheiro não traz a felicidade; pelo contrário, ele pode nos trazer muita tristeza.

– Tudo bem, mas será que a pobreza nos faz felizes? Vamos nos mudar, mamãe. Vamos tentar e, se não der certo, pelo menos tentamos.

– Carlos tem razão, Selma. Além do mais, esta cidade é pequena e todos se conhecem. Por mais que consigamos provar a inocência de vocês, nunca mais serão aceitos como antes. A dúvida sempre permanecerá. Você, Roberto, talvez nem consiga outro emprego.

– Agora, o mais importante é que minha mãe tenha todo o atendimento necessário e que possa me perdoar e voltar para sua casa. O resto, veremos depois.

Chegaram ao hospital. Assim que Josias estacionou o carro, todos desceram. Selma saiu correndo e foi a primeira a entrar e falar com a recepcionista:

– Boa tarde! Estamos aqui para ver uma senhora, o nome dela é Alda. Ela foi internada agora pouco.

A moça olhou em um papel e disse:

– Espere um momento, por favor. O médico vem aqui conversar com a senhora.

A moça saiu de trás do balcão e entrou por uma porta. Selma, aflita, ficou olhando para a porta. Roberto, tentando acalmá-la, disse:

– Fique tranquila, Selma. O médico deve falar a respeito da remoção dela.

Embora tentasse, Selma não conseguia tirar os olhos da porta e parar de tremer.

Alguns minutos depois, a moça voltou, acompanhada do médico, que olhando para todos perguntou:

– Quem é o parente?

– Sou eu! Sou a filha!

– Sinto muito informar, mas ela teve duas paradas cardíacas e não resistiu. Faleceu há dez minutos.

– Faleceu? Como assim?

– Tentamos de tudo, minha senhora, mas ela não respondeu ao tratamento.

Selma sentiu que o chão havia desaparecido e que toda a energia de seu corpo se esvaía. Começou a chorar, desesperada, cambaleou e foi socorrida por Roberto, que a abraçou e a encaminhou para um banco.

– Acalme-se, minha querida. Nada mais pode ser feito.

– Sei disso, Roberto, mas não podia ter acontecido! Ela não podia ter morrido, não antes de eu conversar com ela e pedir perdão por tudo o que fiz...

O médico, percebendo que sua presença não era mais necessária e por já estar acostumado a ver aquela cena, despediu-se com a cabeça e saiu.

A moça da recepção fez um sinal para José Luiz que, assim como os outros, estava abismado. A moça entregou um papel para ele, dizendo:

– Com esse papel, o senhor precisa ir até a funerária para providenciar o enterro.

– Está bem, obrigado!

Com o papel na mão, foi ao encontro de Josias e disse baixinho:

– Precisamos ir até a funerária.

– Antes, precisamos conversar com Selma, para ver onde ela quer que sua mãe seja enterrada.

– Deixe que eu faço isso, Josias.

Aproximou-se de Selma e perguntou:

– Selma, precisamos providenciar o enterro. Você quer que ela seja enterrada aqui ou no mausoléu da família?

– Com certeza ela iria querer ser enterrada ao lado do meu pai e de Mario Augusto. Porém, nem eu nem Roberto poderemos ir ao enterro, o que vai ser muito triste.

– Por que não poderão ir, Selma?

– Claro que não, José Luiz. Você se esqueceu que estamos proibidos de sair da cidade?

Ele olhou para o relógio que estava em seu pulso.

– Ainda não são seis horas da tarde. Vou até o fórum ver se encontro o juiz. Em um caso grave como esse, com certeza ele irá permitir que vocês saiam da cidade.

– Faça isso! Acredito que o juiz Eduardo, que é marido da minha amiga e me conhecendo como conhece, não vai deixar de atender a esse pedido. Ele sabe que assim que ela for enterrada nós voltaremos.

Acredito que vou conseguir, Selma.

– Faça isso, por favor, José Luiz. Enquanto isso, vou conversar com a recepcionista e tentar ver minha mãe.

– Está bem. Depois, seria melhor que fôssemos para sua casa. Deixaremos vocês lá e, quando tudo estiver resolvido, eu e Josias iremos até lá e pediremos ao juiz para conceder a permissão.

Carlos, ao lado de Fabiana, perguntou:

– Mamãe, posso acompanhar Fabiana até sua casa? Depois irei para a nossa.

– Vá, meu filho. Logo mais estaremos lá.

Selma e Roberto se dirigiram até o balcão. Ela, ainda chorando muito, disse:

– Poderia ver minha mãe nem que seja por apenas alguns minutos?

A recepcionista pegou o interfone, conversou com o médico e respondeu:

– O doutor disse que ela ainda está no quarto e que poderão vê-la, mas apenas por pouco tempo.

Josias e José Luiz resolveram não entrar. Selma agradeceu a moça e, ao lado de Roberto, entrou pela mesma porta que o médico havia entrado e apontada pela recepcionista. Deram em um pequeno corredor, e uma enfermeira mostrou qual era o quarto. Trêmula e com passos lentos, Selma entrou e, ao ver sua mãe ali na cama, muito branca, sentiu seu corpo estremecer e se jogou sobre ela.

– Desculpe-me, mamãe, por eu não ter sido a filha que a senhora imaginou. Desculpe-me por ter sido tão má e covarde. Preciso do seu perdão. Sei que sou a culpada da sua morte, assim como fui da de Mario Augusto, de Arlete e de Matilde, assim como a de papai. Perdoe-me!

Ela chorava desesperada. Roberto, vendo que ela não sairia dali, esperando por um perdão que não teria como receber, segurou-a pelos ombros e fez com que se levantasse:

– Vamos embora, Selma. Nada mais temos a fazer aqui.

– Não posso ir embora, Roberto! Preciso que ela me perdoe...

– Isso não vai acontecer nem aqui e nem agora. Vamos para casa. Lá, você vai ter tempo para conversar, em pensamento, com ela.

Ela não se moveu, então ele foi obrigado a segurá-la com força e tirá-la dali.

Josias e José Luiz estavam esperando do lado de fora do hospital, perto do carro.

Assim que saíram, Josias abriu a porta traseira do carro para que pudessem entrar. Em seguida, entrou no carro, ligou o motor e saiu. Assim que chegaram à frente da casa de Selma, ela e Roberto desceram e eles seguiram para o fórum.

Selma, ainda chorando muito, foi conduzida por Roberto até seu quarto. Lá, ele fez com que ela se deitasse, dizendo:

– Tente descansar um pouco, meu bem. Vou preparar um chá. Depois, vamos esperar que eles regressem e nos contem o que o juiz decidiu.

– Obrigada, Roberto. Não sei o que seria de mim sem você aqui ao meu lado.

– Não pense em mais nada. Vou separar algumas roupas para três ou quatro dias, pois mesmo se o juiz der a permissão não será por mais tempo que isso.

Ela ficou calada. Encolheu-se na cama na posição fetal e continuou chorando e pensando em como fora sua vida até ali.

Assim que chegaram ao fórum, José Luiz e Josias foram informados por um senhor que o juiz havia acabado de sair. Eles contaram o que havia acontecido e José Luiz terminou dizendo:

– Como o senhor pode ver, preciso muito falar com o juiz. Meus clientes não podem sair da cidade, mas o enterro vai ser na cidade onde a senhora que faleceu mora. Precisamos do endereço do juiz.

– Não estou autorizado a dar essa informação.

– Por favor! A esposa dele é amiga da minha cliente, ele a conhece e, com certeza, vai dar a autorização.

O senhor pensou por um tempo, depois disse:

– Vou dar o endereço, mas, por favor, não diga ao juiz que fui eu que dei.

José Luiz sorriu:

– Fique tranquilo, não direi. Muito obrigado!

O Senhor anotou em um papel o endereço e disse:

– É uma casa em frente a praça, não vai ter como errar.

– Mais uma vez, obrigado, senhor.

Com o endereço em mãos, entraram no carro e se dirigiram para a praça. Lá, não tiveram dificuldade para encontrar a casa.

Assim que pararam em frente Josias tocou a campainha. Uma moça com uniforme apareceu na porta.

– Pois não?

– Por favor, preciso falar com o juiz, é urgente.

– O juiz não recebe ninguém aqui em casa.

– Sei disso, mas é urgente mesmo. Posso, também, falar com a esposa dele.

– O senhor quem é?

– Sou amigo e advogado de Selma, e é sobre ela que preciso falar.

– Um momento, por favor.

A moça entrou e logo depois Marília apareceu na porta.

Ao vê-los, os reconheceu imediatamente. Surpresa, perguntou:

– O que aconteceu? Pensei que tivessem ido embora...

– Fomos mas tivemos que voltar. A mãe de Selma faleceu.

– Como? O que aconteceu?

Ela passou mal no caminho e faleceu no hospital.

Nervosa e surpresa, Marília ficou algum tempo parada, depois disse:

– Entrem, por favor. Meu marido está no banho, mas vai atender os senhores.

Eles entraram e ela fez com que se sentassem em um dos sofás que havia na sala.

Eduardo, ao sair do banheiro, ouviu vozes que vinham da sala. Ainda vestido com um roupão, foi até lá. Admirado em ver José Luiz ali, perguntou:

– O que o senhor está fazendo aqui? O caso de Selma já não está resolvido, pelo menos por hora?

Ao verem que ele chegou à sala, José Luiz e Josias se levantaram:

– Desculpe-me, Excelência, por vir incomodá-lo aqui em sua casa, mas aconteceu uma tragédia e preciso de sua ajuda.

– Que tragédia?

– Íamos começar a contar para sua esposa. A mãe de Selma faleceu.

Surpreso, olhou para Marília, que demonstrou, com um gesto, nada saber, e disse:

– Eles estavam começando a me contar.

Eduardo, intrigado, sentou-se ao lado dela:

– O que aconteceu e no que posso ajudar?

José Luiz contou o acontecido e terminou dizendo:

– Como pode ver, preciso que tanto Selma como Roberto sejam liberados para poderem comparecer ao enterro.

– Sabe que não é esse o procedimento, doutor. Está tudo caminhando muito rápido. Deveria estar falando com o delegado. Ele ainda está na fase de tomar depoimentos.

– Sei disso, mas como é um caso urgente e sua Excelência conhece o casal, tentei vir aqui para ver se poderia abreviar o caso.

– Eu conheço o casal, mas nem por isso posso atropelar a lei. É necessário seguir os trâmites legais.

– Mas é urgente, Excelência. Não temos tempo para seguir todos os procedimentos.

Eduardo olhou para Marília, que o olhava suplicante.

– Está bem! Como eu os conheço e minha esposa confia neles, vou telefonar para o delegado e perguntar a quantas andam as investigações.

Dizendo isso, entrou pela mesma porta que havia saído e voltou alguns minutos depois:

– Conversei com o delegado e ele disse que se o doutor se responsabilizar e se comprometer a trazê-los em três dias de volta para a cidade, como se trata de um momento excepcional, não vai se opor.

– Claro que me comprometo, Excelência. Conheço Selma desde criança e sei que ela não cometeu esse crime.

– Sendo assim, vou expedir um alvará de soltura por três dias para que possam ir ao funeral. Mas não se esqueça de que deverão estar de volta nesse prazo.

– Pode ter certeza de que estarão aqui, Excelência.

Eduardo olhou para Marília, que sorriu agradecendo.

– Esperem um momento, por favor.

Levantou-se, foi para o escritório e lá redigiu a autorização. Voltou e entregou a José Luiz.

– Aqui está o salvo conduto. Eles podem se ausentar por três dias e, quando voltarem, precisarão se apresentar.

José Luiz e Josias levantaram-se e estenderam a mão para Eduardo, que a apertou:

– Espero que tudo corra bem.

– Obrigado, Excelência. Agora, precisamos ir até a funerária para podermos liberar e trasladar o corpo. Obrigada, senhora.

– Não acho que agora seja um bom momento para visitar Selma. Diga a ela, por favor, que estou com ela em pensamento e oração.

– Direi, senhora. Partiremos hoje mesmo, assim que toda a documentação ficar pronta.

Saíram dali e, rapidamente, foram para o fórum.

Depois de tomar o chá, Selma continuou deitada, chorando sem parar. O remorso e o sentimento de culpa não a deixavam em paz. A única coisa que queria era dormir para nunca mais acordar. Todas as lembranças do que havia feito vieram a sua mente, e Arlete se divertia, dizendo ao seu ouvido:

– É isso mesmo que precisa sentir, muito remorso e sentimento de culpa. Você destruiu as nossas vidas e vai ver a sua também destruída.

Sem se dar conta da presença dela ali, Selma sentia mais vontade de chorar.

Carlos, após deixar Fabiana em sua casa, retornou e, ao entrar, viu duas maletas na sala. Curioso perguntou:

– O que essas maletas estão fazendo aqui, papai?

– José Luiz foi conversar com o juiz, e é quase certo que consiga fazer com que ele permita irmos ao enterro. Separei algumas roupas para mim e para sua mãe. Separe algumas para você.

– Eu preciso mesmo ir, papai?

– Claro que sim, Carlos! Foi sua avó quem morreu...

– Ela não gostou de mim nem do senhor, papai. Não sei por que temos de ir ao enterro.

– O que ela sentiu ou falou não importa pois, apesar de tudo, ela é a mãe da sua mãe e não podemos deixar sua mãe sozinha nesse momento.

– Está bem, mas eu não quero ir. Mesmo assim, vou separar algumas roupas. O senhor acha que vamos ficar quantos dias lá?

– Não sei, talvez três ou quatro no máximo, depois, precisamos voltar.

Carlos foi para seu quarto e Roberto voltou a se sentar em um sofá e a ficar à espera de José Luiz e de Josias.

Algum tempo depois, Selma ouviu o barulho do carro parando em frente a sua casa. Cansada e com os olhos vermelhos levantou-se e caminhou até a sala onde sabia que Carlos e Roberto estavam. No momento em chegou à sala, Roberto abria a porta da frente e ansioso, dizia:

– Ainda bem que chegaram. Não estava mais aguentando tanta ansiedade.

– Fique tranquilo, Roberto, está tudo resolvido. O juiz deu três dias para que possam ir ao enterro, e na funerária está tudo certo também. Eles vão conduzir o corpo de dona Alda para sua casa. Agora, podemos ir embora. Avise Selma.

Selma colocou a cabeça por detrás do ombro de Roberto:

– Estou aqui, José Luiz, e ouvi o que disse.

– Está tudo certo, Selma. Agora, podemos ir embora e esperar que o corpo chegue para o velório.

Selma voltou-se e olhou primeiro para Roberto, depois para Carlos e perguntou:

– Podemos ir?

– Eu preciso mesmo ir, mamãe?

– Claro que sim, meu filho. Primeiro porque ela é sua avó e, segundo, não pode ficar aqui sozinho.

Carlos abaixou a cabeça e pendurou nas costas uma mochila onde havia colocado algumas roupas e ficou esperando.

Roberto pegou as maletas, saíram e entraram no carro. Josias ligou, acelerou e foram embora.

O retorno

Alguns minutos depois, o carro entrou na estrada. Todos estavam calados, imersos em seus próprios pensamentos. Incomodado com aquele silêncio, José Luiz disse:

– Telefonei para minha mãe e pedi a ela que comunicasse a todos os nossos conhecidos para que fossem ao enterro, Selma. Sua mãe era muito conhecida e, com certeza, muitas pessoas comparecerão.

– Obrigada, José Luiz. Você sempre foi um grande amigo.

Emocionado com o que ela disse, continuou falando:

– Josias também telefonou para sua casa e pediu aos empregados que preparassem tudo.

– Minha casa, José Luiz?

– Claro que é sua casa, sempre foi, Selma.

– Há muito tempo saí dali e não pretendia voltar nunca mais. Minha casa hoje é na minha cidade, ao lado do meu marido e filho.

– As coisas mudaram, Selma. Agora, aquela casa e tudo o que pertence à sua família são seus. Não tem como evitar isso.

– Não estou interessada em nada disso. Só quero voltar para minha casa e provar a nossa inocência.

– Ainda é cedo para falarmos sobre isso. Quanto a provar a inocência de vocês não se preocupe, meu pessoal já está trabalhando nisso.

Selma tentou sorrir e, com um lenço, limpou as lágrimas que insistiam em cair por seu rosto.

Carlos, embora insatisfeito com aquela viagem, como nunca havia viajado para lugar algum ficou encantado com a paisagem que passava e não tirava os olhos da janela do carro.

Roberto seguia calado, não tinha o que falar. Estava preocupado com sua situação e pensava:

Não consigo acreditar no que está acontecendo. Minha vida estava em ordem, vivíamos com tranquilidade. De um minuto pro outro tudo se transformou e estamos aqui, indo para um lugar que não conheço, e eu arriscado a ser preso por algo que não cometi. Por que será que tudo isso está acontecendo?

Algum tempo depois, já se podiam ver os prédios que surgiam à frente. Não eram muitos, mas suas luzes pareciam chegar ao céu. Carlos ficou encantado. Logo depois, Josias saiu da estrada e entrou em uma avenida.

Carlos não conseguia desviar o olhar, pois para ele tudo era muito bonito e diferente.

Aos poucos a paisagem foi mudando e o carro começou a passar por ruas onde as casas eram enormes e distantes umas das outras. Após alguns minutos, Josias parou em frente a um grande portão e desceu para abri-lo. Carlos, calado, seguia todos os seus movimentos.

Após abrir o portão, Josias voltou ao carro e entrou por uma alameda cercada por uma ramagem baixa e colorida. Parou em frente a uma porta com alguns degraus de escada. Todos desceram do carro, menos Selma, que parecia paralisada. Roberto, ainda surpreso por ver uma casa tão linda e diferente de todas nas quais havia morado e que Selma relutava em entrar, foi até a porta do carro e pegando sua mão disse:

– Desça, Selma. Não tem como fugir. Vamos ficar aqui por poucos dias, depois voltaremos para nossa casa e, se Deus quiser, tudo vai voltar a ser como era antes. Venha...

Selma começou a descer, quando a porta da sala se abriu e por ela saiu Flora que, tentando sorrir, disse:

– Selma, minha querida, que fatalidade...

Ao vê-la, Selma voltou a chorar, saiu do carro e abraçou-se à amiga:

– A culpa foi minha, Flora...

– Não diga isso, Selma. Tinha de acontecer, a hora dela chegou, assim como vai acontecer com todos nós, e não havia como evitar. Não se esqueça de que somos suas amigas e que vamos estar sempre ao seu lado.

Selma olhou em direção à voz e viu Esmeralda, que também sorria. Soltou-se de Flora e abraçando Esmeralda disse:

– Não, Esmeralda, eu sou culpada por todo o tempo em que não dei notícias e por ter deixado que ela ficasse muito nervosa. Eu devia saber que ela já tinha idade e que não podia passar por emoções tão fortes.

– Nada acontece fora do seu tempo nem por acaso; e nada disso, agora, tem importância, minha filha. Agora, só podemos pedir a Deus que ela seja bem recebida no céu. Vamos entrar, mandei preparar o jantar para vocês.

Esmeralda, que estava com a cabeça junto à de Selma, abriu os olhos e viu Carlos e Roberto olhando para ela. Soltou-se de Selma e, entusiasmada, perguntou:

– Quem são esses, Selma?

Antes de Selma responder, Flora disse:

– Eu não disse a você que Selma havia se casado, Esmeralda? Não os conheci, mas devem ser seu marido e seu filho, não é, Selma?

Selma voltou-se e, olhando com carinho para os dois, respondeu:

– São, sim. Este é meu marido, Roberto. Este menino lindo é meu filho, Carlos. São os tesouros da minha vida.

Esmeralda, sorrindo, abriu os braços e envolveu os dois. Roberto correspondeu ao abraço, mas Carlos ficou meio sem reação, pois, na realidade, estava impressionado com o tamanho da casa. Flora sorrindo e pegando na mão de Selma fez com que entrassem.

Assim que entraram, Carlos, ao ver o tamanho da sala, não conseguiu se segurar e exclamou:

– Mãe! Esta sala é maior do que a nossa casa inteira! Essa escadaria parece aquelas que aparecem nos filmes! Foi aqui que a senhora nasceu e morou?

– Foi sim, meu filho, mas isso não quer dizer que esta casa me trouxe felicidade. Sabe tudo o que aconteceu aqui e que só comecei a ser feliz quando conheci seu pai e, mais ainda, quando você nasceu.

– Impossível que alguém possa não ser feliz aqui!

Selma olhou para a escada e lembrou-se de Arlete descendo, feliz, e de Mario Augusto.

– Eu não fui feliz, filho.

– Não diga isso, Selma. Tivemos muitos momentos felizes aqui.

– Verdade, Flora. Mas teve um momento muito ruim.

Esmeralda interferiu:

– Vamos deixar essa conversa para depois. Agora, está na hora de se prepararem para o jantar.

– Já estou com as maletas deles, dona Esmeralda.

– Obrigada, Josias. Pode levar para o quarto de Selma e para o de hóspedes, que fica ao lado dele.

Roberto quis ajudar, mas Josias se recusou e, com as maletas nas mãos, pediu licença e passando por eles subiu os degraus da escada. Carlos, encantado, o acompanhava com o olhar.

Selma olhou mais uma vez para a escada e lembrou-se de Arlete e Matilde quando desciam rindo e brincando. Não pôde evitar que lágrimas descessem por seu rosto. Roberto e Esmeralda perceberam a emoção dela e disse:

– Subam logo. Precisamos jantar...

– Vamos logo, mamãe! Estou querendo ver como são os quartos. Devem ser lindos!

– São, sim, filho. Vamos.

Amparada por Roberto e Carlos, Selma subiu e entrou no seu antigo quarto. Parou na porta e, para sua surpresa, estava tudo exatamente como havia deixado. Emocionada, pensou:

Por que será que minha mãe manteve meu quarto assim? Será que ela esperava que eu voltasse? Acredito que sim. Meu Deus! Como pude deixar de dar notícias?

Antes de entrar no quarto, ela e Roberto acompanharam Carlos até o quarto que seria dele. Abriu a porta e Carlos, entusiasmado, quase gritou:

– Pai! Olha o tamanho desse quarto! É quase do tamanho da nossa casa!

Roberto olhou para Selma, que sorriu:

– É verdade, filho. Mas garanto que, quando se deitar, vai dormir igual dorme no seu quarto, lá em casa. Quando dormimos não sabemos onde estamos.

Carlos, parecendo não ouvir a mãe, entrou no quarto e, sentando-se sobre a cama, disse:

– Pode até ser, mas dormir em um quarto como esse e nessa cama tão macia deve ser muito bom.

Roberto, feliz em ver o entusiasmo do filho, sorriu:

– Tem razão, filho, mas penso como sua mãe. Qualquer quarto é um bom lugar para se dormir. Difícil deve ser para aquele que, além de não ter um quarto não tem sequer uma cama. Você vai ter a oportunidade de sentir a diferença. Vai dormir esta noite e amanhã também.

– Sei que vou gostar, pai! Ser rico é muito bom!

– Você acha, Carlos?

– Claro que sim, mamãe!

– Então, vamos nos preparar para o jantar.

– Preparar, como?

– Tomar banho, trocar de roupas...

– Precisa mesmo? Tomei banho e coloquei esta roupa pela manhã!

– Precisa trocar. Não acha que é bom ser rico? Para isso, precisa seguir algumas regras e essa é uma delas. Precisa estar impecável para se sentar à mesa de refeições. Prepare-se que vamos fazer a mesma coisa.

Carlos não gostou da ideia, mesmo assim olhou para Selma e sorriu.

Depois, ela e Roberto entraram no antigo quarto dela, onde dormiriam. Roberto, sorrindo, disse:

– Ele está muito espantado, Selma. Confesso que também estou. Enquanto você contava a sua história e dizia que era rica, não imaginei que fosse tanto. Também nunca estive em uma casa como essa e nem imaginei que existisse, a não ser nos filmes.

– Existem muitas, Roberto. Mas como eu disse ao Carlos, fazemos aqui o que fazemos em qualquer lugar. Depois de todos esses anos vivendo ao seu lado e de Carlos, não sinto falta de nada disso. Acredito que, se tivermos paz, podemos ser felizes em qualquer lugar. Agora, vamos nos preparar.

Selma abriu as portas de um armário e apareceram muitos vestidos, saias, blusas e sapatos.

– Todas essas roupas eram suas, Selma?

– Eram e são, Roberto. São muitas e algumas nem cheguei a usar, comprava só por comprar. Hoje, ao me lembrar de quantas pessoas têm uma vida difícil e ver aquelas crianças do orfanato, sinto pena de todo o dinheiro que gastei em coisas supérfluas, como muitas dessas roupas e sapatos. Ninguém precisa de tanta roupa e tanto sapato. Aprendi que precisamos de pouco para vivermos e sermos felizes.

– Você não teve culpa de ter nascido nessa família. Talvez, por nunca ter sido rico, acredito que podemos, sim, ter dinheiro e usar na medida em que quisermos para sermos felizes.

– Verdade, Roberto. Ter dinheiro não é um mal. O mal está na maneira como o usamos, está na ilusão de que ele pode comprar todas as coisas, pessoas e suas consciências, como eu fiz. Com dinheiro, podemos nos ajudar e ajudar a muitos que tanto precisam. Agora, vamos nos preparar para o jantar.

– Vai usar um desses vestidos?

– Não. Não pertenço mais a este mundo. Vou usar um dos que você colocou na minha maleta. Não colocou?

– Sim, Selma. Escolhi os seus melhores, mas nenhum chega perto desses que estão no armário, e não sei se são adequados para esta ocasião.

– Não se preocupe com isso, são os que uso agora. – Prepararam-se, saíram e foram para o quarto onde Carlos estava.

Roberto, por saber que se tratava de um enterro, trouxe sua melhor camisa e calça, e também um paletó. Carlos, que não havia se interessado muito por aquela viagem, estava vestido com uma calça simples e uma camiseta. Ao vê-lo, Roberto disse:

– Ele não pode se apresentar vestido dessa maneira, Selma. Essa roupa não é adequada para ser usada em um lugar como este!

– Não pode por que, Roberto? Nós não pertencemos a este mundo e devemos nos vestir de acordo com nossas possibilidades.

– As pessoas vão comentar, Selma!

– Não devemos nos preocupar com comentários maldosos e nem desejarmos ser valorizados pelas roupas que vestimos. Nossas qualidades não se demonstram por nossas roupas. Eu já dei valor a essas coisas e, por isso, me tornei uma pessoa má. Quero que meu filho seja e aceite a maneira como nasceu e foi criado. Ele tem que se destacar por suas atitudes e não por suas roupas.

Roberto ficou calado. Selma, olhando para Carlos, sorriu:

– Está lindo, filho!

– Sei disso, mamãe. Eu me olhei naquele espelho grande. Pai, já viu um espelho daquele tamanho?

– Não, Carlos. Também estou surpreso com tudo o que estou vendo aqui.

Sorrindo, desceram a escada e chegaram à sala de jantar, onde Esmeralda e Flora já estavam esperando.

A mesa estava posta, com louça em porcelana, taças de cristal e talheres em prataria. Esmeralda apontou os lugares em que deviam se sentar.

Carlos sentou-se e o jantar foi servido em travessas de prata. O menino, ao ver tudo aquilo com que não estava acostumado, pois em sua casa comiam em um só prato e utilizavam somente um garfo e uma faca e copos de vidro, preocupado, olhou para a mãe, que sorriu.

Selma entendeu a situação do filho e de Roberto, que também nunca tinha visto uma mesa como aquela, e tranquilamente começou a se servir. Eles seguiram tudo o que ela fazia e, em pouco tempo, todos estavam comendo.

Em dado momento, Flora perguntou:

– Vai ficar morando aqui, Selma? Esta e todas as propriedades de sua família e o dinheiro agora são seus.

– Não tenho essa intenção. Aprendi a viver sem toda essa riqueza e, mesmo que quisesse, não poderia ficar. Eu e meu marido estamos sendo investigados pela polícia e não podemos sair da cidade, só estamos aqui porque o juiz permitiu, mas teremos de voltar.

– Investigados? Como assim, o que aconteceu?

– Não vamos falar sobre isso, agora. Após o jantar conversaremos.

– Está bem, desculpe-me.

– Não tenho o que desculpar, Flora. Pensei que José Luiz havia comentado.

– Não, ele somente nos comunicou da morte de sua mãe. Eu não tinha ideia de que estavam sendo investigados. Estou curiosa para saber o que aconteceu.

Selma sorriu e continuou comendo.

Carlos estava preocupado em como deveria comer. O que queria, realmente, era pegar um garfo e uma faca ou até comer com as mãos.

Selma observava o filho e, por dentro, sorria. Sabia que ele estava incomodado, mas naquele momento nada poderia fazer.

Assim que todos terminaram de comer, levantaram-se e foram para a sala ao lado. Sentaram-se e uma moça entrou trazendo um carrinho com café e licor.

Selma olhou para ela e pensou:

Não conheço essa moça e nenhum dos empregados, somente Josias e sua esposa são meus conhecidos. Os outros devem ter sido despedidos por mamãe.

Após algum tempo, Flora, ansiosa, disse:

– Por favor, Selma, conte o motivo da prisão de vocês!

Selma sorriu e começou a contar. Terminou dizendo:

– Foi isso o que aconteceu. Apesar de sermos inocentes, fomos presos e, provavelmente, responderemos a um processo.

– Vocês são inocentes, mesmo, Selma?

– Claro que somos, Flora, e ninguém melhor do que você para saber disso.

– Eu? Por que está dizendo isso, Selma?

– Desde que tudo isso aconteceu, pensei em quem teria motivo para nos comprometer dessa maneira. Como não tenho inimigos, cheguei à conclusão de que somente você teria motivo para me odiar e dinheiro para planejar e fazer acontecer tudo isso.

– Como pôde pensar isso, Selma?

– Você me odeia por eu ter praticamente matado Arlete. E, infelizmente, preciso concordar com você, pois, embora não fosse essa a minha intenção, realmente planejei, só que em momento algum pensei que chegaria aonde chegou.

– Não fiz isso, Selma! Não posso negar que fiquei revoltada quando soube que você havia sido culpada pela morte de Arlete, Matilde e Mario Augusto, mas nada fiz contra vocês...

– Não fez mesmo, Flora?

– Não, Esmeralda! Confesso que pensei muitas vezes em uma maneira de me vingar de você, Selma. Fui até a sua cidade apenas para isso, mas depois que conversamos naquele dia, Esmeralda, e que você me fez ver que a vingança só poderia fazer mal a mim mesma e que eu havia perdido um tempo enorme somente pensando nela, é que resolvi vir embora. Depois que chegamos aqui, de volta para casa, pensei muito a respeito e cheguei à conclusão de que você tinha razão. Foi quando resolvi que iríamos viajar. Eu precisava ficar longe e tentar recomeçar a minha vida, sem desejar vingança. Não fui eu, Selma! Não fui eu!

– Desculpe-me, Flora, mas você é a única pessoa que pode ter motivo para me odiar. Sei que errei, mas, por favor, me perdoe. Meu filho e meu marido nada têm a ver com aquilo que fiz. Eu me arrependi profundamente, mudei minha vida e recomecei do nada. Hoje, não tenho riqueza alguma e só quero viver em paz.

– Não fui eu, Selma. Pode acreditar nisso...

– Está bem, Flora. Só espero que José Luiz consiga descobrir o que aconteceu. Ele disse que vai me ajudar.

– Ele pode fazer isso. Tem um escritório com detetives particulares.

– Como somos inocentes, tenho certeza de que ele vai conseguir. Quando acontecer, poderei respirar em paz e retomar minha vida.

Carlos bocejou. Selma sorriu:

– Está com sono, Carlos?

– Estou, mamãe.

Esmeralda também sorriu:

– Vamos embora, Flora, eles precisam descansar. Além do mais, amanhã terão um dia muito tenso.

– Tem razão, Esmeralda. – Flora disse, levantando-se.

Despediram-se. Selma, Roberto e Carlos subiram para os quartos. Cansados, deitaram-se.

Carlos e Roberto dormiram imediatamente, Selma ainda ficou algum tempo pensando em como sua mãe havia morrido e sentindo-se culpada por isso também. Depois de algum tempo, com os olhos inchados e vermelhos, adormeceu.

Flora e Esmeralda saíram da casa e entraram no carro. O motorista ligou o motor e saíram. Durante o trajeto ficaram em silêncio, cada uma presa em seus próprios pensamentos. Quando chegaram à casa e o carro parou, desceram e entraram. Assim que cruzaram a porta, Esmeralda, furiosa, perguntou:

– Como pôde fazer tanta maldade com Selma, Flora?

– Não fui eu, Esmeralda! Não fiz coisa alguma!

– Como não, Flora! Desde que descobriu a participação de Selma naquela tragédia, jurou que ia se vingar! Foi para aquela cidade apenas para fazer isso e parece que conseguiu!

– Não fui eu, Esmeralda! Você tem razão, eu sempre disse que ia me vingar, fui até aquela cidade somente para isso, mas depois daquele dia em que fomos à creche e você conversou comigo, fiquei pensando no tempo enorme que havia perdido e resolvi que não valia a pena. Selma estava fazendo um lindo trabalho com aquelas crianças, e nem Mario Augusto ou Arlete voltariam mais. Foi por isso que resolvi voltar e viajar para o exterior. Foi o que fizemos e só voltamos agora. Você esteve o tempo todo ao meu lado. Quando tudo aquilo aconteceu com Selma e o marido, estávamos longe daqui. Você precisa acreditar no que estou dizendo...

– Não sei como você fez, mas tenho certeza de que foi você. Selma também pensa assim, ela deixou isso bem claro. Quem arquitetou tudo isso deve ter muito dinheiro para comprar as pessoas que participaram dessa mentira! Deve ter também poucos sonhos, a não ser o de se vingar. Somente você, Flora, tem esse dinheiro e muito ódio por Selma.

– Não fui eu, mas vou descobrir quem foi para poder ajudar Selma!

– Está bem, Flora. Tomara que esteja dizendo a verdade. Agora, vamos dormir. Amanhã será um dia de muita tensão.

– Vou provar a você e a Selma que estou falando a verdade. Vamos dormir, sim. Porém, acho que vou demorar a pegar no sono. Preciso pensar em uma maneira de descobrir o que aconteceu realmente. Boa noite, Esmeralda.

– Boa noite, minha filha, durma bem!

Despedida

No dia seguinte, acordaram cedo, desceram e foram para a sala de jantar onde havia uma farta mesa de café da manhã. Os olhos de Carlos se arregalaram quando ele viu tanta coisa na mesa. Além de pão, havia também bolos e doces variados. Ele, porém, já havia entendido que não poderia demonstrar todo o seu entusiasmo. Sentou-se em uma cadeira que Selma apontou e começaram a comer.

Estavam ali, comendo em silêncio, quando, acompanhado por uma das empregadas da casa, chegou José Luiz:

– Bom dia!

– Bom dia, José Luiz. Sente-se para tomar café conosco.

– Vou me sentar, Selma, mas apenas tomarei uma xícara de café preto. Tomei café completo em casa ao lado de minha mãe. Esta noite, dormi na sua casa. Daqui a pouco ela, o corpo de sua mãe e outras pessoas estarão chegando para o velório. Sabe como sua mãe era querida e respeitada pela sociedade.

Selma sorriu:

– Sei, sim. Ela sempre se comportou muito bem com todos, além de ter sido benemérita.

– Verdade. Ela sempre preparou jantares e almoços beneficentes. – Disse Esmeralda, que acabara de chegar ao lado de Flora.

José Luiz, ao ouvir a voz dela, levantou-se, sendo seguido por Roberto. Selma e Carlos continuaram sentados.

– Sentem-se e nos acompanhe no café.

– Obrigada, Selma. Vamos nos sentar, sim. Esmeralda tinha pressa de chegar e nem tomamos café. – Flora disse, sorrindo.

Estavam conversando e comendo, quando a mesma empregada entrou na sala:

– O carro da funerária está aí.

José Luiz, levantando-se, disse:

– Vou conversar com eles.

Ele saiu da sala. Os demais se olharam, mas ficaram calados.

Logo depois, ele voltou:

– Já estão colocando o corpo na sala. Vocês querem ir até lá, Selma?

– Vamos sim. – Selma disse, levantando-se e sendo acompanhada pelos demais.

Carlos olhou para a mãe, querendo ficar ali, pois embora houvesse tantas coisas gostosas não conseguira comer tudo o que já havia comido com os olhos.

Selma entendeu o que o filho queria:

– Você não precisa ir agora, Carlos. Continue comendo.

Saíram. Entraram na sala no exato momento em que a urna funerária estava sendo aberta. Selma, sem conseguir evitar, começou a chorar. Roberto abraçou-a e permaneceu ao seu lado. Carlos chegou logo depois e colocou-se ao lado da mãe. Ele nunca tinha ido a um enterro. Olhou para o rosto de Alda, estremeceu e pensou:

Não consigo sentir coisa alguma por essa mulher, ela não me pareceu ser uma boa pessoa. Não gosto dessas velas, esses tecidos roxos nas paredes e esse cheiro de flores. Todo esse sofrimento me faz muito mal.

Logo depois, as pessoas começaram a chegar. Foi um verdadeiro desfile de modas. Cumprimentavam Selma, que vestida como estava, não lembrava nem de longe aquela que conheceram. Olhavam para Roberto e Carlos e, sem nada dizer, simplesmente os ignoravam. Depois se retiravam e ficavam cochichando enquanto olhavam para eles. Roberto e Carlos perceberam, ao contrário de Selma, que apenas recebia as condolências e chorava.

Após algum tempo, Carlos, não suportando mais aquele clima de tristeza, resolveu sair e, do lado de fora da casa, caminhou em direção a um banco que havia ali. Sentou-se e viu que os carros entravam pelo grande portão, seguiam pela alameda que rodeava a casa, paravam em frente à porta de entrada, onde os motoristas paravam, desciam e abriam a porta do carro para que as pessoas pudessem descer. Em seguida, voltavam ao carro, continuavam pela alameda e saíam por outro grande portão que ficava ao lado da casa. Ficou algum tempo olhando os carros e se admirando com todos eles e ainda mais com o porte das pessoas que deles desciam. Nunca, em sua vida, havia visto pessoas como aquelas. Quando estava olhando, viu Josias que, com um pano, tirava a poeira do carro que ele sabia ser o de sua avó e que estava parado ao lado da garagem.

Josias, que o acompanhava com os olhos, e viu quando ele se sentou, largou o pano sobre o carro e foi até ele. Aproximou-se e, sorrindo, perguntou:

– Está tudo bem com você, Carlos?

– Na verdade, não. Estou me sentindo muito mal e triste.

– A morte sempre causa tristeza na gente, ao contrário do que acontece quando uma criança nasce, que é só felicidade.

– Não é pela morte dela que estou triste. Eu não a conhecia e confesso que não gostei dela, assim como ela não gostou de mim.

– Ela não era uma má pessoa, apenas orgulhosa. Isso aconteceu por ter sido criada assim. Nasceu em uma família muito rica e aprendeu que o dinheiro pode comprar tudo e todos.

– E não pode?

Josias sorriu:

– Pode até comprar coisas e pessoas, mas isso não significa que pode comprar a felicidade. Ela, embora tenha tido muito dinheiro, perdeu o filho e sua filha foi embora. Morreu sozinha. Só eu estava ao seu lado, e agora deve estar enfrentando a verdade.

– Que verdade?

– Que o dinheiro e a posição social são ilusões. Pois um dia, tanto ricos como pobres terão o mesmo destino, a morte, e perante Deus não existe diferença alguma. Não importa se ricos ou pobres, todos teremos de responder por nossas ações.

– Responder? Não entendo muito bem o que está falando, Josias...

– Não precisa entender isso agora, você é ainda muito jovem. Mas com o tempo, vai entender. Agora, me diz o motivo da sua tristeza, já que não é pela morte da sua avó.

– Quando cheguei, achei que morar aqui seria muito bom; mas agora, depois de conhecer essas pessoas, acho que não vai ser tão bom assim. Sinto que este não é o meu lugar. Eu e papai, por sermos negros, não fazemos parte deste mundo.

– Você não deve jamais se deixar abater por causa da sua cor de pele, ela nada representa. O que importa é você ser uma boa pessoa, sonhar e ir em busca dos seus sonhos. Precisa apenas entender que as pessoas estão curiosas em saber o que aconteceu com sua mãe, que desapareceu por tanto tempo. Não sabem o que aconteceu, por que ela fez isso. E durante todo esse tempo, imaginaram uma porção de coisas. Agora que ela voltou acompanhada do marido e do filho, que são negros, é natural que estejam comentando, curiosas, pois isso é algo que jamais imaginariam já que sua mãe, assim como sua avó, era uma pessoa muito orgulhosa.

– Não sei se quero ficar aqui. Quando vi esta casa fiquei espantado, pois ela é enorme e luxuosa. Mas depois que vi como as pessoas olham para mim e para meu pai, não sei não... Na minha cidade, embora não sejamos ricos, temos uma boa vida. Eu tenho muitos amigos na escola e no time de futebol, todos me conhecem e eu conheço a todos. Sei que agora, com a prisão dos meus pais, tudo vai mudar, mas mesmo assim já não sei se gostaria de morar aqui e conviver com essas pessoas. Custo a acreditar que minha mãe foi uma pessoa assim tão má como ela contou. Você conhece minha mãe desde que ela era pequena, ela foi mesmo tudo aquilo que contou e fez todas aquelas coisas ruins?

– Sim, conheço sua mãe há muito tempo, e ela foi exatamente da maneira como contou. Mas, assim como não podemos julgar ou condenar ninguém, também não podemos condenar sua mãe. Ela foi criada de uma maneira diferente daquela que está criando você. Acredito que todos nós estamos no lugar e com as pessoas que precisamos para o nosso aprendizado. Sua mãe teve uma educação rígida, com muitas regras, as quais precisou seguir e aceitar; mas, quando percebeu que estava tudo errado, mudou completamente e hoje é a mulher que você conhece e que ama muito a você e ao seu pai. Todos nós podemos, a qualquer momento, mudar nossa vida tanto para o bem como para o mal.

– Está dizendo que minha mãe está perdoada pelo que fez?

– Ela, assim como todos nós, é criação de Deus. Ele é um pai amoroso que perdoa sempre e nos dá todas as chances para repararmos nossos erros; porém, também é justo. Agora sua mãe teve a chance de se redimir e aproveitou. Está ajudando a cuidar de muitas crianças, tentando dar a elas um futuro melhor e mais tranquilo. É uma ótima mãe e esposa, mas terá, de alguma maneira, que resgatar o que fez.

– Como ela pode fazer isso? Os três já morreram!

– Não se preocupe com isso. Você é ainda muito jovem para entender. Com o passar do tempo, tudo vai se ajeitar. Agora, tem de ficar ao lado de seus pais, pois precisam provar a inocência disso que foram acusados para, depois, continuarem a vida. Por mais que estejamos passando por um momento ruim, a vida não para e precisamos seguir em frente, caminhar ao seu lado. Por mais que vocês estejam tristes e abalados por tudo o que está acontecendo, muitos momentos bons estão chegando. Falando em chegar, olhe quem está vindo para cá.

Carlos olhou para onde Josias olhava e sorriu. Roberto se aproximou, colocou o braço sobre o ombro de Carlos e deu um beijo em seu rosto:

– Ainda bem que eu encontrei você, meu filho. Quando vi que não estava na sala, fiquei preocupado.

– Não aguentei mais ficar lá dentro, pai, com aquele cheiro de vela, de flores e as paredes cobertas de roxo. E também as pessoas cochichando e olhando pra mim e para o senhor daquele jeito...

Roberto olhou para Josias, que sorriu. Depois disse:

– Estamos aqui por causa da sua mãe, Carlos. Daqui a pouco vai acontecer o enterro e poderemos voltar para casa e continuar a nossa vida como sempre foi.

– Não podemos continuar a nossa vida como era, papai! Tudo mudou!

– Sei disso, meu filho, mas tenho fé em Deus que tudo vai ficar bem. Agora, continue aqui conversando com Josias, não precisa entrar mais. Vou porque preciso ficar ao lado da sua mãe, mas daqui a pouco tudo isso vai terminar.

Beijou o rosto do filho e se dirigiu à casa.

Lá dentro, Selma estava com os olhos fundos, vermelhos e exausta. Enquanto as pessoas passavam pelo caixão e conversavam, ela pensava:

Sei que todos nós vamos morrer, mas a morte sempre é triste, mamãe. Eu estou sofrendo muito por tudo o que fiz e, mais ainda, por não termos conversado. Sei que culpei a senhora por aquilo que me tornei, mas sei também que isso não é verdade. Eu gostava de ser como era, gostava de humilhar as pessoas e comprar o que quisesse com o meu dinheiro. Hoje sei que estava errada, por isso tenho feito tudo o que posso para ser uma pessoa diferente daquela que fui. Sei que hoje não sou mais daquela maneira.

Roberto aproximou-se dela e ficou ao seu lado, enquanto as pessoas continuavam conversando e olhando para eles.

Algum tempo depois, José Luiz se aproximou e, colocando a mão sobre os ombros de Selma e de Roberto, disse:

– Está na hora de fecharmos o caixão. Vocês podem se despedir.

Selma olhou para o rosto da mãe e, chorando, pensou:

Mamãe, não sei o que acontece depois da morte, nem sei onde a senhora está agora. Desejo que esteja em um bom lugar e só peço que me perdoe.

As outras pessoas também se aproximaram, olharam, choraram e foram saindo. O caixão foi fechado e levado para fora da casa. Depois de colocado no carro funerário saiu e foi acompanhado pelos demais. Selma, Roberto e Carlos foram no carro da família.

Depois do enterro, voltaram para a casa. Selma, ainda muito abatida, disse:

– Está tudo terminado. Podemos voltar para nossa casa.

– Não precisam fazer isso hoje, Selma. Podem ir amanhã pela manhã.

Selma olhou para José Luiz, que chegou logo depois dela e, sorrindo tristemente, disse:

– Não adianta ficarmos aqui, José Luiz. Precisamos voltar para nossa casa, e eu preciso estar lá para poder pensar em toda a minha vida, naquilo que poderá acontecer e o que eu posso fazer.

– Está bem, já que deseja assim... Mas terá de voltar, pois esta casa e todos os bens da sua família agora pertencem a você.

– Sei disso, mas hoje não quero nem posso pensar a esse respeito. Primeiro, precisamos provar a nossa inocência, depois pensarei nisso. Enquanto eu não puder voltar para resolver o que fazer, por favor, cuide da casa e de tudo.

– Está bem. Já que deseja assim, que seja feito. Não se preocupe com o processo. Hoje, pela manhã, antes de vir para cá fui até o meu escritório, contei o que está acontecendo e já começaram a investigação. Flora está muito interessada em provar a inocência de vocês e vai ficar ao meu lado, tentando descobrir o que aconteceu.

– Flora, José Luiz?

– Sim, Selma. Ela está muito preocupada com tudo isso que aconteceu e o fato de você achar que ela pode estar por trás de tudo.

– E você acredita que ela não está, José Luiz? Só pode ter sido ela, ninguém mais.

– Mas ela insiste que não tem participação nenhuma nisso.

– Está bem, José Luiz. Faça o que achar melhor. Confio em você.

– Obrigada, Selma. Pode confiar que, se depender de mim, tudo vai ser esclarecido.

Carlos e Roberto apenas acompanhavam a conversa.

Estavam conversando, quando uma empregada da casa entrou na sala onde estavam:

– A mesa do lanche está servida.

Olharam-se, levantaram-se e foram para a sala ao lado. Sentaram-se e tomaram o lanche.

Quando terminaram, Selma, olhando para Carlos, disse:

– Vá até o quarto e pegue sua bagagem. Eu e seu pai vamos fazer o mesmo. Precisamos ir embora.

José Luiz levantou-se e, colocando a mão sobre a aba do chapéu, sorriu:

– Também estou indo embora, Josias irá levar vocês. Fiquem tranquilos que, assim que eu tiver alguma notícia, eu comunico. Assim que chegarem lá, não se esqueçam de se apresentarem ao delegado para que ele comunique ao juiz que voltaram.

– Não esqueceremos. Até mais, José Luiz. Tenho certeza de que estamos em boas mãos.

Ele sorriu e foi embora.

Assim que ele saiu, foram para os quartos e pegaram as malas. Antes de sair, Selma olhou para aquele quarto que trazia tanta recordação.

Desceram e, quando chegaram à sala, Josias já os esperava. Pegou as maletas e todos foram para fora da casa onde, na porta, o carro já os aguardava com as portas abertas. Entraram, ele ligou o carro e saiu.

Quando chegaram já era noite. Assim que entraram, Carlos foi para seu quarto e Selma, voltando-se para Josias, disse:

– Já está tarde, Josias. Não quer passar a noite aqui e voltar amanhã pela manhã?

– Obrigado, Selma, mas não precisa. Não é tão longe assim.

– Obrigada por tudo, Josias. – Selma disse, sorrindo.

Ele sorriu, apertou a mão de Selma e de Roberto e saiu.

Assim que Josias saiu, Selma olhou para Roberto e, notando que ele estava preocupado, perguntou:

– O que está acontecendo, Roberto?

– Carlos não está bem.

– Por quê? O que ele tem?

Ele contou o que havia conversado com Carlos e terminou dizendo:

– Hoje ele sentiu, pela primeira vez, o preconceito e não está lidando bem com isso.

– Embora devia saber que isso aconteceria, eu não notei, Roberto! Como pude não notar?

– Você estava envolvida em muita dor. Também não conversei com ele, mas agora precisamos conversar. Eu já passei por muitas situações parecidas e hoje já consigo me proteger do sofrimento, mas ele é muito jovem, Selma.

– Vou conversar com ele. Quer vir comigo?

– Sim, acho que devo.

Foram ao quarto de Carlos. Ele estava deitado de costas olhando para o teto. Assim que entraram, Selma perguntou:

– Está tudo bem, Carlos?

Ele olhou para eles e, deixando que lágrimas caíssem de seus olhos, respondeu:

– Não, mamãe, não está nada bem.

– Por que, meu filho?

– Quando vi a casa onde a senhora morou e soube que era rica fiquei muito feliz e empolgado, mas hoje eu me senti muito mal vendo as pessoas conversarem baixinho e olharem para mim e para o papai de um jeito como se a gente estivesse em um zoológico.

Selma olhou para Roberto que, acenando com a cabeça, confirmou.

– Elas olharam daquela maneira, mas não foi por vocês, Carlos. Elas não me viam há muito tempo e se admiraram por eu estar casada e tão diferente daquela que conheciam.

– Josias me falou isso, mas mesmo assim fiquei mal e não quero voltar nunca mais àquela casa...

– Não se preocupe com isso, filho. Não vamos voltar lá. Temos uma vida diferente de tudo aquilo. Sempre vivemos aqui felizes e vamos continuar a ser.

– Como, mamãe? A senhora e o papai podem ser presos e não sei o que vai acontecer comigo!

– Vamos provar a nossa inocência e nada de ruim vai acontecer com você. Agora, vamos dormir. Estamos cansados por tudo o que aconteceu. Amanhã será outro dia. – Beijou sua testa e o cobriu com um cobertor.

Carlos sorriu. Selma e Roberto também e saíram do quarto. De volta à sala, Selma, olhando com carinho para o marido, disse:

– Vou também tentar dormir, Roberto. Sei que vai ser difícil, pois muita coisa aconteceu. Ainda não aceitei que minha mãe não está mais aqui e que ela morreu sem que eu pudesse dizer tudo o que sentia e pedir perdão. Isso é o que mais me faz sofrer. Como diz aquele ditado: "Não deixe para amanhã o que pode fazer hoje".

Foram para o quarto, deitaram e dormiram abraçados.

No dia seguinte, após tomarem o café da manhã e enquanto Carlos ia para a escola, Selma e Roberto foram para a delegacia.

Enquanto caminhavam, perceberam que as pessoas conversavam e olhavam para eles. Sabiam que os estavam julgando e acusando.

– Estão falando de nós, Selma.

– Estão, sim, mas não podemos nos deixar envolver. Esta é uma cidade pequena onde todos se conhecem e o que aconteceu certamente provocou curiosidade, mas quando provarmos a nossa inocência tudo isso vai passar.

– Tomara que sim, Selma.

Entraram na delegacia e depois de se apresentarem ao delegado voltaram para casa.

Ficaram ali sem ter muito o que fazer. Estavam acostumados a trabalhar e, agora, precisavam ficar em casa, pois não tinham para onde ir. Selma arrumou a casa enquanto Roberto a ajudou a preparar o almoço.

Na hora do almoço, Carlos, nervoso, entrou em casa. Seu rosto e seus olhos estavam vermelhos.

Selma e Roberto se admiraram, pois o filho sempre chegava alegre e brincando.

– O que aconteceu, Carlos? Por que está tão nervoso?

– Não estou nervoso, mamãe! Estou é com muita raiva!

– Por que, o que aconteceu para que fique assim?

– Antes de tudo isso acontecer, eu tinha muitos amigos, tinha com quem conversar na escola. Hoje, todos me ignoraram e se negaram a conversar comigo! Tentei falar com eles, mas foi impossível; quando eu perguntava alguma coisa, simplesmente se afastavam sem responder! Até alguns professores que sempre me elogiaram e trataram bem também me ignoraram! Não quero mais ir à escola! Não entendo por que estão fazendo isso! Eles eram meus amigos!

Selma olhou para Roberto, que abraçou o menino:

– Não fique assim, filho. É muito dolorido quando somos injustiçados e descobrimos que não temos amigos. Esses que se negaram a falar com você não são e nunca foram seus amigos. Embora você esteja sofrendo muito, é hora de aprender alguma coisa. Os verdadeiros amigos não são aqueles que estão ao nosso lado apenas quando está tudo bem. Os verdadeiros amigos são aqueles que, nas horas difíceis, estão ao nosso lado e não nos abandonam nunca.

– É verdade, meu filho. Você, infelizmente, está pagando por algo que não fez e que as pessoas julgam que eu e seu pai tenhamos feito. Porém, tudo isso vai ser esclarecido e todos eles terão de pedir desculpas a você que, ao contrário do que disse, precisa ir à escola e mostrar que está bem e nada disso pode te atingir. Agora, vá lavar suas mãos e vamos almoçar. Depois, você vai ao treino.

– Não vou, mamãe! Não posso ir! Os meus amigos do basquete também vão fazer a mesma coisa, me ignorar. Não quero ir, não quero!

Dizendo isso, começou a chorar desesperado. Roberto olhou para Selma, que abraçou o filho:

– Está bem, Carlos, é tudo muito recente. Se acha que não tem condições, hoje não precisa ir. Agora, vamos almoçar.

Carlos parou de chorar e foi ao banheiro. Voltou em seguida e começaram a comer.

Ao terminarem, Carlos já estava indo para o seu quarto quando ouviram a campainha tocar. Olharam-se. Roberto foi até a porta. Assim que abriu, ouviu:

– Boa tarde, seu Roberto. Carlos já está pronto para ir ao treino?

Roberto voltou-se para Carlos e Selma, que olhavam para ele ao ouvir o que Vaguinho, amigo de Carlos, perguntava.

– Depois, voltando-se novamente para Vaguinho, sorriu. Ainda é cedo para o treino, Vaguinho.

– Não é não, seu Roberto! O campeonato está chegando e o professor disse que a gente precisa treinar mais tempo. Marcou para a uma e meia, já estamos atrasados!

– Carlos não quer ir ao treino e nem à escola. Entre, Vaguinho, talvez você o convença.

Vaguinho, nervoso, entrou. Carlos, ao lado da mãe, ficou olhando para ele que perguntou:

– Por que você não quer ir à escola, Carlos, o que aconteceu?

– Você não viu o que fizeram comigo hoje, lá na escola? Até alguns professores?

– Eu vi que você estava isolado e até tentei conversar, mas você ficou calado o tempo todo.

– Não, Vaguinho! Ninguém quis conversar comigo! Tentei falar com alguns, mas me evitaram! Todos, mesmo sem saber se meus pais são culpados, me acusam também!

– Mas não foi isso o que eu vi, Carlos. Foi você quem ficou calado no canto. Deixe disso, pode ser que um ou outro esteja pensando assim, mas a maioria de nós é seu amigo. Você é um dos melhores jogadores, deixa disso e vamos treinar!

Carlos olhou para os pais que também o olhavam e sorriam.

– Vá, meu filho. Não somos culpados, mas, mesmo que fôssemos, você não teria culpa alguma. Vá treinar e ajude a levar seu time ao sucesso!

– Está bem, mamãe. Eu vou.

Carlos foi ao seu quarto, pegou a mochila onde levava a roupa que usava para jogar, e os dois saíram conversando.

– Agora acho que ele está bem, Selma.

– Está, sim. Agora só nos resta esperar que José Luiz traga alguma notícia boa.

Depressão

Fazia uma semana que Selma e Roberto estavam em casa. Carlos estava bem, pois, embora pensasse que seus amigos o repudiariam, isso não aconteceu. Roberto estava preocupado com Selma, que não saía do quarto, passava o tempo todo deitada, chorando, e quase não comia.

Preparou uma bandeja com café da manhã e foi até o quarto. Selma estava deitada, coberta e toda encolhida, com o rosto inchado de tanto chorar.

– Você precisa se levantar e reagir, Selma. Não pode continuar dessa maneira.

Selma sentou-se sobre a cama.

– Estou bem, Roberto, mas sem vontade de fazer coisa alguma. Acho que a vida não tem mais sentido. Para que trabalhar tanto se, de repente, assim como aconteceu com minha mãe, todos vamos morrer?

– Não podemos pensar assim, Selma. A vida é boa e uma bênção de Deus. Precisamos aproveitar todos os momentos dela.

– Para que, Roberto? Qual é a finalidade da vida? Eu sempre fui egoísta, má e orgulhosa. Usei as pessoas e pratiquei aquele ato horrível. Entendi isso e tentei me regenerar. Estava com a vida perfeita ao seu lado e de Carlos. De repente, tudo mudou. Embora sejamos inocentes, corremos o risco de ser presos. Não fui julgada, processada nem presa por algo que realmente fiz, e agora que sou inocente estou aqui sem saber o que vai acontecer com nossas vidas. Quando tive a oportunidade de conversar com minha mãe, de pedir perdão e ser perdoada, ela morre da maneira que morreu e não tive essa chance!

– Em alguma coisa que está dizendo você tem razão, mas a vida tem muitas coisas boas.

– Como o que, Roberto?

– O dia em que nos conhecemos, nosso amor, o nascimento de Carlos, os momentos felizes que tivemos ao seu lado enquanto crescia, e hoje, ao ver que ele está se tornando uma pessoa boa. Sei que estamos passando por um momento muito ruim, mas estou me lembrando agora do que minha tia sempre dizia: "Não há bem que não se acabe nem mal que não termine". Tudo isso vai passar, Selma. Vamos conseguir provar a nossa inocência e seremos felizes novamente.

– Como posso ser feliz sabendo que minha mãe morreu me odiando?

– Isso você nunca vai saber, até que chegue o dia em que vai reencontrá-la.

– Onde ela está, Roberto? Nunca me interessei por religião alguma. Não precisava, tinha tudo o que sempre desejei, mas agora não sei se ela está no céu, no inferno ou no limbo. Preciso muito saber onde ela está e como.

Péricles, que estava ali ao lado de Mario Augusto, sorriu e estendeu as mãos sobre Roberto, que falou:

– Também não sei, mas acredito que Deus, como todos os pais, não quer nosso sofrimento. Não acredito que exista inferno. Não sei, mas acho que ninguém é ruim o suficiente para ter um castigo eterno. Pode existir algo como o limbo, talvez, pois seria um tempo para que as pessoas possam refletir sobre o que fizeram com suas vidas.

– De onde tirou tudo isso que está falando, Roberto? Não achei que fosse religioso.

– Não sou religioso, Selma. Vou à igreja em algumas ocasiões, mas não sou praticante. Contudo, penso muito a respeito da vida e o que acontecerá depois da minha morte. Também não sei por que estou dizendo essas coisas, mas senti vontade de falar e falei. Você precisa reagir e esperar o dia em que tudo isso será esclarecido. Está muito tempo sem ter o que fazer. Vá até o orfanato, converse com Marília e volte a trabalhar pelas crianças. Assim, teremos mais tranquilidade para esperar que tudo isso termine.

– Não posso fazer isso, Roberto. Não sabemos quanto tempo vai demorar para provarmos nossa inocência. José Luiz, desde o enterro, não deu mais notícias. Enquanto tudo não for esclarecido, Marília jamais voltará a confiar em mim.

– Não penso assim, Selma. Marília foi à delegacia e ao enterro de sua mãe. Ela acredita na nossa inocência. Imagino que esteja sentindo sua falta, e as crianças também.

Selma começou a chorar:

– Não posso fazer isso, Roberto. Não posso colocá-la em uma situação constrangedora.

A campainha tocou. Selma e Roberto se olharam, ele se levantou e foi abrir a porta. Ao abrir, teve uma surpresa:

– Marília?

– Bom dia, Roberto. Preciso conversar com Selma. Ela está?

– Está, sim. Entre por favor.

Marília entrou. Roberto apontou para o quarto. Marília entendeu e foi ao encontro de Selma.

– Bom dia, Selma. Como você está?

Selma, constrangida pela situação em que se encontrava, com as mãos secou os olhos e tentou sorrir:

– Bom dia, Marília. Estou bem. Um pouco triste com tudo que aconteceu, mas estou bem.

Marília olhou para a janela, que estava fechada, fazendo com que o quarto ficasse escuro. Sem nada dizer foi até ela e a abriu.

– Já são quase dez horas, Selma, e ainda está na cama? Não deve estar bem, não!

– Realmente não sinto vontade alguma de me levantar. Não tenho o que fazer. Aqui, na cama, posso pensar com mais facilidade em tudo o que aconteceu. Posso chorar por minha mãe e pedir, mil vezes, que ela me perdoe.

Enquanto ia até o guarda-roupa e abria as portas, sorrindo, Marília disse:

– De acordo com aquilo que acredito, sua mãe deve estar enfrentando suas verdades e refletindo sobre o que fez com sua vida. O tempo dela aqui terminou, mas você precisa continuar, tem muito a fazer.

– Não consigo entender e aceitar isso, Marília. Não consigo, também, me perdoar por ela ter morrido me odiando e sem que eu tivesse tempo de pedir perdão.

– Entendo isso, mas não é ficando deitada e deprimida que vai consertar tudo isso. Precisa retomar sua vida, continuar de onde parou. As diferenças que existiram entre você e sua mãe um dia serão explicadas, mas não vai ser agora. Qual vestido você quer usar?

Nervosa, Selma levantou-se e em pé, olhando nos olhos de Marília, gritou:

– Não quero vestido algum! Preciso saber onde ela está e como! Durante toda minha vida culpei minha mãe por aquilo que tinha me tornado e feito, e hoje sei que a única culpada fui eu! Preciso dizer isso a ela!

– Fico feliz em ver que você reconhece isso, mas não é chorando o dia todo que vai resolver isso.

– Não tenho outra coisa a fazer, Marília!

– Tem sim. Eu estou sentindo muita falta de você, e mais ainda as crianças. Elas estão ansiosas esperando sua volta.

– Não posso voltar ao orfanato, Marília. Tenho vergonha de tudo o que aconteceu...

– Não tem que ter vergonha alguma. Eu acredito na sua inocência e, para mim, isso já basta. Precisa voltar para continuar ajudando as crianças e a mim na construção da nova ala.

Roberto interveio:

– Marília tem razão, Selma. Era sobre isso que estávamos conversando. Não pode continuar assim. Precisa reagir e dar tempo ao tempo. Eu, embora também esteja sendo acusado, estou tranquilo, pois sei que sou inocente. Levante-se e acompanhe Marília. – Disse, emocionado, abraçando Selma.

Selma, soluçando, se abraçou a ele e, por trás de seu ombro, sorriu para Marília, que correspondeu ao sorriso.

– Pensando bem, acho que vocês têm razão. Sou inocente e as crianças precisam de mim. Como você disse, Marília, um dia vou reencontrar minha mãe e tudo será esclarecido.

Dizendo isso, pegou um vestido no armário, tomou um banho e saiu feliz ao lado de Marília que, olhando para Roberto, também sorriu.

Ele beijou Selma na testa.

– Vá com Deus, minha querida. Não temos do que nos envergonhar.

Enquanto caminhavam, Marília e Selma conversavam:

– Estou preocupada, Marília.

– Por quê?

– Até agora, José Luiz não deu notícia alguma. Ele disse que ia tentar descobrir o que havia acontecido, pelo visto não está conseguindo.

Tudo o que aconteceu foi bem planejado, Selma, por isso deve ser difícil descobrir alguma pista, mas acredito que ele vai conseguir.

– Será, Marília?

– Claro que sim. E, também, não adianta você ficar tão ansiosa. Tudo tem um tempo para acontecer e a ansiedade e o sofrimento não vão acelerar. Tenha fé e entregue nas mãos de Deus.

– Você está sempre calma, Marília. Parece que nada a atinge.

– Aprendi com a vida, Selma. Quando as coisas não estão bem, e não acontecem da maneira que queremos, não adianta reclamar nem chorar. Precisamos tentar resolver; mas se não conseguirmos, só nos resta ter fé e esperar.

– Ouvindo você falar, Marília, parece que tudo é simples.

– E na verdade é, Selma, somos nós quem complicamos. – Disse rindo.

Quando chegaram em frente ao portão do orfanato, Selma parou:

– O que foi, Selma? Vamos entrar.

– Espere, Marília, preciso me preparar.

– Preparar para quê?

– Não sei como as crianças vão me receber...

Sem nada dizer, Marília abriu o portão e fez com que Selma entrasse. Assim que entraram e as crianças viram Selma, correram em sua direção e a abraçaram com tanta força que ela perdeu o equilíbrio e sentou-se no chão. As crianças, rindo muito, felizes, a abraçaram e beijaram por muito tempo. Selma, chorando, correspondia aos abraços, beijos e felicidade.

Marília, emocionada, olhou para aquela cena, que jamais seria esquecida. E sem que fosse dita sequer uma palavra, e nem havia necessidade, pois o amor que aquelas crianças sentiam por Selma era imenso. O mesmo acontecia com Selma, que amava profundamente aquelas crianças que a haviam salvado do desespero e da depressão.

Rita, ao ouvir a gritaria, saiu da sala, e ao ver Selma também se emocionou:

– Seja bem-vinda, Selma! Todos nós, e principalmente as crianças, estávamos sentindo sua falta.

– Obrigada, Rita. Também estava sentindo muita falta de vocês.

Após os abraços, Selma se reuniu com as crianças no galpão e conversou com elas a respeito da próxima exposição e de todo o trabalho que teriam pela frente. Não só Marília, mas Péricles e Mario Augusto também acompanhavam o que acontecia e sorriam.

– Selma não imagina o quanto conseguiu se redimir com esse trabalho com as crianças, Mario Augusto. O amor ao próximo e a doação é sempre um ótimo remédio para tudo.

– Está dizendo que com esse trabalho ela está totalmente perdoada?

– Totalmente não, Mario Augusto. Todos vocês terão de renascer juntos e cada um deve fazer a sua parte para que haja uma reconciliação completa; mas Selma terá aprendido, nesta encarnação, valores que levará para sempre. Ela terá condições de reunir todos vocês e tentar promover a reconciliação, através do perdão exercido por vocês.

– Como isso pode acontecer, Péricles?

– Vocês terão de encontrar um caminho, mas talvez Selma renasça como mãe de uma grande família. A mãe sempre tem sobre os filhos um certo poder de persuasão e o mais importante é o exemplo.

– Entendo e é verdade. Minha mãe conseguiu que nós, seus filhos, fizéssemos tudo o que ela queria...

– Infelizmente, sua mãe, com seu exemplo, não os ajudou muito. Porém, todos terão novas chances.

– O que vai acontecer agora, Péricles? Selma encontrou seu caminho e todos nós retornamos?

– Todos não, Mario Augusto. Ainda faltam muitos que você, nessa encarnação, não conheceu, mas que sempre estiveram juntos.

– Ainda vou reconhecer?

– Vai, sim, pois, para que possam reencarnar todos deverão ter voltado e isso ainda levará alguns anos da Terra.

Selma estava tão entretida com as crianças que nem viu a hora passar. Olhou para o relógio e para Marília:

– Nossa, está na hora de fazer o almoço.

Despediu-se e, tranquila, saiu. Quando chegou à rua em que morava, viu, à distância, o carro de José Luiz parado em frente à sua casa. Curiosa, apressou o passo. Assim que entrou em casa, encontrou José Luiz e Roberto que conversavam na cozinha. Feliz e curiosa, foi até eles.

– Bom dia, José Luiz! Que bom ver você por aqui! – Disse, beijando seu rosto. Tem alguma novidade sobre nosso caso?

– Bom dia, Selma. Infelizmente, ainda não, mas temos outro assunto para conversar.

– Antes, porém, vamos almoçar. Quando José Luiz chegou, contei a ele que você estava no orfanato e o convidei para o almoço. Estou terminando de preparar.

– Esse meu marido vale ouro, não é José Luiz? Eu não me canso de dizer que não o merecia!

– Não fale assim, Selma, a palavra tem força. Vai que um anjo esteja passando por aqui e pense: "Acho que escolhi a Selma errada, vamos trocar o marido dela" – José Luiz disse, rindo.

– Nem pensar! Sendo assim, vou repetir mil vezes que mereço esse marido sim! – Ela, beijando Roberto no rosto, disse também rindo.

Logo depois, Carlos chegou da escola. Estava feliz:

– Papai, mamãe, fui escalado para o campeonato estadual!

– Que bom, meu filho! Sempre soube que você seria um grande esportista! Lembra-se de José Luiz?

– Claro que sim, mamãe. Disse, estendendo a mão que José Luiz apertou. Em seguida, foi para seu quarto e voltou logo depois, pronto para almoçar.

Enquanto Roberto terminava de preparar a carne, Selma começou a lavar a alface que seria servida. José Luiz ficou olhando a desenvoltura dela na cozinha:

– Nunca pensei que um dia eu a veria assim, uma dona de casa, Selma.

Ela, que estava de costas para ele, voltou-se rindo:

– Há alguns anos, nem eu me imaginaria, José Luiz. Quem me ensinou a cuidar da casa e a cozinhar foi Etelvina. Ela teve muita paciência comigo. – Disse, rindo.

– Parece que fez um bom trabalho...

Depois de lavar e temperar a salada, Selma preparou a mesa e todos se sentaram. Comeram tranquilos e pouco falaram. Quando terminaram, Carlos foi para seu quarto. Precisava fazer a lição de casa e voltar para o treino.

Selma, Roberto e José Luiz foram para a sala e, enquanto tomavam café, José Luiz falou:

– Bem, estou aqui para falar sobre os bens de sua família, Selma.

– Eu já disse a você que não quero nada do que pertenceu à minha família, José Luiz. O que nos importa, mesmo, é saber se você conseguiu descobrir alguma coisa sobre as mentiras a nosso respeito.

– Sei que não se importa, mas precisa tomar conhecimento de como estão as coisas, Selma. Quanto à investigação, estamos perto de saber alguma coisa, mas levará ainda algum tempo.

– Está bem, mas, antes de começar, quero que tudo o que me pertence seja doado para instituições de caridade. Quero, também, que uma importância seja doada ao orfanato.

– Como viverão? Roberto está sem emprego, Selma.

– Aquele dinheiro só me trouxe tristeza e me fez cometer erros terríveis, não precisamos dele. Roberto encontrará um novo emprego, ele é competente no que faz e, se precisar, vou procurar um trabalho. Etelvina me ensinou a costurar. O que precisamos, mesmo, é da nossa liberdade.

– Desculpe-me, Selma, mas o dinheiro não pode ser responsabilizado pelos nossos atos. Ele é necessário para que possamos viver, mas o que fazemos com ele só depende da nossa própria atitude.

– Sei que tem razão. Mesmo assim não quero ter mais do que preciso, José Luiz.

– Ainda bem que pensa assim.

– Por que está dizendo isso?

– Simplesmente porque não sobrou coisa alguma da fortuna de seus pais.

– O quê? — Selma perguntou nervosa.

– Estive olhando os documentos que seu pai e depois sua mãe guardava no escritório e constatei que não há mais bem algum, nem mesmo as joias. Tudo o que ela usava não passava de bijuteria.

– Como isso pode ter acontecido?

– Seu pai morreu em casa, onde o médico atestou que foi por causa de uma doença no pulmão. Como ele não tinha conhecimento de onde você estava, atestou que não deixava filhos, portanto sua mãe seria a única herdeira. Ele não se importou, pois sempre tem um prazo para que possa ser sanada qualquer possível omissão do atestado de óbito. Quando Josias entregou o atestado para sua mãe, ele a alertou sobre isso, mas como ela acreditava que, por você ter desaparecido depois da morte de Mario Augusto, fosse a única culpada pela morte de seu pai, omitiu a sua existência e, por isso, tudo ficou só no nome dela. Assim, com isso, poderia vender ou fazer o que quisesse com os bens da família.

– Ela omitiu a minha existência?

– Sim. Acreditava que seu pai havia morrido de tristeza por ter perdido você e seu irmão.

– Não pode ser, José Luiz! Meu pai não morreu por minha culpa...

– Não importa o que você ou eu possamos pensar. O que importa é o que ela pensava.

– Como ela conseguiu acabar com tudo, José Luiz?

– Duas ou três vezes por semana, ela saía de casa usando um táxi para evitar que Josias descobrisse aonde ela iria.

– E para onde ela ia?

– A uma casa de jogos, e lá perdeu tudo. Inclusive a mansão foi vendida há um mês atrás. Só restou o carro e uma pequena quantia, que poderá ser usada para indenizar os empregados, e um pequeno apartamento para onde ela se mudaria.

– Minha mãe perdeu tudo no jogo?

– Pode parecer impossível, mas foi o que aconteceu. Não restou coisa alguma. Não há dinheiro, joias ou propriedades.

– Não consigo acreditar nisso, José Luiz! Tudo isso pelo ódio que sentia de mim?

– Infelizmente, sim.

– Foi por isso que, na delegacia, disse que me tiraria do testamento. Não tinha coisa alguma para me dar!

– Se você quiser, poderá contestar o testamento. Basta entrarmos com uma ação.

– Não vou contestar coisa alguma, José Luiz. Eu já havia dito que não queria coisa alguma.

– Pode tomar posse do apartamento. Ele é seu.

– Não preciso. Temos esta casa, que é nossa. Roberto vai encontrar um novo emprego e, depois de provarmos a nossa inocência, tudo voltará a ser como antes. Quanto ao apartamento, quero que transfira a escritura para Josias. Ele merece, sempre foi um ótimo funcionário e amigo.

– Tem certeza de que quer isso mesmo, Selma?

– Sim, José Luiz. Por favor, providencie tudo. Agora sei que não tenho como pagar seu trabalho, mas prometo que, assim que tudo se resolver, pagarei tudo.

– Não se preocupe com isso, Selma. Sabe que não preciso de dinheiro. Somos amigos e isso para mim é o que importa.

– Sei que não precisa, mas é o seu trabalho. Estudou muito para chegar a ser o bom advogado que é, não posso deixar de reconhecer isso.

– Está bem, vamos deixar para falar a respeito depois que tudo estiver resolvido na sua vida.

Selma olhou para Roberto que, assim como ela, estava atônito com aquela revelação:

– Você consegue entender o que ela fez, Roberto?

– É difícil entender, mas nos resta refletir até onde o ódio pode nos levar, Selma.

– Agora preciso ir embora. Antes, porém, vou passar na delegacia. Preciso conseguir alguns dados e endereços. – José Luiz disse, levantando-se e estendendo a mão para Roberto, que a apertou. Em seguida, voltou-se para Selma, que o abraçou:

– Obrigada por tudo, meu amigo.

Ele sorriu e abraçou-a também.

– A próxima vez que voltar aqui será para dizer que vocês estão livres!

– Tomara Deus!

Eles o acompanharam até o carro. Ele entrou e, sorrindo, ligou o motor e partiu.

Péricles e Mario Augusto estavam ali e acompanharam toda a conversa:

– Não acredito que minha mãe tenha feito isso, Péricles! Será que foi somente o ódio que a motivou?

– Não foi só esse o motivo, Mario Augusto. Sua mãe teve uma vida de luxo e poder, quando você e seu pai morreram, e Selma desapareceu, ela se deu conta de que apesar de todo o dinheiro e poder ficou sozinha, e isso a levou ao desespero. Ela então começou a culpar o dinheiro pelo seu fracasso, quando, na realidade, ele nunca foi o problema. Nascer com ou conseguir dinheiro não significa falta de humanidade nem desculpa para que outras pessoas sejam humilhadas. Todos precisam de dinheiro para poder sobreviver e seguir sua jornada. Ele pode facilitar, mas se não for bem usado pode ser o motivo de muitas quedas. Ele é importante, mas não deve ser colocado sobre o amor e a caridade. Não querendo admitir que havia sido culpada, resolveu culpar Selma; por isso, quando a reencontrou, essa magoa fez com que a afastasse de sua vida.

– O que vai acontecer com minha mãe, Péricles?

– Neste momento, ela está tendo a chance de rever sua vida e de entender onde fracassou.

– Deve estar desesperada. Posso ficar ao lado dela?

– Logo mais, iremos ter com ela. Mas não se preocupe, ela, mesmo sem saber, está sendo assistida. Por enquanto, vamos continuar ao lado de Selma e de Roberto, tentando ajudá-los de alguma maneira e fazendo tudo o que pudermos e tivermos permissão, sem nunca invadir o livre-arbítrio de cada um.

Mario Augusto concordou com a cabeça.

Plano perfeito

Matilde não entendia o motivo, mas naquele dia estava sentindo uma energia que a incomodava. Estava assim pensando, quando Péricles chegou:

– Tudo bem com você, Matilde?

– Não, Péricles, não está tudo bem. Estou sentindo uma energia pesada.

– Por isso estou aqui. Sua mãe está passando por um momento muito difícil e precisa de nossa presença. Quer ir comigo?

– Claro que sim! É tudo o que mais desejo desde que cheguei aqui! O que está acontecendo com minha mãe?

– Logo saberá. Vamos nos encontrar com Mario Augusto. Ele também quer ir.

Mario Augusto chegou logo depois. Abraçaram-se e em seguida desapareceram. Chegaram a uma rua e uma casa que Matilde não conhecia. Do lado de fora, puderam ver que a casa estava toda envolvida por energias densas e com alguns espíritos que a cercavam enviando mais e mais dessas energias. Matilde e Mario Augusto se assustaram.

– Que lugar é este, Péricles?

– É onde sua mãe está morando.

– Minha mãe está morando aqui, por quê?

– Depois daquele dia em que tudo aquilo aconteceu, muita coisa mudou na vida de sua mãe. Ela entrou em uma depressão muito grande, foi afastada do trabalho e se mudou para esta casa, que pertence a sua tia.

– O que está acontecendo e por que só hoje permitiu que eu a visitasse?

– Tenha um pouco de paciência, logo mais saberá. Agora, precisamos fazer uma prece para podermos entrar nessa casa. Como viu, ela está muito bem protegida.

Em seguida, deram-se as mãos e Péricles fez uma prece. No mesmo instante formou-se como que um corredor de luz por onde eles puderam passar.

Entraram na casa. Mirtes estava deitada em um quarto escuro, chorando.

Matilde se aproximou e, também chorando, disse:

– Mamãe, o que aconteceu? Esta casa está envolvida com energias ruins que não podem fazer bem à senhora. – Voltando-se para Péricles, perguntou: – O que aconteceu com ela?

– Ela não está bem, e isso está atraindo as presenças pesadas que encontramos e que estão fazendo muito mal a todos os que moram aqui.

– Por que isso está acontecendo? Minha mãe sempre foi forte e lutadora...

– Até hoje, ela não aceitou o que aconteceu com você.

– Por que não permitiu que eu a visitasse, Péricles. A minha presença poderia ter ajudado.

– Ela nunca deixou de ter assistência. Você também não estava bem e, ao contrário do que está dizendo, sua presença poderia piorar ainda mais a situação.

– Então, por que me trouxe hoje?

– Por que agora você está bem e sua mãe vai precisar de muita ajuda. Por mais que pensemos que a verdade fica escondida, isso não acontece, pois, a qualquer momento, ela vem à tona.

– Não estou entendendo. Que verdade?

– Logo mais saberá. Por enquanto, vamos ficar aqui tentando impedir que essas energias tomem mais conta ainda da casa e das pessoas.

Enquanto isso, em casa, Flora e Esmeralda tomavam o café da manhã e conversavam.

– Estou preocupada, Esmeralda...

– Por que, Flora?

– José Luiz está procurando os culpados por tudo o que aconteceu com Selma, e até agora não conseguiu encontrar coisa alguma.

– Tem conversado com ele, Flora?

– Conversei ha três dias. Ele me disse que está seguindo uma pista e que assim que tiver certeza vai me avisar.

– Pensar que eu tinha certeza de que foi você quem fez tudo aquilo... – Esmeralda disse, rindo.

– Não culpo você por ter pensado isso. Durante muito tempo tenho vivido somente para poder me vingar de Selma. Sabia que ela era a culpada e não me conformava que estivesse livre. Fico pensando também em Esmeralda. Se não fui eu, quem teria sido? Para que as pessoas se envolvessem nessa armadilha foi preciso muito dinheiro. Não consigo pensar em ninguém que odiasse Selma e que tivesse dinheiro. Você desconfia de alguém?

– Não, Flora. Minha única suspeita era você.

– Não fui eu, Esmeralda, mas vamos descobrir. Tenho fé.

– Ainda bem que mudou de ideia.

– Verdade. Naquele dia em que vi o que Selma estava fazendo por aquelas crianças e a falta que faria a elas, resolvi esquecer a vingança. Mesmo por que, por mais que eu fizesse, não traria Arlete de volta.

– Graças a Deus que fez isso! Hoje você está diferente, até sua aparência mudou. Está com os olhos brilhantes como eram antes. Garanto que muita coisa boa vai acontecer em sua vida.

– E o que mais poderia acontecer em minha vida, Esmeralda? – Flora perguntou, rindo. Tenho tudo, e agora que mudei de ideia quanto a essa vingança, não tenho com que me preocupar.

– Pode ter tudo, mas não tem um amor, um companheiro para seguir ao seu lado.

– Está ouvindo o que está falando, Esmeralda?

– Claro que estou e não sei por que está rindo, Flora. Você é jovem, bonita e muito rica. Não é justo que continue sozinha.

– Jovem, bonita? Estou com quase quarenta anos!

– Que nada, está muito longe ainda. Por causa do que aconteceu, você deixou o tempo passar mergulhada no ódio. Esqueceu-se de como era bonita e feliz. Esqueceu-se até do amor que sentia por José Luiz.

– O que está falando, Esmeralda?

– Não entendo essa admiração. Sempre soube que você era apaixonada por ele.

– Aquilo que senti foi coisa de adolescente. Ele nunca se interessou por mim, sempre teve olhos somente para Selma.

– Verdade. Mas depois que tudo aconteceu e que Selma desapareceu, ele veio aqui muitas vezes, mas você sempre o afastou. Com toda aquela mágoa e ódio, não percebeu que ele estava interessado em você.

– Não sabe o que está dizendo, Esmeralda. José Luiz nunca gostou de mim, ele se casou logo depois.

– Casou-se, mas logo se separou. Eu sabia que aquele casamento não daria certo.

– Como poderia saber disso, Esmeralda?

– Aquela moça era muito diferente dele, que sempre foi reservado e tranquilo, enquanto ela gostava de sair muito e de ir a festas. Acho que ele também sentiu muito a perda de Mario Augusto. Conheciam-se desde crianças e foram amigos durante tantos anos.

– Isso é verdade. Todos nós sofremos muito.

– Verdade, mas agora tudo vai mudar. Você está pronta para iniciar uma nova vida. Vai comprar roupas novas, modernas, e vai frequentar festas da sociedade.

– Pare com isso, Esmeralda! Preciso pensar sobre isso, mas só farei quando Selma estiver livre de qualquer acusação. – começou a rir – meu Deus do céu, quando eu poderia imaginar que um dia estaria assim, preocupada com Selma?

– Ainda bem que Deus ouviu minhas orações, Flora.

Ouviram o telefone tocar e olharam-se surpresas. Logo depois, uma das empregadas da casa se aproximou:

– O doutor José Luiz está ao telefone e quer falar com a senhora, dona Flora.

– Ainda surpresa, Flora se levantou e caminhou até a sala onde estava o telefone:

– Alô. Bom dia, José Luiz! Você não vai morrer nunca!

– Bom dia, Flora. Por que está dizendo isso?

– Eu e Esmeralda estávamos falando sobre você.

– Espero que tenham falado coisas boas.

– Claro que sim. Falávamos sobre sua investigação no caso de Selma.

– É justamente por isso que estou telefonando.

– Tem alguma novidade?

– Sim. E, se você estiver livre, gostaria que fosse comigo a um lugar. Acredito que lá descobriremos o que aconteceu de verdade.

– Claro que estou livre! Estou ansiosa para que tudo seja esclarecido e termine.

– Daqui a meia hora está bem?

– Estarei esperando por você!

Flora desligou o telefone e, sorrindo, voltou para a sala de jantar onde Esmeralda estava:

– Ele disse que está perto de desvendar tudo, Esmeralda, e quer que eu vá junto!

– Graças a Deus, Flora. Sabe para onde ele vai levar você?

– Não, mas isso não importa. O que importa é desvendarmos esse mistério. Vou me arrumar, ele vem me buscar dentro de meia hora.

Dizendo isso, correndo subiu a escada que a levaria ao seu quarto. Esmeralda, feliz, ficou olhando para ela.

Meia hora depois, o carro de José Luiz parou em frente à casa de Flora. Alguns minutos depois ela apareceu. Ele, que estava em pé junto ao carro, beijou seu rosto e abriu a porta para que ela entrasse.

Assim que ela entrou, ele deu a volta e entrou também, e em seguida acelerou o carro e saíram.

– O que você descobriu, José Luiz?

– Outro dia, quando estava na cidade onde Selma está morando, fui até a delegacia e peguei com o delegado o endereço do pai de Margarete. Fui até lá, mas ele não mora mais no mesmo endereço. Fiquei um pouco perdido, mesmo assim continuei a investigação e, através dos vizinhos, cheguei a um provável endereço. É para lá que estamos indo, acredito que lá está a solução de tudo o que aconteceu.

– Será, José Luiz?

– Espero que sim.

Ansiosa, Flora ficou olhando a paisagem. Em alguns minutos, José Luiz pegou uma estrada que os levaria para a periferia da cidade. Logo depois, entraram em um bairro que parecia ser muito pobre. As casas eram pequenas, as ruas não tinham asfalto e uma água verde escorria pelos cantos. As casas não tinham muro, apenas cerca, na sua maioria feita de arame. Aquele era um lugar que Flora jamais imaginou existir.

Após perguntar para algumas pessoas que encontraram pelo caminho onde ficava a rua que procuravam, José Luiz parou o carro diante de uma casa:

– É esta casa, Flora. Fique aqui.

A casa era comprida, possuía um pequeno corredor, era rodeada por uma cerca com trepadeiras muito verdes e tinha um pequeno portão. José Luiz desceu, deu a volta pelo carro e bateu palmas diante do portão. Flora, assustada e angustiada, acompanhava o que ele fazia. Uma senhora apareceu:

– Boa tarde, senhora. Preciso falar com Margarete, ela está em casa?

A mulher, enquanto andava pelo corredor, perguntou:

– Ela está, sim, mas quem é o senhor?

– Sou amigo dela e precisamos conversar. A senhora poderia chamá-la?

Assim que a mulher se aproximou, olhou para o carro e, ao ver Flora, estremeceu e tentou voltar para a casa.

Flora ao ver o seu rosto não se conteve. Abriu a porta do carro e desceu:

– Dona Mirtes, a senhora mora aqui?

A senhora, assustada, quis retornar para dentro da casa, mas Flora a segurou pelo braço e continuou:

– Por favor, dona Mirtes, precisamos conversar...

– Não temos o que conversar e não imagino o que estejam fazendo aqui!

– Também não sei o motivo de estarmos aqui, mas já que estamos precisamos conversar. – Disse, olhando para José Luiz, que assim como ela parecia estar surpreso:

– Você conhece essa senhora, Flora?

– Sim, José Luiz. Ela trabalhava na cantina do colégio em que estudamos e também é mãe de Matilde.

Ao ouvir aquilo, surpreso, José Luiz perguntou:

– Mãe de Matilde?

– Sim, sou mãe de Matilde, aquela que vocês assassinaram e que, fazendo isso, destruíram a mim e a toda a família! – Falou, demonstrando com os olhos, a expressão e os gestos muito ódio. – Estou estranhando a presença de vocês aqui, já que durante todos esses anos nunca vieram para saber como eu estava. Simplesmente se esqueceram de Matilde e de todos nós!

– Sinto muito por tudo o que aconteceu, dona Mirtes, mas não tivemos culpa. Foi uma tragédia.

– Como não tiveram culpa? Iludiram minha filha com a vida que levavam e fizeram com que fosse assassinada da maneira como foi! Vocês e principalmente Selma foram os culpados!

– A senhora tem razão de estar nervosa, mas já se passou muito tempo. O ódio só pode causar mal, e é isso que está fazendo com a senhora. Eu também odiei muito Selma por pensar que ela era a culpada pela morte de minha irmã, perdi um tempo imenso que não me levou a coisa alguma, mas hoje eu a perdoei e estou me sentindo muito bem. A senhora deveria tentar perdoar, será para o seu próprio bem.

– Perdoar? Nunca! Ela precisa pagar pelo que fez e já está pagando!

Antes de Flora dizer alguma coisa, viram que da casa saía uma moça que se encaminhava até eles. Assim que se aproximou, perguntou:

– Está tudo bem, tia?

– Não, Margarete, não está tudo bem! Eles estão procurando você!

– Eu? Por quê?

– A Senhora permite que entremos em sua casa? – Perguntou José Luiz, abismado com o que ouviu.

– Na minha casa? Nem pensar!

– Sou advogado e como tal sugiro que permita a nossa entrada para podermos conversar com mais calma.

– Advogado? O que um advogado quer na minha casa?

– Sabemos que Selma e o marido foram vitimas de uma armadilha que os levou à prisão. Nossas investigações nos trouxeram até aqui. Para o bem da senhora e de você, Margarete, volto a pedir que permitam a nossa entrada, pois se não permitirem serei obrigado a ir até a polícia abrir um boletim de ocorrência e terão de falar com o delegado.

As duas se olharam. Mirtes, por ser uma pessoa humilde, ao ouvir falar em polícia se assustou:

– Por que o senhor iria até a polícia? Não fizemos coisa alguma...

– Acredito que tenham feito. O que acha, Flora?

– Desde que eles foram presos e tivemos a certeza de que eram inocentes, fiquei procurando quem poderia ter premeditado e feito aquilo. Agora, vendo que Margarete faz parte da família de Matilde, acredito que tenham algo a ver com tudo o que aconteceu. Por favor, dona Mirtes, deixe-nos entrar.

Assustada e preocupada, Mirtes abriu o portão e permitiu que entrassem.

Caminharam pelo corredor estreito até chegarem a uma porta que estava aberta. Assim que entraram encontraram outra mocinha. José Luiz, ao vê-la, nervoso, perguntou:

– Você não é Fabiana, a amiga de Carlos?

Ao vê-lo, Fabiana tentou entrar por uma porta que estava aberta.

– Não adianta fugir, Fabiana. Já vi você e estou começando a entender o que aconteceu. – Disse José Luiz, demonstrando nervosismo.

Fabiana, entendendo que não tinha como fugir, voltou para a sala e sentou–se em um pequeno sofá que havia ali.

– Quem é essa menina, José Luiz?

– É amiga de Carlos, filho de Selma. Ela ficou o tempo todo ao lado dele enquanto os pais estavam presos.

Flora, após refletir por alguns segundos, perguntou muito nervosa:

– Você também fez parte de tudo o que aconteceu com eles?

Fabiana não respondeu, apenas olhou para Mirtes e Margarete, que também a olhavam.

– Não estou entendendo o que o senhor está falando...

– Está, sim, dona Mirtes. Não sei como, mas a senhora descobriu que Selma havia planejado aquilo que levou à morte de sua filha e, tomada de ódio, quis se vingar. Conversou com essas moças e as convenceu de irem para aquela cidade e fazerem tudo o que fizeram.

– O senhor está imaginando coisas. Sou pobre, como poderia fazer isso?

– Também não sei, mas sugiro que nos conte como planejou e colocou tudo em prática.

– Não tenho o que dizer.

– Tem sim, tenho certeza disso. Assim como chegamos até aqui, o delegado chegará com mais facilidade porque terá mais argumentos e pistas do que eu tinha. Por isso, se a senhora não me contar como fez, vou conversar com ele e poderá ser presa por calúnia, injúria e difamação. Poderá ficar presa por até três anos, não só a senhora, mas todos os envolvidos.

Ao ouvir aquilo, Margarete olhou para Fabiana e quase gritou:

– Não quero ser presa, tia!

– Nem eu! A senhora disse que ninguém ia descobrir o que fizemos!

Mirtes, também assustada e percebendo que havia sido descoberta, resignada disse:

– Está certo. Fui eu quem planejou e colocou em prática tudo o que aconteceu.

– Como e por que a senhora fez isso? – Flora perguntou, abismada.

– Eu é que pergunto, como você pode não saber o motivo? Mataram a minha filha, que era linda e tinha um futuro brilhante. Ela foi embora e vocês continuaram a vida sem se interessarem pelo que tinha acontecido comigo e com nossa família.

– Entendo sua indignação. Realmente, Matilde não deveria ter morrido daquela maneira. A senhora nos acusa de sermos culpadas, só não entendo o motivo de ter se vingado somente de Selma.

– Acalmem-se vocês duas! – José Luiz disse, tentando manter a calma, e continuou: Senhora, por favor, conte como conseguiu colocar em prática seu plano de vingança.

– Nunca gostei da amizade de vocês com Matilde e sempre a alertei sobre isso. Sempre disse que entre pessoas como a gente e vocês nunca poderia existir amizade, mas ela não me ouviu.

– Não é bem assim, dona Mirtes. Existem pessoas que não se importam com a posição social e são amigos sinceros. – José Luiz disse, interrompendo-a.

– Talvez isso aconteça, mas eu não conheço nenhum.

– Por favor, José Luiz, não a interrompa. Preciso saber o que aconteceu.

Mirtes, com o olhar frio, olhou para Flora e continuou:

– Nosso mundo era muito diferente, mas ela, quando começou a ter amizade com vocês, ficou encantada com a possibilidade de viver como viviam. Apesar dos meus avisos, ela não me ouviu e escondia os presentes que ganhava e que saía com vocês. Durante muito tempo fiquei preocupada com essa amizade, pois sabia que não poderia acabar bem, e só fiquei feliz e tranquila quando se formaram e cada uma de vocês seguiu sua vida. Matilde ficou ressentida por vocês nunca mais a terem procurado, pois, segundo ela, não precisavam mais que fizesse os seus trabalhos escolares. Tudo ia bem, até o dia em que Selma procurou por ela e tudo voltou a ser como antes. Eu sentia, não sei se pressentimento de mãe, que alguma coisa de ruim ia acontecer. Procurei falar com ela novamente mas, como das outras vezes, não me ouviu.

– Desculpe, senhora, mas embora possa parecer que tenhamos sido culpadas a senhora mesma está dizendo que ela não quis ouvir o que a senhora dizia. Não quero dizer que somos inocentes, mas ela também não foi. – Dessa vez, quem a interrompeu foi Flora.

Matilde que, perplexa, acompanhava a conversa calada, por fim disse, chorando:

– Ambas têm razão, Péricles. Eu não ouvi minha mãe e sabia o que estava fazendo, mas queria porque queria ser rica como as outras meninas.

Ao ouvir aquilo, Péricles permaneceu calado e apenas sorriu. Mirtes continuou:

– Matilde encontrava-se com vocês sempre escondido. Por isso, naquela noite, quando a polícia foi à minha casa para me avisar que ela estava ferida, levei um grande susto.

– Como a polícia encontrou o seu endereço, dona Mirtes?

– Fui eu, José Luiz. – Disse Flora. – Quando o policial perguntou se alguém sabia onde Matilde morava, disseram a eles que provavelmente eu sabia. Vieram me perguntar e eu disse que a mãe dela trabalhava no colégio e dei o endereço.

– Ainda bem que você sabia, Flora. Mas continue, dona Mirtes.

– Fui até a mansão no carro da polícia. Assim que cheguei fiquei abismada, pois nunca havia entrado em uma casa como aquela, mas não parei para pensar, queria apenas ver minha filha. Assim que entramos na casa, uma policial se aproximou e, me abraçando, disse muito emocionada;

– *Infelizmente, senhora, sua filha não resistiu.*

– Fiquei olhando para ela sem conseguir entender ou aceitar o que ela dizia. Depois de alguns segundos, olhei para um lugar onde havia muitas pessoas e fui correndo para lá e, ao ver Matilde deitada no chão cercada de muito sangue, não resisti e comecei a gritar. – Mirtes e Flora choravam muito ao se lembrarem daquele dia.

José Luiz olhou para as duas e fez um esforço enorme para não chorar também:

– Fiquei ali até que a policial, segurando meus braços, fez com que eu me levantasse e me levou até uma sala onde me sentei em um sofá. Enquanto saía vi que Arlete e um rapaz também estavam deitados e ensanguentados. Eu estava desesperada, sem entender o que havia acontecido. Enquanto ela me levava, procurei por Selma e por você, Flora, pois eram as únicas que eu conhecia e que poderia me dar as respostas que precisava, mas não as encontrei.

– Eu estava no meu quarto e não sabia para onde Selma tinha ido. – Flora disse, chorando. – Mirtes continuou:

– Algumas pessoas, que eu não conhecia, vieram falar comigo, mas eu não queria ouvir nada nem falar com ninguém. Ouvi alguém dizer que Arlete tinha matado Matilde por ciúmes do namorado. Eu não entendia aquilo, pois minha filha nunca comentou estar gostando de alguém. Eu sabia que ela gostava de frequentar as festas, mas apenas pelo luxo. Fiquei ali até que os corpos foram levados pela polícia. Graças a um pedido da policial, que, naquela noite, foi como um anjo da guarda, o mesmo carro que havia me levado até lá me trouxe de volta para minha casa.

Ao ouvir aquilo, Péricles sorriu:

– Sua mãe não sabia, Matilde, mas ela estava sendo protegida. É uma pena que as pessoas não saibam que nunca estão sós.

Matilde, com os olhos lacrimejando, voltou-se para a mãe, que continuou:

– Demorei alguns dias para aceitar que aquilo realmente havia acontecido. Meu corpo doía de dor, parecia que um pedaço de mim tinha sido arrancado com violência. Não tinha certeza, mas sabia, em meu íntimo, que vocês tinham sido as culpadas, só não imaginava como. Não mexi nas coisas de Matilde, suas roupas, livros ou qualquer outra coisa. Achava que se ficasse tudo como antes, a qualquer momento ela voltaria. O tempo foi passando e eu não conseguia aceitar. Entrei em uma depressão profunda e, por mais que minha família tentasse me ajudar, não conseguia. Quase não comia, o que me levou a ficar doente e ser afastada do trabalho. Passava o tempo todo chorando e querendo saber o que havia acontecido para que Matilde fosse morta daquela maneira covarde. Um dia, resolvi que precisava reagir. Matilde estava morta, mas eu precisava continuar e ia começar me desfazendo de tudo que era dela. Abri o armário onde ela guardava suas roupas, que não eram muitas e couberam em apenas uma mala. Em outra maleta coloquei seus sapatos e bolsas. Depois de ter tirado tudo, ainda sobraram os livros que, esses sim, eram muitos. Resolvi que os levaria para a biblioteca da cidade, onde poderiam ser usados. Estava guardando todos eles em uma caixa, quando vi um bem pequeno. Peguei em minha mão e vi que se tratava de um diário. Estranhei, pois nunca imaginei que Matilde tivesse um diário. Sentada sobre a cama, comecei a ler. Nele, ela havia contado tudo o que acontecera durante o tempo em que estudou ao lado de vocês. Fui lendo até chegar à semana da festa onde ela morreu e a felicidade que estava sentindo por poder encontrar com o amor da sua vida, José Luiz.

– Eu? Não pode ser! Nunca houve nada entre nós. Para mim, ela era apenas uma amiga das meninas.

Depois, vou mostrar o diário para o senhor. Ela sempre o amou e tinha esperança de que, naquela noite, seria notada. Selma fez com que ela pensasse que o senhor também gostava dela.

José Luiz, atônito, continuou ouvindo Mirtes:

– Lendo o diário, pude ver que a única culpada havia sido Selma. Fui tomada de um ódio enorme. Minhas dúvidas haviam se confirmado. Com o diário nas mãos, estava decidida a ir até a casa de Selma, mas não sabia onde ela morava. Fui até o colégio e através de uma colega de trabalho consegui o endereço e fui até lá. Assim que cheguei em frente a casa, fiquei olhando e entendi o fascínio que ela tinha exercido sobre Matilde, seu tamanho e beleza eram mesmo impressionantes. Diante do portão, pude ver que um senhor com uniforme de motorista estava junto ao carro. Toquei a campainha, ele me viu e veio até mim:

– *Bom dia, senhora. Posso ajudar?*

– *Preciso falar com Selma.*

– *Desculpe, senhora, mas ela não está.*

– *Como não está? Ela não mora aqui?*

– *Morava, mas não mora mais.*

– *O senhor sabe onde posso encontrá-la?*

– *Infelizmente, não. Ela se mudou e não deixou endereço.*

– *O senhor está falando a verdade? Ela não mora mais aqui, mesmo?*

– *Claro que estou dizendo a verdade! Por que eu mentiria?*

Percebi que ele realmente falava a verdade.

– *Obrigada, senhor.*

– Arrasada, estava me afastando, quando ouvi:

– *Espere, senhora!*

– Ao ouvir aquilo, me voltei e ele perguntou:

– *A senhora não é mãe da Matilde?*

– *Sou, sim, mas como sabe disso?*

– *Eu a vi naquela noite na casa de Arlete. Foi naquele dia que Selma desapareceu sem deixar endereço, mas por que está procurando por ela?*

– *Desconfio que foi ela quem planejou o que aconteceu com minha filha. O senhor não sabe mesmo onde ela está?*

– *Não, não sei. Mas como a senhora pode dizer isso?*

– *Não importa. Obrigada, senhor, pela atenção.*

– Saí dali arrasada. Precisava encontrar Selma para fazer com que confessasse sua participação na morte de minha filha. Daquele dia em diante, passei a não me conformar com a morte de Matilde e o meu ódio por Selma foi aumentando cada dia mais. Impotente por não conseguir falar com ela, entrei em uma depressão profunda. Meus filhos se casaram e minha depressão ficou mais forte, mudei de casa e vim para cá, mais perto da minha família, que estava muito preocupada comigo. Um dia, minha irmã Carolina veio até minha casa:

– *Mirtes, você não pode continuar assim.*

– *Assim como?*

– *Está magra e abatida. Onde está aquela mulher lutadora que criou os filhos com tanta garra?*

– *Não sei para onde ela foi. Até tenho tentado voltar a ser ela, mas não consigo. O ódio que estou sentindo é imenso, só vou descansar quando conseguir me vingar.*

– *O que adianta isso, Mirtes? Essa moça deve estar bem, enquanto você está sofrendo. E, afinal, nada que fizer poderá trazer sua filha de volta...*

– *Sei disso, mas sinto que Matilde só vai descansar quando Selma pagar pelo que fez.*

Ao ouvir aquilo, Matilde olhou para Péricles:

– Eu nunca soube de nada que acontecia com minha mãe, Péricles. De onde ela tirou a ideia de que eu queria vingança?

– Não pode negar que durante muito tempo desejou isso, Matilde. Lembra-se do quanto todos conversamos com você para que entendesse o que havia acontecido? Foi por esse motivo que não permitimos que você viesse visitar sua mãe, pois sabíamos que se a visse da maneira como estava seu ódio voltaria e você perderia aquilo que conseguiu, a paz.

– Hoje entendo o que fizeram por mim. Mesmo assim, eu deveria ter ficado ao lado de minha mãe. Imaginava que ela deveria ter sofrido, mas nunca imaginei que tivesse sido tanto.

– Hoje você está aqui porque ela precisa de muita luz. Olhe como sua mãe está cercada de energias densas. Essas energias não estão só por fora, mas por dentro também. Seus órgãos vitais estão comprometidos e, quando isso acontece, as doenças tomam conta e fica muito difícil encontrar uma cura. Preste atenção que, mesmo depois de ter conseguido se vingar de Selma, as energias continuam aí e ela não está se sentindo melhor. A vingança não traz paz, mas traz somente um vazio imenso. Se prestar atenção, vai ver que à medida que ela vai contando o que aconteceu, as energias vão se desfazendo e ela vai ficando mais tranquila. Embora não admita, seu espírito está feliz pelo que está acontecendo aqui. Vamos continuar ouvindo o que ela tem a contar.

– Minha irmã, após conversar muito tentando fazer com que eu reagisse e vendo que eu não reagia, disse:

– Venha passar alguns dias comigo. Sabe que a cidade onde moro é tranquila. Saindo desta casa onde Matilde viveu, talvez possa entender e aceitar sua morte.

– Eu não queria, mas sabia que nem ela nem meus filhos me deixariam em paz, então aceitei o convite:

– Está bem, vou com você, mas apenas por alguns dias.

– Mesmo a contragosto fui com ela. A cidade era pequena, com poucas ruas, e muito tranquila.

– Fiquei ali durante uma semana. Minha irmã fez de tudo para que eu me sentisse bem. Preparou comidas que sabia que eu gostava, me levou para conhecer os principais lugares da cidade, mas nada me fazia esquecer de Matilde e de Selma. A certeza de que nunca encontraria a causadora daquela tragédia me fazia muito mal. Precisava descobrir onde ela estava, mas não sabia como fazer. O desejo de vingança chegava a doer em meu peito. Resolvi vir embora e falei para minha irmã:

– Carolina, amanhã cedo vou embora.

– Por que, Mirtes? Você está bem aqui. Fiz alguma coisa que a magoou?

– Não, você é uma irmã maravilhosa mas preciso voltar para minha casa:

– Você é quem sabe. Mas acredito que se continuar aqui por mais algum tempo vai melhorar.

– Não vou, Carolina. Depois desses dias entendi que não adianta, aonde eu for esse sentimento de ódio vai me seguir.

– Não pode continuar assim, Mirtes. Você está precisando de uma religião, de Deus...

– Deus? Deus? Ele não existe e se existir é um criminoso por tirar minha filha tão jovem e bonita! – Eu disse chorando e gritando.

– Não diga isso, minha irmã. Deus é nosso Pai e nos ama muito...

– Pode amar você, mas a mim, se é que Ele existe, com certeza me odeia!

– Você está muito nervosa e não sabe o que diz.

– Estou muito nervosa mesmo, Carolina, por saber que não tem como eu encontrar Selma e só vou descansar e ficar em paz quando conseguir me vingar. Nunca quis ter dinheiro, pois sempre vivi muito bem com o que tinha, mas neste momento eu queria ter muito.

– Para que, Mirtes?

– Para poder contratar um bom detetive que, certamente, a encontraria onde estivesse escondida.

– Você precisa se esforçar para mudar de pensamento.

– Não vou mudar, Carolina!

– Vou orar muito por você, minha irmã!

– Obrigada, mas preciso comprar doces e queijo para levar, pois, se não fizer isso, eles vão me matar. – Eu disse rindo, para mudar aquele assunto que estava me incomodando.

– Está bem, Mirtes, faça como quiser e achar melhor. Continue perdendo seu tempo se desgastando com esses sentimentos ruins.

– Minha irmã me conhecia muito bem e sabia que eu dificilmente mudaria de ideia, sorriu e olhando para o relógio da parede disse:

– Está quase na hora de preparar o almoço, mas acho que ainda temos tempo para ir até o centro comprar seu doce. Vamos até lá?

– Vamos, sim. Vou pegar minha bolsa.

– Pegamos a bolsa e saímos. Minha irmã fala muito e sempre tem uma história para contar. Enquanto caminhávamos, ela ia falando e eu rindo. Chegamos a uma rua. Ela, sorrindo, disse:

– Esta é a rua principal da cidade, e logo mais, ali na frente, tem um armazém onde se vende de tudo e você vai poder comprar seus doces e seu queijo.

– Sorri e continuamos andando. Enquanto andava, eu ia vendo todo o comércio que havia naquela rua. De repente, do outro lado, vi Selma e você, Flora, conversando. Nervosa, parei:

– Carolina! Aquelas que estão conversando ali são Selma e Flora!

– Carolina se assustou:

– Não pode ser, onde?

– Disfarçando e me voltando para que vocês não me vissem, apontei para o lugar onde vocês estavam.

– Esse foi o dia em que reencontrei Selma. – Disse Flora. – Eu estava ali para me vingar dela também.

– Da maneira que conversavam não parecia ser isso, Flora. Vocês pareciam grandes amigas. De qualquer maneira, ao ver vocês duas ali a menos de vinte metros de mim, fiquei parada. Meu corpo todo começou a tremer. Minha irmã, ao ver que eu estava muito branca e tremendo, pegou meu braço e caminhamos até a esquina onde não havia perigo de que vocês pudessem me ver.

– Tem certeza de que são elas, Mirtes?

– Tenho, sim, embora Selma esteja diferente, com os cabelos molhados pelo suor e com um vestido simples. Não sei o que aconteceu, mas é ela, sim.

– O que vai fazer?

– Depois de respirar e me acalmar vou até lá!

– Vai fazer o quê? Dizer que sabe o que aconteceu com Matilde? Não precisa fazer isso, ela sabe o que fez!

– Preciso pensar. Esperei tanto por este dia e agora que chegou não sei o que fazer. Procurei por ela durante tanto tempo! Pensar que você me convidou tantas vezes para vir pra cá e sempre me recusei!

– Não sei, mas acho que não tinha chegado a hora, Mirtes. Vamos para casa. Lá você poderá pensar melhor.

– Não podemos ir, Carolina. Precisamos saber onde ela mora e como está vivendo.

– Está bem. Vamos ficar aqui e ver para onde ela vai.

– Ficamos ali e depois de algum tempo vocês se despediram, Flora. Selma começou a andar e nós fomos atrás. Quando ela entrou em uma casa, nervosa, falei:

– É aqui que ela mora, nessa casa tão simples?

– Parece que sim, Mirtes.

– Não pode ser! Ela foi sempre tão orgulhosa, como pode ter mudado tanto, Carolina?

– Abismada, estava ali sem conseguir acreditar no que via. Um rapaz e um menino chegaram e entraram na casa. Eles conversavam e riam. Minha irmã, ao vê-los, quase gritou:

– Esse menino é o Carlos! Ele estuda na mesma escola que o meu filho!

– Tem certeza, Carolina?

– Tenho! Ele já foi em casa várias vezes.

– Agora já sabemos onde ela mora e, para minha sorte, você conhece o filho dela. Paulinho deve saber algo mais. Vamos para casa, vou pensar num jeito de ela pagar pelo que fez.

Voltamos para casa. Meu sobrinho, Paulinho, amigo do filho de Selma, estava lá. Perguntei pra ele:

– Paulinho, você conhece os pais do seu amigo Carlos?

– Conheço. Seu Roberto trabalha no laticínio e a dona Selma ajuda no orfanato.

– Joel também trabalha no laticínio e namora com Sandra, uma moça que mora no orfanato, Mirtes! – Minha irmã disse empolgada.

– Isso é muito bom, Carolina! Já estou começando a pensar em uma maneira de me vingar dela!

– Estávamos conversando, quando Joel, meu outro sobrinho, chegou para o almoço. Antes de almoçarmos, chorando, perguntei:

– Joel, você conhece Roberto, pai de Carlos, que trabalha no laticínio?

– Conheço, ele é meu chefe. Por que a senhora está perguntando isso, tia?

– Ele é o marido da assassina da sua prima.

– Não pode ser, tia! Ele é um chefe competente e muito bom, e Sandra disse que dona Selma ajuda muito no orfanato...

– Naquele instante em que conversava com Joel, surgiu uma ideia de como me vingar de Selma. Feliz, disse:

– Selma está livre porque não despertou suspeita alguma. Ela planejou uma maneira de matar minha filha! Agora, precisamos preparar uma armadilha para que pague o que fez!

– Que ideia é essa, Mirtes?

– É simples, Carolina. Vou até minha casa conversar com Jorge, Margarete e Fabiana. Quando estiver tudo certo, voltamos para cá e combinamos tudo.

– Quem são Jorge, Margarete e Fabiana?

– Meu irmão e minhas sobrinhas.

– Meu Deus do céu! – José Luiz exclamou assustado.

– O que foi, José Luiz?

– Se alguém me contasse eu diria que estava mentindo, Flora...

– Por quê? Lembra-se quando falamos que somente alguém com muito dinheiro poderia comprar pessoas para fazerem algo assim? Não foi preciso dinheiro, Flora!

– Lembro-me, José Luiz, mas porque está dizendo isso?

– Não foi preciso usar dinheiro! Todos os que participaram fazem parte da família de dona Mirtes! Não sei se foi coincidência ou não, mas todos se conhecem e se uniram...

– É verdade, dona Mirtes? São todos de sua família?

– Sim, Flora. Procurei Selma por tanto tempo sem imaginar que ela estava aqui na cidade onde nasci e minha irmã mora.

– Como a senhora planejou tudo?

– Voltei para minha casa e conversei com Jorge e as meninas. Expliquei como deveria ser feito. Todos acharam que seria fácil. A única que ficou um pouco preocupada foi Margarete, que disse:

– Não sei, tia. Para que seu plano dê certo, vou ter de conseguir um emprego.

– Não vai ter problema algum, Margarete. Há muito tempo, Jussara está querendo fazer faculdade. Vou conversar com ela e dizer que pode ficar lá em casa.

– Os pais dela vão deixar, tia?

– Acho que sim, nos conhecemos desde crianças. Eles sabem que vou cuidar muito bem dela.

– Está bem, tia. O que essa moça fez com Matilde não tem perdão. Se conseguir convencer Jussara e os pais dela, vou fazer minha parte.

– Todos nós fomos para a cidade onde Selma estava. Assim que cheguei, fui conversar com Mariucha, mãe de Jussara e minha amiga desde criança. Quando cheguei a sua casa, ela me recebeu com muita alegria, pois fazia muito tempo que não nos víamos:

– Mirtes, você por aqui? Que bom minha amiga. Como você está?

– Estou bem. Estou visitando Carolina e ela me disse que sua filha, Jussara, quer ir fazer faculdade. É verdade?

– É, sim, mas está difícil. Embora ela tenha passado no vestibular, não tem onde ficar.

– É por isso que estou aqui. Como você sabe, minha filha foi assassinada e os outros se casaram. Estou morando sozinha e, se você quiser, Jussara poderá ficar na minha casa, e não precisa se preocupar pois cuidarei muito bem dela.

– Faria isso, Mirtes? – Mariucha perguntou, animada e surpresa.

– Para mim, vai ser um grande prazer. Estou me sentindo muito só e a companhia dela vai me fazer muito bem.

– Ela vai ficar muito feliz com seu convite, Mirtes! Ela estava muito triste por não poder ir. Sabe que não temos dinheiro para mantê-la lá.

– Só preciso de um favor.

– Pode dizer, pois tudo que precisar, se eu puder ajudar, farei com muito prazer.

– Margarete, a filha do Jorge está querendo vir morar aqui. Ela brigou com o namorado e não quer mais continuar morando lá. Fiquei sabendo que Jussara trabalha no laticínio. Ela, indo embora, deixará o trabalho e vai precisar de alguém para ficar no seu lugar. Margarete já trabalhou como secretária. Acha que Jussara poderia apresentá-la?

– Acho que sim. Ela vai ficar tão feliz que fará qualquer coisa para agradecer a você, assim como eu.

– A senhora não contou a ela qual era a sua real intenção?

– Não, Flora. Ela não fazia parte da família e poderia não aceitar.

– A senhora pensou em tudo. Foi muito bem planejado...

– Sim, Flora, o meu ódio foi o que me ajudou a planejar. Depois de tudo resolvido colocamos em prática o nosso plano. Jussara pediu demissão do emprego e apresentou Margarete. Joel esperou que todos saíssem e fez o furo na parede e na estante que ficava em frente à mesa do marido de Selma.

– O nome dele é Roberto, dona Mirtes. Ele é um bom homem e não deveria ser julgado e condenado pelo que Selma fez. – José Luiz disse, demonstrando irritação.

– Eu não o conhecia e fiquei admirada quando soube que era o marido de Selma. Como ela sempre foi muito preconceituosa, jamais imaginei que chegaria a se casar com um negro. Eu precisava acabar com a vida de Selma e ele estava no meu caminho.

– Só de ver isso, a senhora poderia imaginar que ela havia mudado, que não era a mesma pessoa de antes.

– Cheguei a pensar nisso, Flora, mas a única coisa que me levou a tomar essa atitude foi saber que apesar de tudo o que havia feito Selma estava feliz, casada e com um filho, enquanto eu havia perdido minha filha para sempre.

– Foi tão fácil assim, dona Mirtes?

– Sim, Flora, muito fácil.

– Como conseguiram fazer com que o dinheiro fosse encontrado na casa de Selma?

– Fabiana teve como missão se aproximar de Carlos e se tornar sua amiga.

– Ele gosta muito de você, Fabiana, e vai sofrer muito quando souber de tudo isso. É um bom menino. – José Luiz falou, olhando para Fabiana, que abaixou a cabeça.

– Sandra foi praticamente criada por Marília, dona Mirtes! Como pôde fazer algo tão terrível?

– Ela está apaixonada por Joel, Flora, e também se revoltou ao saber que Selma matou minha filha.

– Entendo, mas mesmo assim foi muita traição. O que a senhora fez quando soube que tudo tinha dado certo e que Selma e o marido estavam presos?

– Naquele dia, eu estava na cidade e acompanhei tudo o que aconteceu. Vi quando Selma e o marido caminhavam pelas ruas em direção à delegacia e todas aquelas pessoas acompanhando. Fiquei feliz por, finalmente, ela ser punida. Ela foi vítima da mesma armadilha que havia preparado para Matilde. Só fiquei preocupada por Carlos. Ele frequentava a casa da minha irmã e, por isso, eu o conhecia e sentia que era um bom menino, mas o meu desejo de vingança foi maior. Fabiana veio me contar que a avó dele, que era muito rica, ia levá-lo embora da cidade. Fiquei mais feliz ainda, pois Selma, além de estar presa ao lado do marido, também ficaria sem poder ver o filho. Ela havia me tirado a minha filha, e eu tirei o filho dela.

– Hoje, depois que tudo deu certo, como a senhora está. Ficou satisfeita?

– Não, não fiquei. Sinto ainda o mesmo vazio que achei que terminaria assim que me vingasse, mas não aconteceu. Não consigo dormir direito e sinto muita falta de Matilde. Sinto que a vingança não me fez bem, Flora.

– Esmeralda já me disse, várias vezes, que de acordo com sua religião, a morte não existe, é apenas uma pequena separação, pois um dia todos nos reencontraremos. Não sei se é verdade mas se for vai ser muito bom.

– Já me falaram isso, Flora. Mas penso que quem acredita nisso é alguém que nunca perdeu um ente querido assassinado, como foi o meu caso. Não sei se existe vida após a morte e não me interessa, o que sei é que minha filha está morta e não vai voltar.

– Também quis me vingar de Selma pela morte da minha irmã, mas posso garantir à senhora que quando resolvi deixar para lá e continuar minha vida foi a melhor coisa que poderia ter feito. Hoje estou tranquila, durmo bem e não tenho mais aquele aperto no coração que tinha antes.

– Eu, ao contrário, não durmo bem e não penso em outra coisa que não seja o sofrimento de Selma. Só sinto que hoje, depois de tudo que consegui, deveria estar feliz e tranquila, mas não estou. – Disse chorando muito.

Péricles olhou para Matilde, que chorava sem conseguir se conter:

– Está entendendo o que está acontecendo com sua mãe, Matilde?

Matilde, que também chorava muito, respondeu:

– Não sei, Péricles. Estou sofrendo muito por tudo o que está acontecendo com minha mãe.

– Por que está dizendo isso?

– Sei o mal que pode fazer ao espírito o ódio e o desejo de vingança. Aceito que Selma foi cruel, mas ela me pediu perdão muitas vezes, desde aquela noite, e eu a perdoei. Ela se modificou, está dedicando sua vida a ajudar aquelas crianças, não é nem de longe a mesma de antes. Por isso, estou vendo que a única prejudicada tem sido minha mãe. Ela, que era vítima, depois do que fez se tornou a culpada e está rodeada por energias ruins que não percebe. E o pior, mesmo depois de ter conseguido se vingar, percebeu que nada mudou e que tudo foi inútil. Ela não está bem, Péricles. Não teve culpa alguma de tudo o que me aconteceu. Eu sou a única culpada, bem que ela tentou me alertar mas eu não quis ouvir. Agora ela é quem está arcando com toda essa dor. Está pagando pelos meus erros...

– Essas lágrimas e esse sofrimento dela refletem, além da própria frustração, o que você está sentindo, Matilde. Sua mãe está recebendo as energias do seu sofrimento que, aliada à insatisfação de ver que a vingança não trouxe a paz que ela tanto anseia, faz com que chore dessa maneira.

– Está dizendo que ela está chorando por eu estar triste e sofrendo, Péricles?

– Sim. Você precisa se acalmar e conversar com sua mãe e poderá sentir que ela, depois que começou a contar o que havia feito, está melhorando e as energias que estavam ao seu lado estão se afastando.

Dizendo isso, Péricles sorriu, estendeu os braços, um em direção a Matilde e o outro para Mirtes:

– Converse com ela, Matilde.

Matilde parou de chorar e muito emocionada começou a falar:

– Perdoe-me, mamãe, por tudo que a fiz passar. Porém, agora, tudo terminou, estou bem e feliz. Para que minha felicidade seja completa só é preciso saber que a senhora está bem. Todos nós cometemos erros, mas todos teremos uma nova chance para a nossa redenção. Pare de chorar, mamãe...

Embora Mirtes não tivesse ouvido o que Matilde disse, sentiu um bem-estar que há muito não sentia. Parou de chorar e, olhando para Flora e José Luiz, emocionada disse:

– Depois de tudo o que fiz e vendo que nada adiantou para que eu me sentisse bem, acredito que aquilo que Esmeralda disse a você, Flora, seja verdade. Por isso, vou me preparar e ir conversar com o delegado para contar tudo o que fiz.

Flora, abismada, olhou para José Luiz que, também surpreso, disse:

– A senhora sabe que se fizer isso, Selma e o marido serão libertados e a senhora poderá ser processada e até presa. É isso mesmo o que quer?

– Sim, mas sinto que Matilde quer que eu faça isso.

– Está bem, senhora. Quer que esperemos até que se apronte?

– Sim, obrigada, doutor. Não vou demorar.

Fabiana e Margarete ao ouvir aquilo se assustaram. Margarete, demonstrando muito medo, quase gritou:

– Tia, não pode fazer isso! Quando o delegado souber o que todos nós fizemos para ajudar a senhora, vamos ser presos também!

José Luiz olhou para Fabiana e viu que ela também chorava muito.

– Tudo o que fizeram foi errado e, mesmo sem conhecer Selma direito, fizeram com que fosse incriminada. Claro que merecem um castigo, mas, levando-se em conta tudo o que aconteceu e o envolvimento de dona Mirtes, vou conversar com o juiz para que leve isso em conta e aplique uma pena bem leve. Não tem como, somos livres para escolher mas também para responder por nossos atos.

– Obrigada, doutor. São crianças e, realmente, foram envolvidas por mim, pelo meu ódio e meu desejo de vingança.

– Está bem, dona Mirtes. Vou fazer tudo o que estiver ao meu alcance.

Margarete e Fabiana, chorando, saíram da sala. Mirtes foi atrás delas.

Assim que saíram, José Luiz apertou a mão de Flora, que olhou para ele e sorriu.

No mesmo instante em que se olharam, sentiram uma espécie de corrente elétrica passando por seus corpos. Constrangidos, sem que cada um soubesse que o outro havia sentido o mesmo, retiraram as mãos.

– Está quase na hora do almoço, Flora. Vamos conversar com dona Mirtes, dizer que vamos almoçar e que depois voltaremos para acompanhá-la. – José Luiz falou, um pouco confuso.

Flora, ainda emocionada pelo aperto de mão e com o que tinha sentido, apenas consentiu com a cabeça.

Minutos depois, Mirtes voltou:

– Conversei com as meninas, elas não querem me acompanhar. Estão com medo de serem presas. Tem algum problema, doutor?

– Talvez não tenha problema. Vamos conversar primeiro com o delegado e depois, se precisar, com o juiz, mas acredito que seja um bom momento para que elas aprendam alguma coisa.

– Não estou entendendo o que o senhor está dizendo. Aprender o que e como? O que elas fizeram foi por minha culpa...

– Sim, a senhora tem razão, foi sua culpa. Mas elas precisam aprender que não podem se deixar envolver pelos problemas de outras pessoas e assim cometerem um crime, pois, se minhas investigações não tivessem me trazido até aqui, Selma e o marido poderiam ser condenados por algo que não cometeram. Elas precisam, de alguma maneira, responder pelo que fizeram.

– O senhor tem razão. Vou conversar com elas e fazer com que entendam o que o senhor me falou. Elas vão nos acompanhar e estar à disposição das autoridades, mas vou fazer questão, se for o caso, de sempre dizer que fui a culpada de tudo o que aconteceu.

– Com a senhora fazendo isso, acredito que em breve tudo será resolvido e todos nós poderemos respirar em paz.

Mirtes ficou calada. Flora, feliz pelo rumo que as coisas estavam tomando, olhou para José Luiz e disse:

– Antes de irmos, preciso ir até em casa, pois Esmeralda já deve estar preocupada pela minha demora. Você a conhece, sabe como ela é.

– Está certa, Flora. Voltaremos daqui a duas horas, dona Mirtes. Está bem para a senhora?

– Está sim. Quando voltarem estaremos prontas.

Eles despediram-se e saíram.

Péricles olhou para Matilde, que chorava e ria.

– O que aconteceu, Matilde, você está chorando ou rindo?

– As duas coisas, Péricles, só que é de felicidade. Graças a Deus, minha mãe encontrou o caminho da paz. Quando vi aquelas entidades se afastarem dela, percebi que agora ela vai ficar bem e é somente isso que desejo.

– Sim, Matilde, graças a Deus. Vamos continuar aqui, ao lado de sua mãe. Ela vai precisar de toda a luz que pudermos mandar.

– Obrigada, Péricles. Só podia esperar isso de você. Eu não teria coragem de abandoná-la em um momento como este. Apesar de tudo o que ela fez, preciso entender e também assumir minha culpa.

Péricles apenas sorriu.

Assim que saíram, Flora e José Luiz despediram-se e foram para a casa dela contar a Esmeralda o que havia acontecido.

– Nunca pensei que fosse isso que tivesse acontecido! Pensei em você, Flora, e até em você, José Luiz, mas nunca na mãe de Matilde. Eu a vi algumas vezes na cantina do colégio, mas não a conhecia muito.

– A senhora pensou em mim, dona Esmeralda, por quê?

– Todos sabíamos que você era apaixonado por Selma e também o melhor amigo de Mario Augusto. Ao saber o que ela havia feito, talvez quisesse se vingar dela.

– Eu nunca desconfiei nem imaginei que Selma tivesse alguma coisa a ver com aquela tragédia. Só tomei conhecimento quando fui à delegacia com dona Alda. Quando Mario Augusto morreu sofri muito e por isso me afastei de todos. Depois me casei, e só visitava dona Alda para cuidar de seus negócios.

– Fiquei feliz por não ter sido nenhum de vocês. Agora, precisamos rezar para que tudo isso termine logo. Vamos almoçar?

Flora e José Luiz sorriram e começaram a comer.

A força do perdão

Em casa, Selma terminava de preparar o almoço. Carlos ia chegar da escola e Roberto tinha saído cedo para ver se encontrava um emprego. Dali a alguns minutos ele chegou. Selma olhou para ele e percebeu que estava abatido:

– Como foi a entrevista, conseguiu o emprego?

– Não, Selma. Acho que assim que terminar o julgamento e, queira Deus, conseguirmos sair livres, vamos precisar nos mudar para outra cidade. Esta cidade é pequena e não tem muito emprego, além de todos saberem o que aconteceu com a gente. Estou preocupado, pois já faz mais de dois meses que estou desempregado e nossas reservas estão acabando.

– Como diziam Etelvina e Marília, tudo tem hora certa para acontecer. Não vamos sofrer antes do tempo, a qualquer momento vai aparecer um emprego. Você é honesto e um ótimo profissional. Tenho fé que tudo vai ser esclarecido. Sabemos que somos inocentes e isso já deve nos bastar.

– Ainda bem que você pensa assim. Eu já perdi minha fé.

– Venha me ajudar a preparar a salada. Carlos já está chegando e ele precisa se alimentar. Vou conversar com Marília e dizer que, embora adore trabalhar com as crianças, preciso procurar um emprego e, se encontrar, vou ser obrigada a abandonar o orfanato, o que é triste mas necessário.

Roberto a abraçou e beijou. Estavam ainda na cozinha, quando Carlos chegou e puderam começar a comer.

Carlos, embora triste por Fabiana ter ido embora, estava empolgado com o campeonato da escola. Assim que entrou, falou:

– Preciso almoçar rápido porque hoje tenho treino.

– O almoço já está pronto, filho. Ajude seu pai a colocar a mesa enquanto levo a comida.

A mesa foi colocada e sentaram-se para comer. Estavam comendo quando a campainha tocou. Olharam-se, surpresos.

– Quem será, Roberto?

– Não sei, vou ver. – Disse, levantando-se. Abriu a porta e ficou surpreso:

– Doutor Tavares, o que está fazendo aqui?

– Precisamos conversar. Posso entrar?

– Claro que sim. Estamos terminando de almoçar, o senhor está servido?

– Não, obrigado. Embora ainda não tenha almoçado, não estou com fome. Termine que depois conversaremos.

– Está bem. Sente-se e fique à vontade, já estou terminando.

Tavares sentou-se no sofá e Roberto voltou para a cozinha. Assim que entrou, olhou para Selma e Carlos que, assim como ele, não entendiam o que Tavares estava fazendo ali. Com os olhos ele fez um sinal de que também não estava entendendo. Tentaram terminar de comer mas não conseguiram. Estava tensos e muito curiosos para saber do que se tratava.

Alguns minutos depois, os três se levantaram. Carlos foi para seu quarto e Selma sentou-se em outro sofá, ao lado de Roberto, que falou:

– Terminamos de almoçar, doutor Tavares, já podemos conversar.

– Como podem perceber, estou muito nervoso. Briguei com minha esposa e vim para cá. Vim para pedir que volte a trabalhar no laticínio, Roberto.

Surpreso, Roberto olhou para Selma, que fez uma força imensa para não demonstrar sua curiosidade.

– Não estou entendendo, o senhor me despediu...

– Sim, é verdade, e foi a pior coisa que já fiz em minha vida. Foi esse o motivo pelo qual briguei com minha esposa. Eu disse a ela que iria tentar recontratar você e ela não aceitou. Tive de dizer que a empresa está toda bagunçada e que estou perdido. Não sei conversar com os fornecedores e menos ainda com os clientes. Estou tendo prejuízo e perdendo para os concorrentes. Preciso que volte a trabalhar comigo, Roberto.

– Estou surpreso por sua decisão, pois pedi que não me demitisse.

– Sei disso e lhe devo milhões de desculpas. Nunca deveria ter acreditado que você fosse capaz de fazer algo como aquilo.

– Ainda não consegui provar minha inocência e estou sendo processado.

– Isso não me importa. Sei que é inocente e isso para mim já é o suficiente.

– O senhor sabe que, embora eu esteja respondendo em liberdade, poderei ser preso a qualquer momento.

– Sei disso, mas não acredito que isso vá acontecer. Preciso de você e vou colocar um advogado para cuidar do seu caso.

– Obrigado, mas não será preciso. Já tenho um ótimo advogado.

– Para que aceite o meu pedido, vou dobrar o seu salário.

– Dobrar o meu salário? Tantas vezes pedi um aumento e o senhor nunca me deu. Sempre disse que não podia, que não tinha condições...

– Algumas vezes é preciso perdermos alguma coisa para darmos valor. Sem você tenho tido muito prejuízo. Durante esse tempo que está afastado percebi como é importante para a empresa. Por favor, volte.

– Quando quer que eu comece, amanhã? – Roberto disse, olhando para Selma, que sorria.

– Eu gostaria que, se pudesse, fosse agora mesmo comigo. Tem muito trabalho a ser feito.

– Está bem. Vou pegar meu paletó e poderemos ir.

– Entendo que precise falar com sua esposa. Estou indo agora e espero por você logo mais.

Dizendo isso, Tavares estendeu a mão para Roberto, que a apertou sorrindo. Tavares saiu e Selma abraçou Roberto sorrindo e feliz.

– Não acredito que isso esteja acontecendo, Roberto! Agora pouco você estava triste e desesperado. Eu disse que era um bom profissional e agora isso foi confirmado.

– Verdade, Selma. Agora, só falta provarmos nossa inocência.

– Tenho a impressão de que tudo vai melhorar, Roberto.

– Tomara que sim, mas por enquanto estou feliz. Vou pegar meu paletó e, graças a Deus, voltar ao meu trabalho.

– Faça isso. – Selma disse, com os olhos brilhantes de felicidade.

Roberto pegou o paletó e Selma, como sempre fazia, o acompanhou até o portão e ficou olhando até que ele desaparecesse.

Selma entrou em casa. Começou a recolher a louça que ainda estava sobre a mesa, levou-a até a pia e começou a lavar.

Preciso deixar tudo em ordem para que, quando voltar do orfanato, possa preparar o jantar. Estou ansiosa para contar a Marília o que aconteceu.

Carlos saiu de seu quarto e feliz perguntou:

– É verdade mesmo que papai vai voltar a trabalhar no laticínio, mamãe?

– Sim, meu filho. O senhor Tavares veio para isso e ainda dobrou o salário. Ele reconheceu o valor de seu pai

– Sempre soube disso, mamãe! Agora, preciso ir treinar.

– Vá, meu filho. Tenho certeza de que vocês serão os campeões!

– Vamos tentar, mamãe, vamos tentar!

Carlos saiu e Selma, rapidamente, terminou de arrumar tudo e foi para o orfanato. Assim que chegou contou a Marília o que havia acontecido e terminou dizendo:

– Até agora não acredito que realmente aconteceu, Marília!

– Pois eu não me admiro. Vocês são pessoas boas e merecem tudo de bom. Aprendi que tudo o que é nosso por direito de uma maneira ou de outra chega às nossas mãos.

– Eu não mereço, Marília. Errei tanto...

– Errou, sim, mas quem não errou e ainda vai errar? Estamos aqui para aprender e, muitas vezes, através dos erros é que aprendemos.

– Você sempre com palavras boas. É uma santa!

– Deixe disso, Selma, não sou santa. Assim como você, também estou aprendendo. Agora, vamos ao trabalho? A construção está adiantada e logo teremos mais uma ala e poderemos atender a mais crianças, que, infelizmente, estão precisando.

– Vamos, sim. Precisamos fazer uma programação e ver que materiais precisamos comprar para prepararmos a exposição do ano que vem!

– Vamos fazer agora mesmo. Sente-se, Selma.

Começaram a fazer a programação.

Por volta das quatro horas da tarde, a campainha tocou. Rita foi atender e, para surpresa delas, voltou acompanhada por Flora e José Luiz. Ao vê-los, Selma se levantou.

– O que estão fazendo aqui?

– Estamos com saudade e viemos ver como você está, Selma! Fomos até sua casa, e como não tinha ninguém imaginamos que estaria aqui. Como você está?

– Estou muito bem, melhor do que poderia imaginar que estaria, só não estou entendendo o motivo da visita de vocês.

– Estamos aqui para trazer uma ótima notícia para você.

– Ótima notícia? Não vai dizer que conseguiram descobrir o que aconteceu?

– É isso mesmo. Descobrimos e vocês já estão praticamente livres.

– Quem planejou tudo isso e por que, José Luiz?

– Vou contar e você, assim como aconteceu conosco, vai ficar surpresa.

José Luiz contou como conseguiu, depois de muita investigação, chegar a Mirtes. Quando terminou de falar, Selma, estarrecida, disse:

– Nunca pensei que fosse dona Mirtes quem tinha feito isso. Embora, hoje, entenda seus motivos. Onde ela está?

– Está na delegacia confessando ao delegado.

– O que vai acontecer depois?

– Provavelmente ficará presa.

– E as meninas?

– Como são menores de idade, ainda não sei como vai ser resolvido. Mas isso agora não importa. O que importa é que vocês foram inocentados, Selma!

Selma olhou para Marília e percebeu que ela estava pensativa e triste:

– O que aconteceu, Marília?

– Estou me perguntando como Sandra teve coragem de fazer isso, Selma. Eu praticamente a criei como se fosse minha filha e até já conversei com Eduardo a respeito de mandá-la para uma faculdade.

– Ela é jovem, Marília, e está apaixonada. Sabemos que nessa idade podemos fazer coisas das quais mais tarde nos arrependemos. Embora esteja pensando o mesmo a respeito de Fabiana. Ela enganou não só a mim mas, o pior, ao Carlos. Ele, quando souber, vai ficar arrasado.

– Com licença, dona Marília.

– Entre, Rita. O que foi que aconteceu? Parece preocupada.

– Estou sim, dona Marília.

– Por que, o que aconteceu?

– Sandra acabou de me contar algo horrível que fez. Como estão todos aqui, vim contar e ver o que a senhora quer fazer com ela. O que fizer, vou entender.

– Não precisa contar, Rita, já sabemos.

– Sabem, como? Ela acabou de me contar e ainda não tinham chegado. Quando eu ia conversar com a senhora, eles chegaram e esperei um pouco para contar algo tão terrível.

Ela contou antes da nossa chegada?

– Sim, disse que não conseguiu mais ficar calada e ao ver que Selma, mesmo depois de tudo, ainda voltou para trabalhar aqui, resolveu contar.

– José Luiz descobriu tudo. Dona Mirtes e as meninas estão na delegacia.

– O que vai acontecer com Sandra?

– Sinto muito, Rita. Sabe o quanto gosto de você e de Sandra, mas ela também deverá ser levada para lá. Como sabe, embora ela seja ainda uma criança, precisa ser repreendida de alguma maneira.

– Tudo o que a senhora fizer, embora com o coração despedaçado, estarei de acordo. Ela merece ser castigada.

– Espere, Marília. Sei que aquilo que fizeram foi horrível e que se José Luiz não tivesse descoberto e Sandra não tivesse confessado, eu e Roberto poderíamos ser presos, mas não posso deixar de dizer que eu, somente eu, sou a culpada, pois se eu não tivesse feito o que fiz nada disso teria acontecido e essas crianças não estariam envolvidas.

– Sinto muito, Selma, mas um erro não justifica o outro. Sempre que cometemos uma ação devemos esperar por uma reação.

– José Luiz está certo, Selma, até na minha doutrina aprendemos isso. Somos livres para escolher, mas também responsáveis por nossas escolhas e suas consequências.

– É justamente isso que está acontecendo. Eu escolhi errado, Marília, e preciso responder pelo que fiz.

– Está dizendo que quer que todos fiquem livres, Selma?

– Sim, José Luiz, se for possível ficarei muito feliz se isso acontecer.

Vou comunicar ao promotor e ao juiz o que você deseja e propor uma sentença e, se eles aceitarem, tudo ficará bem para todos.

– O que vai propor, José Luiz?

– Não posso dizer ainda, Selma. Não sei se eles vão aceitar.

– Dizendo isso, José Luiz olhou para Rita, que chorava sem parar:

– Dona Rita, por favor, chame sua filha. Ela precisa me acompanhar até a delegacia para confessar o que fez.

– Ela vai ser presa, doutor?

– Não sei mas, seguindo o desejo de Selma, vou tentar fazer com que não seja.

– Obrigada. Ela é minha filha única e sonhei uma vida diferente para ela, doutor.

– Precisamos falar com seu marido, Selma. Ele também precisa concordar com seu desejo, pois também foi prejudicado.

– Ele está no trabalho. Seu antigo patrão veio hoje em casa pedir que voltasse com o dobro do salário.

Ao ouvir aquilo, Flora começou a rir.

– Por que está rindo, Flora?

– Porque se alguém me contasse o que está acontecendo eu diria que não pode ser, que parece um filme ou uma novela. Este país é imenso e você veio para esta cidade que quase nem está no mapa, onde se encontra toda a família da sua vítima, Selma? Com tanto lugar no mundo? Isso só acontece nas novelas ou em livros de ficção!

– Como pode ver, Flora, algumas vezes a ficção acontece na vida real.

– Estou vendo e por isso volto a dizer que se alguém me contasse eu não acreditaria.

Na minha doutrina também aprendi que, quando existe a possibilidade de redenção, de perdão, as forças de luz se unem para que tudo dê certo e o bem vença. Mas, infelizmente, o mesmo acontece quando há a intenção de fazer o mal, as forças das trevas também se unem para que o mal aconteça, e só não acontece quando a pessoa que é dirigida sem intenção não mereça. No seu caso, Selma, as forças de luz se uniram e graças a Deus conseguiu fazer com que o bem vencesse, o perdão surgisse e houvesse o resgate.

– Essa sua doutrina parece que tem resposta para tudo, Marília.

– Tem mesmo, Flora. Por isso continuo estudando e aprendendo.

– A conversa está boa mas precisamos decidir o que você quer fazer, Selma. Ir até a delegacia ou esperar por mim aqui. Volto quando tudo estiver resolvido.

– Quero ir à delegacia, José Luiz. Preciso conversar com dona Mirtes.

– Está bem, então vamos? Precisa apressar Sandra, Marília.

Marília sorriu e, quando ia saindo da sala, Rita entrou com Sandra que, chorando, ficou com a cabeça baixa sem coragem de olhar para eles.

– Selma, quer passar no trabalho de Roberto para que ele vá conosco?

– Não, José Luiz. Ele deve estar atolado de trabalho. Depois, quando chegar em casa, conto tudo o que aconteceu.

Saíram. Sandra, sem coragem de encarar os demais, ficou calada o tempo todo. Quando chegaram à delegacia, Mirtes, Fabiana e Margarete estavam na sala do delegado e Selma, ainda parada na porta, olhou para Mirtes que, no mesmo instante, também a olhou. Assim que seus olhos se encontraram, Selma, entre lágrimas, disse:

– Perdão, dona Mirtes...

Todos e principalmente Mirtes ficaram calados e surpresos por alguns segundos com essa atitude totalmente inesperada de Selma. Mirtes, que agora também chorava, disse:

– Sou eu quem precisa pedir perdão, Selma. Fui eu que, com todo o ódio que sentia, quis me vingar e usei essas crianças para me ajudarem.

– A senhora só fez isso porque eu fui cruel e traiçoeira com Matilde. Usando o poder que julgava ter, enganei e envolvi sua filha. Nunca imaginei que tudo terminaria como terminou, mas, de qualquer maneira, fui a culpada por aquela tragédia. Tenho certeza de que se não tivesse feito o que fiz, hoje não estaríamos aqui.

Selma, agora chorando muito, abriu os braços e começou a andar em direção de Mirtes que, lentamente, começou a caminhar ao seu encontro. Chorando, abraçaram-se e as lágrimas se misturaram e nada falaram. Não foi preciso, pois aquele abraço significava a redenção das duas. Nenhum dos que estavam ali conseguiu conter as lágrimas, sem imaginar que ali também estavam Matilde e Mario Augusto também abraçados, chorando. Péricles que, mais discreto, apenas acompanhava a felicidade de todos, falou:

– Graças, meu Deus, por este momento de redenção e de amor. A estrada do ódio, da mágoa e do arrependimento foi longa, mas graças à Sua luz e Seu amor, estão libertos de todos os sentimentos ruins e estão sob a Sua proteção infinita. Obrigado, Senhor, por ter permitido que eu estivesse aqui neste momento.

Ao ouvirem aquilo, Matilde e Mario Augusto não se contiveram e o abraçaram também.

Tomado de surpresa, Péricles também os abraçou e permitiu que uma lágrima caísse por seu rosto. Em seguida, os três estenderam os braços sobre todos e, de suas mãos, luzes brilhantes caíram sobre eles e a sala ficou iluminada em uma beleza jamais imaginada. A luz atingiu até Joel e Roberto que chegavam, naquele momento, acompanhados por um soldado que o delegado havia ordenado para buscar Joel. Roberto também chegou, pois, quando o soldado chegou, teve de falar com ele para que Joel fosse até a delegacia. Claro que ficou surpreso e curioso, acompanhou o soldado e Joel. Quando chegaram, ao verem aquela cena, ficaram parados, sem conseguir dizer o que sentiram, só sabiam que era muito bom. Roberto viu Selma abraçada àquela mulher que não conhecia e todos os outros, também abraçados.

Sob a influência da luz, Marília olhou para Sandra e viu que ela chorava sem parar. Segurou sua mão e puxando-a para perto a abraçou com muita força. Rita, ao ver aquilo, abraçou a filha e Marília e choraram sem conseguir parar. Selma, por trás do ombro de Mirtes, viu Fabiana chorando, abraçada a outra moça. Selma deduziu que fosse Margarete. Com a mão, fez um sinal para que elas se aproximassem. Receosas, mas ao verem o sorriso dela, se aproximaram e se abraçaram entre muitas lágrimas. Flora e José Luiz, felizes por tudo ter sido esclarecido, também se abraçaram.

Péricles, ainda enviando luz, disse:

– Esta delegacia que, normalmente, é carregada com energias ruins, densas e pesadas, neste momento se transformou em um templo de luz que só o amor pode conseguir. Este é um encontro de amigos que caminham juntos há muito tempo e que estiveram sempre uns ajudando os outros em suas quedas. Bendito seja, Senhor!

O delegado, por trás de sua mesa, sem entender o que estava acontecendo ali e tentando não demonstrar sua emoção, disse, nervoso:

– Não sei o que está se passando aqui, mas estão prejudicando um depoimento. Queiram se comportar!

Todos se afastaram e olharam para ele, que continuou:

– Esta senhora estava confessando que foi ela quem planejou tudo o que aconteceu com a senhora e seu marido, dona Selma.

Selma, que só nesse momento viu Roberto, foi até ele e segurando sua mão disse:

– Já tomei conhecimento de tudo o que aconteceu, delegado, e desejo retirar a queixa.

– A senhora não está entendendo, não há queixa; o que há é um processo em andamento, em que seu marido e a senhora são réus.

– Sei disso, mas, com a confissão de dona Mirtes, somos inocentados. O senhor nos libera e vamos embora.

– Não é assim que funciona, dona Selma. Não posso simplesmente libertar a senhora e, principalmente, dona Mirtes. Houve um crime e, para que sejam liberados, existem trâmites legais. Preciso indiciar todos e enviar ao promotor, somente ele poderá decidir o que vai ser feito. Por ora, a senhora e seu marido continuarão como estão, esperando o julgamento, mas os outros precisarão ficar aqui.

Ao ouvir aquilo, as meninas e Joel ficaram assustados e olharam para Mirtes que, desesperada, disse:

– Por favor, delegado, a única culpada sou eu, as crianças não têm culpa alguma.

– Podemos conversar a sós, delegado?

O delegado olhou para José Luiz, que havia feito a pergunta.

– Sabe que isso não é normal, doutor.

– Sei, sim, mas este é um caso especial. Acredito que tenho uma ideia que pode ajeitar as coisas.

– Está bem, vamos até aquela sala.

Assim que entraram na sala, José Luiz disse:

– O doutor já percebeu que aqui é um problema de vingança. Selma assume que dona Mirtes teve razão e não quer que ela fique presa. Esta cidade é pequena e todos se conhecem. Dona Mirtes e as crianças são pessoas simples e não pensaram nas consequências de seus atos.

– Isso não é desculpa, doutor. A ignorância não pode servir como desculpa para que um crime seja cometido. Todos precisam arcar com as consequências do que fizeram. Dona Selma e o marido poderiam ser condenados por algo que não cometeram.

– Entendo sua posição, sei que tem toda razão, mas este caso é diferente. O senhor poderia deixar que todos fossem embora, com a condição de que quando intimados todos se apresentarão.

– Não posso fazer isso, pois não moram aqui na cidade e poderão ir embora, doutor.

– São pessoas honestas e estão com muito medo de serem presas. Garanto que, sempre que forem intimados, estarão aqui.

– O doutor garante?

– Sim, delegado. Eu mesmo os trarei.

– Está bem, doutor. Confiando na sua palavra, vou tomar o depoimento de todos eles e depois serão liberados.

Voltaram para a sala e o delegado, muito sério e sem contar o que haviam conversado, disse:

– Vamos continuar.

Tomou o depoimento de todos, ficando bem clara a participação de cada.

– Agora podem ir, mas com o compromisso de se apresentarem sempre que forem intimados. Preciso deixar claro que o doutor, aqui, se responsabilizou por todos vocês. – Falou, ainda sério, olhando para todos.

Aliviados, saíram e despediram-se. Selma e Roberto seguiram para casa, Flora e José Luiz entraram no carro e foram embora. Mirtes e as meninas, ao lado de Joel, foram caminhando em direção à casa de Carolina. Todos tinham muito o que conversar.

Selma e Roberto caminhavam pela rua:

– Sabe, Roberto, apesar de tudo o que passamos, estou aliviada por tudo o que aconteceu.

– Aliviada, Selma? Quase fomos presos nem sei por quanto tempo!

– Sinto muito por ter sido envolvido em algo que eu cometi, mas, mesmo assim, estou aliviada, sim. Durante todos esses anos tenho levado minha vida, mas sem nunca esquecer de Matilde, de Arlete e de meu irmão. A culpa, por muitas noites, não me deixou dormir. Esconder de você o meu passado também me fazia sofrer. Agora, depois de tudo esclarecido, estou tranquila e podendo respirar. Parece que tudo vai voltar ao normal. Você recuperou seu emprego que tanto gosta e eu posso continuar ajudando no orfanato. Aquelas crianças, depois de você e de Carlos, são tudo na minha vida. A única tristeza que ainda carrego é não ter podido pedir perdão à minha mãe, antes que morresse. Mas, segundo Marília e sua tia, a morte não existe; por isso, acredito que ainda me encontrarei com ela.

– Espero que sim e, falando em trabalho, preciso voltar para o laticínio, há muito trabalho por lá. Talvez eu tenha de trabalhar até mais tarde.

Chegaram à esquina e despediram-se. Selma seguiu para sua casa e Roberto foi para o trabalho.

Etelvina, que os acompanhou durante a caminhada, sorriu, mandou um beijo e foi para junto de Mirtes, que também caminhava ao lado de Margarete, Fabiana e Joel:

– É muito triste o que está acontecendo. Nunca deveria ter envolvido vocês no meu ódio e desejo de vingança. Com tudo o que aconteceu, aprendi que esses sentimentos só nos fazem sofrer. Vocês são jovens e acredito que no final tudo vai ficar bem, mas, por outro lado, aprenderam que não podem se deixar levar por outras pessoas para fazerem o mal nem mesmo por alguém de quem gostem e em quem tenham confiança.

– Também estou com medo, tia, mas o que mais me faz sofrer é ter enganado Carlos. Ele é um menino muito bom e não merecia. Vou tentar conversar com ele e pedir perdão.

– Faça isso, Fabiana. Sinto que pedir e dar o perdão só nos faz bem.

– Também estou preocupado com Sandra, tia. Ela mora no orfanato e é muito querida por sua mãe e por dona Marília. Não sei como vai ficar a situação dela.

– A cada palavra de vocês, fico mais triste, arrependida e me sentindo culpada. Se for preciso vou conversar com a mãe de Sandra e a senhora do orfanato. Elas me pareceram ser pessoas de bem.

– São, sim. Mas o que Sandra fez, por minha culpa, foi muito grave.

Parecendo adivinhar o que conversavam, Rita, Marília e Sandra, que estava com a cabeça abaixada, também caminhavam. Rita, embora não quisesse, não conseguia parar de chorar. Sandra, escondendo o rosto, também chorava:

– Dona Marília, não sei como me desculpar pelo que Sandra fez. Sei que não tem perdão, por isso só peço alguns dias para encontrar um lugar para ir. Não posso continuar no orfanato, pois sei que a senhora nunca mais vai confiar em mim e na minha filha, e com razão.

– Não diga isso, Rita, você sempre esteve ao meu lado! E você, Sandra, foi criada como minha filha. Sei que só fez isso por estar apaixonada, mas espero que tenha servido de aprendizado e nunca mais faça algo que poderá prejudicar outra pessoa. Com nossos erros é que aprendemos. Por mim, vai continuar tudo como antes. Você, Rita, que nada tem a ver com o que aconteceu, continua com toda minha confiança, e você, Sandra, também. Meus planos para você continuam os mesmos, só vai depender da sua vontade e de seu empenho. – Marília disse, abraçando as duas, que choravam sem parar.

– A senhora vai me perdoar, dona Marília?

– Já perdoei, Sandra. Todos nós erramos, e é para isso que renascemos. No momento em que você confessou, antes de saber que tudo havia sido descoberto, demonstrou que estava arrependida. Sei que poderá cometer outros erros, mas igual a este nunca mais, acredito que tenha aprendido. Agora, vamos para o orfanato, tem muito trabalho para ser feito.

Sorrindo, continuaram caminhando. Péricles, que estava ali, sorriu. Marília sentiu sua presença e pensou:

Obrigada por estar sempre ao meu lado, Péricles...

Flora e José Luiz também conversavam no carro a respeito de tudo o que havia acontecido, relembrando-se do tempo em que estavam juntos e eram felizes. Com muita saudade, ele disse:

– Sinto muita falta de Mario Augusto, ele era meu melhor amigo e quando morreu fiquei muito mal, ainda mais da maneira como foi. Mas hoje, não sei por que, estou bem. Sinto que depois de tudo esclarecido, ele está bem e feliz.

– Também acredito nisso, a respeito de Arlete e de Matilde. Sinto que, finalmente, estão bem. Durante todo esse tempo tenho vivido para minha vingança e nunca senti a paz que estou sentindo hoje. Esmeralda sempre teve razão quando me dizia que o ódio e o desejo de vingança faziam mal só a mim mesma. Estou pensando na doutrina que ela segue. Sinto que é por tudo o que aprendeu com ela que Esmeralda é uma pessoa que transmite e vive em paz.

Continuaram conversando. Quando chegaram diante da porta da casa de Flora, José Luiz parou o carro. Olharam-se:

– Não quer tomar um chá, José Luiz? Esmeralda toma todas as tardes.

– Obrigado, Flora, mas preciso ir para o escritório. Estou terminando os documentos de dona Alda. Embora não tenha sobrado muito do patrimônio, há ainda o carro e um pequeno apartamento. Preciso ver como está tudo e comunicar à Selma, para que ela tome posse.

– Mas ela não disse que não quer nada que foi de sua família?

– É verdade. Mas, mesmo assim, tudo precisa ser documentado.

– Está bem. Quando puder, venha me visitar.

– Claro que sim.

Ele saiu do carro, deu a volta, abriu a porta para que Flora descesse e pegou em sua mão para ajudá-la. Assim que as mãos se tocaram, ambos sentiram, novamente, aquilo que haviam sentido antes e se olharam, só que desta vez de uma maneira diferente, e ficaram constrangidos. José Luiz, tentando sorrir, disse:

– Gostaria muito de voltar a ver você, Flora, só que de uma maneira diferente.

– Diferente como, José Luiz?

– Não como amigo, mas, se você aceitar, como seu namorado...

– O quê? Como namorado? – Perguntou ela, rindo.

– Por que não? Nós nos conhecemos há tanto tempo…

– Sim, mas como amigos, José Luiz.

– Sinto que sempre gostei de você, Flora, só que sempre a considerei como amiga. Mas agora esse sentimento está bem claro, acho que podemos tentar nos conhecer de uma maneira diferente. Vamos tentar?

– Ela demorou um pouco para responder. Depois, sorrindo e feliz, disse:

– Claro! Por que não?

– Sendo assim, vamos jantar esta noite?

– Vamos, sim. No mínimo, teremos uma noite agradável.

– Posso vir às vinte horas, está bem para você?

Quase sem conseguir esconder a emoção que estava sentindo, tremendo por dentro, respondeu:

– Está bem, estarei esperando.

Ele, sorrindo, beijou de leve os lábios de Flora, entrou no carro, acelerou e foi embora.

Ela, tremendo de emoção, entrou em casa.

Assim que entrou, começou a cantar e a dançar. Esmeralda, surpresa ao ver aquilo, curiosa, perguntou:

– O que aconteceu, Flora? Parece que viu passarinho verde!

– Eu vi passarinhos de todas as cores, Esmeralda... – Flora disse suspirando.

– O que aconteceu para que ficasse assim, Flora? Para onde você e José Luiz foram?

Ainda suspirando, segurou os braços de Esmeralda e, mesmo sem música, saíram dançando pela sala.

– O que é isso, Flora? Não estou reconhecendo você!

Flora parou de dançar, abraçou-a e, conduzindo-a até um sofá, fez com que se sentasse e contou o que havia acontecido:

– José Luiz se declarou, Flora? – Esmeralda perguntou, levantando-se.

– Sim e vamos jantar esta noite! Preciso me preparar!

– Sempre soube que vocês se amavam. Estou muito feliz e já posso morrer tranquila...

– Morrer coisa nenhuma! Você vai ficar ao meu lado por muito tempo!

– Embora entenda o motivo, não consigo acreditar que a mãe de Matilde foi quem planejou tudo, Flora...

– Também custei a acreditar. E pensar que você achou que tinha sido eu! Posso garantir que nem eu teria tido uma ideia como essa para me vingar de Selma, mas agora que está tudo bem vou me preparar para meu encontro com José Luiz. Estou tão contente!

Dizendo isso e, suspirando, subiu a escada que a levaria para seu quarto, onde ia escolher o vestido que usaria naquela noite tão especial.

Péricles olhou para os outros, que sorriram.

Tomada de consciência

Alda abriu os olhos. Estava deitada. Levantou-se, olhou à sua volta e assustou-se:

– Que lugar é este? Onde está Josias? Por que ele me largou aqui sozinha?

– Josias! Josias! Josias! – Gritou sem parar.

Depois de gritar várias vezes, olhou para seu vestido e viu que ele estava empoeirado e amarrotado. Para ouvir a própria voz naquele silêncio extremo falou:

– Como cheguei aqui a este lugar tão horroroso?

Passou as mãos pelo rosto e cabelos.

– Nossa! O que aconteceu comigo? Eu e Josias estávamos voltando da delegacia. Eu estava nervosa por encontrar Selma, depois de tantos anos, atrás das grades, presa como uma marginal e ainda casada com aquele homem! Um dia horrível como esse e agora isso? Josias me largou aqui sozinha? Mesmo sem um espelho posso sentir que meus cabelos estão desalinhados e o meu vestido está amarrotado e sujo!

Olhou para ver se encontrava sua bolsa, onde sabia que tinha um espelho. Procurou, mas não a encontrou. Olhou para o pulso para ver as horas no relógio, mas ele também não estava lá, nem seu colar, os brincos e o anel. Raivosa, começou a gritar:

– Josias! Josias! Você, além de levar meu carro, levou minha bolsa e minhas joias também? Isso não tem perdão! Não sei por que você me largou aqui, mas quando voltar eu vou despedi-lo!

Olhou e viu que o lugar era deserto. Havia apenas uma longa estrada poeirenta, da qual ela não conseguia ver o final em nenhum dos lados, e não havia casa ou árvore.

– O que vou fazer? Josias, Josias!

Gritou, xingou e blasfemou. Depois, cansada, voltou a se sentar e a esperar. Esperou por muito tempo, nem conseguia calcular quanto.

– Estou com fome e sede. Daria tudo o que tenho por um copo com água e algo para comer. O que será que me aconteceu, por que não me lembro?

Tornou a se levantar e a olhar para a longa estrada.

– Não tem como, não posso mais ficar esperando. Preciso seguir a estrada e ver se encontro algum lugar ou alguém que possa me ajudar.

Começou a andar. Andou por um longo tempo e mesmo assim não conseguia ver o fim da estrada ou algum lugar em que pudesse parar e obter ajuda. Estava exausta, seus pés doíam e sentia muita fraqueza. Desesperada, começou a chorar e a chamar por Josias, que não aparecia. Ia se sentar novamente quando viu que um vulto se aproximava. De onde estava não conseguia distinguir se era de homem ou de mulher. Respirou fundo e começou a andar em direção ao vulto, que caminhava vagarosamente. Assim que se aproximou, Alda notou que era um homem que estava mal vestido e trazia em uma das suas mãos uma sacola.

Tomara que ele possa me ajudar, embora com essas roupas que está vestindo demonstre que está precisando de mais ajuda do que eu. O que será que tem naquela sacola? Talvez tenha alguma comida e água.

Assim que o homem chegou mais perto, ela, desesperada, disse:

– Boa tarde, senhor. Por favor, estou perdida e precisando de ajuda.

– Bom dia, senhora. São só dez horas da manhã.

– Desculpe é que estou sem relógio.

– Não ligo não. Eu não preciso de relógio, basta olhar para o céu e ver onde o sol está. – Disse, enquanto continuava andando.

– Por favor, senhor, estou com muita fome e sede. O senhor não teria algo que eu pudesse comer ou água para eu beber?

– Tenho sim, mas não posso dar, estou levando para uma família pobre.

Família pobre? Quero ver, se eu oferecer dinheiro, se ele vai me dar ou não o que preciso... – pensou, sorrindo por dentro.

– Por favor, senhor, tenho muito dinheiro e posso pagar muito bem. Tanto que poderá voltar e comprar mais para essa família!

– Não vai dar não, senhora. Só pra saber, onde está o seu dinheiro? Não estou vendo sua bolsa e no seu vestido não tem bolso...

– Meu motorista me abandonou aqui e levou tudo o que eu tinha, mas juro que tenho muito dinheiro e prometo ao senhor que, assim que chegar à minha casa, eu mando o que quiser pelo correio, basta só me dar seu endereço! Por favor! Estou desesperada!

– Desculpe-me senhora, mas onde moro não tem correio, nem preciso de dinheiro não. Também não tenho endereço. Sou andarilho e ando por esta estrada ajudando quem precisa.

– Pois então, eu estou precisando de ajuda. Tenho muito dinheiro, sim. Pertenço à nata da sociedade, e onde moro todos me conhecem e sabem o que faço. As pessoas que me conhecem têm dinheiro e poder também! Por favor, me ajude! Garanto que não vai se arrepender...

– Não dá, não, senhora. Preciso continuar o meu caminho! As pessoas para quem estou levando esse alimento e essa água estão esperando por mim. São muito pobres. A senhora sabe o que é pobreza?

– Claro que sei! Sempre tratei muito bem a todos... – mentiu.

– Sendo assim, entende que preciso ajudar essa família. Até mais, não posso me atrasar, eles precisam muito de minha ajuda.

– Também estou precisando de ajuda. O que o senhor está fazendo não é justo!

– Nem sempre agimos com justiça, senhora. Para mim, hoje, a justiça é eu levar ajuda para essa família.

Vendo que nada ia conseguir com ele, arriscou:

– Então, leve-me com o senhor.

– Ainda falta muito para eu chegar. O melhor que a senhora tem a fazer é seguir pelo caminho que estava indo. Logo mais vai encontrar abrigo.

– O senhor tem certeza?

– Tenho, sim. Conheço esta estrada como ninguém. Vivo nela há muito tempo ajudando a todos os que passam por aqui.

– Todos os que passam por aqui? Mas estou andando há muito tempo e não vi ninguém!

– A senhora vai encontrar.

– Já que ajuda as pessoas, por que não me ajuda?

– Tenho uma missão para cumprir e não posso me desviar. Continue e logo vai encontrar outros que a ajudarão.

Dizendo isso, continuou andando. Alda, desesperada, viu ele se afastando. Tentou ir atrás, mas ele começou a andar rapidamente e logo ela o perdeu de vista.

– Bem, agora só me resta caminhar. Ah, Josias, quando eu o encontrar, vou matá-lo por ter me abandonado dessa maneira!

Continuou andando, mas não por muito tempo. Estava sem forças para continuar. Encontrou um tronco de árvore caído que mais parecia um banco, sentou-se nele e ficou olhando à sua volta e ao horizonte de um lado e de outro:

– Nada, não estou vendo coisa alguma, e esse silêncio está me matando. Preciso falar alto para ouvir a minha própria voz, pois não suporto este silêncio aterrador. Vou ficar aqui até que Josias apareça. Sei que vai aparecer. Não entendo como aquele homem teve a coragem de me deixar sozinha nesta estrada sem me dar nem um pouco de água. Como alguém pode agir assim, ver outro sofrendo e não ajudar? Eu nunca deixei de ajudar ninguém. Sempre ajudei aqueles que precisavam, promovendo festas, jantares e almoços, e o dinheiro arrecadado foi sempre para ajudar alguma instituição.

Parou de falar e ficou se lembrando das várias vezes que fez isso.

– Bem, para ser honesta, na verdade eu pouco estava me preocupando com o que as pessoas sofriam ou se eram pobres. A distância entre mim e os pobres era imensa. Eu queria apenas poder mostrar às minhas amigas minhas roupas e joias para que sentissem inveja, e elas sentiam. – Sorriu ao dizer isso. – Sempre fui muito invejada, pois além de muito rica tinha poder e todos aos meus pés imploravam por um pouco de atenção. Não entendo como pude chegar a este ponto. Tudo começou a mudar quando Mario Augusto morreu daquela forma trágica. Jamais poderia imaginar que fora Selma quem havia feito aquilo e causado a morte dele. Meu filho, que era meu orgulho e tinha uma vida linda pela frente, morrer daquela maneira! Depois Selma desapareceu, meu marido morreu e eu fiquei sozinha. A única coisa que me fiz continuar foram os meus jantares e almoços beneficentes quando eu podia desfilar minhas roupas e joias. Depois veio o jogo, onde eu passava horas me distraindo, sem ter tempo para me lembrar da tragédia que havia acontecido em minha vida. Joguei sem me preocupar, pois sempre achei que meu dinheiro não terminaria nunca, mas terminou e não sei como vai ser minha vida daqui para a frente.

Sentiu uma dor imensa no peito. Colocou a mão, fez uma massagem e disse desesperada:

– Que dor é essa que estou sentindo? Está muito forte! Preciso mesmo da ajuda de um médico! Não posso morrer aqui sozinha neste lugar horrível! Como é difícil não ter ajuda quando precisamos. Nunca tive esse problema, pois sempre tive o mundo aos meus pés. Nunca precisei sair de casa para ser consultada por um médico, sempre tive o doutor Silveira à minha disposição que vinha em minha casa. Agora aqui sozinha sinto como é preciso ter alguém que nos ajude. Para ser sincera e pensando bem, realmente nunca me preocupei com os pobres ou com ninguém. Hoje, sinto que poderia ter ajudado a muitas pessoas, mas quando eu voltar para casa vai ser tudo diferente. Vou ajudar a todos que precisarem. Como vou fazer isso se não tenho mais dinheiro? Joguei tudo o que tinha.

A dor do peito passou. Ela respirou fundo e continuou falando baixinho:

– Ainda bem que a dor passou. Que dor será essa? Assim que chegar à minha casa preciso providenciar minha mudança. Não sei como viverei em um apartamento pequeno como aquele. Perdi tudo sem perceber. Agora, preciso continuar a andar para ver se encontro algum lugar ou alguém para me ajudar.

Levantou-se, mas não conseguiu andar. Estava muito cansada, com fome e sede. Suas pernas tremiam pela fraqueza:

– Não consigo dar mais nem um passo, estou muito fraca. Preciso comer alguma coisa e beber água. Nunca dei valor à comida ou à água, pois sempre tive muito. Agora daria tudo o que tenho por apenas um gole de água e um pedaço de pão. Aquele homem disse que muitas pessoas passam por aqui. Vou continuar sentada neste tronco, pelo menos ele tem uma altura que me faz sentir um pouco confortável. Alguém vai aparecer, precisa aparecer.

Voltou a se sentar e a relembrar como sua vida havia sido até lá. Em sua mente surgiam momentos e pessoas que ela havia deixado de ajudar e que muitas vezes, por um simples prazer, para mostrar o seu poder, prejudicou.

Percebeu que o sol estava baixando:

– Logo vai escurecer. O que vou fazer sozinha neste lugar? Preciso de ajuda! Sei que nunca fui de rezar. Nunca precisei e não tinha tempo. Meu Deus, por favor, preciso de ajuda. – Disse com lágrimas escorrendo por seu rosto.

Assustada, com muito medo e desesperada rezou, rezou muito, mas nada nem ninguém apareceu. A noite caiu rapidamente e logo ficou escuro. Alda começou a ouvir sons estranhos e terríveis. O medo tomou conta dela totalmente. Assustada, sentou-se no chão e encostou-se no tronco. Encolheu-se, colocou a cabeça entre os joelhos, fechou os olhos e tentou ficar quieta para evitar que os bichos que estavam fazendo aquele som horrível não a encontrassem, mas o som foi ficando cada vez mais forte e próximo. Ela ficou ali tremendo muito e vendo toda sua vida passar por seu pensamento. Lembrou-se das várias vezes em que ofendeu e humilhou seus serviçais, um garçom ou uma vendedora de alguma loja de roupas ou de sapatos. Lembrou-se, também, do homem que havia se recusado a ajudá-la:

Por que ele se recusou a me ajudar? Como alguém pode deixar outro abandonado à míngua, com fome e com sede, como ele fez?

No mesmo instante, lembrou-se do que fez com um garçom:

Uma vez por semana, eu e algumas amigas tomávamos o chá da tarde em uma confeitaria. Era uma oportunidade para conversarmos, rirmos e, claro, desfilarmos nossas roupas e joias. Estávamos sentadas conversando e rindo, quando um garçom se aproximou com uma bandeja com copos e água. Ele estava colocando a água nos copos, quando algumas crianças que brincavam entre as mesas passaram correndo e o empurraram. Ele perdeu o equilíbrio e a água que estava nos copos e em suas mãos caiu sobre a mesa e nos molhou. Fiquei furiosa com o homem:

– Não sabe o que está fazendo? Não tem condições de trabalhar em um restaurante como este! Chame o gerente! Quero falar com ele!

– Por favor, senhora, desculpe-me! Não tive intenção, foi um acidente!

– Não me importo se foi acidente ou não! O senhor deveria tomar mais cuidado! Vou falar com o gerente e exigir que ele o despeça!

– Não faça isso, senhora. Tenho três filhos e vai ser difícil encontrar um novo trabalho!

– O problema é seu! Eu cuido dos meus filhos, o senhor que cuide dos seus. Quero falar com o gerente! – Gritei.

– Por favor, senhora. Prometo que isso não vai acontecer novamente!

– Quanto mais ele pedia, mais poderosa eu me sentia, e aquele sentimento me fazia muito bem. O gerente, ao ver a confusão, se aproximou. Exercendo o poder que eu sabia que tinha, pois o gerente sabia que se eu não voltasse à confeitaria ele perderia muitos clientes com dinheiro, fiz com que ele despedisse o garçom, que saiu desesperado. Depois que ele saiu, ri muito com minhas amigas. Meu Deus, o homem que não se importou que eu precisasse de ajuda e se recusou a me ajudar era aquele garçom? Ele está se vingando daquilo que fiz? Como poderia imaginar que algum dia eu o encontraria em uma estrada deserta e precisando de ajuda, sem poder algum? Nunca me preocupei com as outras pessoas e suas dificuldades. Para mim, eram apenas pobres e não mereciam a minha atenção.

Todos aqueles que ela havia humilhado e usado seu poder foram passando por seu pensamento. Quanto mais se lembrava, pior se sentia. Aquele som que a assustava aumentou. Ela fechou os olhos com mais força e apertou a cabeça sobre o joelho. Sentiu um medo imenso por estar ali, sozinha, no meio daquela escuridão, sem ter quem a ajudasse. Naquele momento lembrou-se do dia em que havia despedido Etelvina:

Etelvina chorou muito e implorou dizendo que não tinha para onde ir ou passar a noite, mas eu não me importei. O que será que ela fez naquela noite, onde dormiu? Como pude fazer aquilo? Eu, tomada pelo orgulho e poder, a despedi somente porque ela contava para Selma a história do nascimento de Jesus e a diferença entre brancos e negros. Selma me acusou de tê-la criado de uma maneira errada, agora entendo que talvez ela tenha razão. Eu também fui criada da mesma maneira que a criei, mas assim como ela poderia ter mudado, ter sido mais humana. Nunca me imaginei em uma situação como esta, pois sempre fui rica e isso me tornava poderosa e superior às demais pessoas que não tinham dinheiro. Mesmo com tanto dinheiro, perdi meu filho, minha filha foi embora me odiando e meu marido também morreu. Fiquei sozinha. Quanto tempo perdido! Quanto eu poderia ter feito de bom! Ai, meu Deus, se eu pudesse voltar, faria tudo diferente. Quanta ilusão que o dinheiro pode trazer! Tudo isso que estou passando está servindo para me mostrar o quanto errei na vida. Preciso e vou ter outra chance. Sei que vou. Sei que Josias, a qualquer momento, vai chegar e me levar para casa. Quando isso acontecer, não serei mais egoísta e prepotente do jeito que fui. Vou procurar por Etelvina e pedir que me perdoe. Não sei o que aconteceu com sua vida, nunca me preocupei, mas vou conseguir encontrá-la. Preciso, também, conversar com Selma e seu marido que, embora não o conheça, me pareceu ser um bom homem e que a ama realmente. Como pude fazer o que fiz com aquele menino tão bonito, meu neto? Como pude agir e falar com ele da maneira que fiz? Assim que o reencontrar vou abraçá-lo, pedir perdão. Não tenho mais dinheiro para dar a ele, mas darei todo o meu amor.

Agora chorava, soluçando. Não só por estar com medo, mas por ter, enfim, entendido o que havia feito com sua vida. O remorso a atormentou mais do que o medo da escuridão. Chorou, chorou muito, sem conseguir se controlar. Não conseguiu evitar que do fundo do seu peito gritos de dor surgissem e gritou muito, pedindo perdão por tudo que havia feito.

Mario Augusto e Matilde, que estiveram o tempo todo ao seu lado, sorriram.

– Enfim, ela acordou, Mario Augusto.

– Sim, Matilde, e agora que tomou consciência de tudo o que fez, precisamos ajudá-la. Ainda bem que Péricles permitiu que ficássemos ao seu lado. Vamos ajudá-la, sim. É para isso que estamos aqui.

Estenderam os braços em direção a Alda, que não conseguia parar de chorar. De suas mãos saíram raios de luz que a envolveram totalmente. Ela não viu a luz, mas sentiu um bem estar profundo e adormeceu.

Quando abriu os olhos, ainda estava na estrada. O sol já havia nascido. A fome, a sede e, agora, o medo também estavam lá. Não estava mais preocupada com sua roupa ou seu cabelo. Queria somente encontrar alguém ou algum lugar para que pudesse obter ajuda.

– Quero muito voltar para minha casa. Quando chegar lá, vou mudar minha vida totalmente. Além de procurar as pessoas que prejudiquei e que fiz mal, vou ajudar muitas outras, voltar à cidade onde Selma está, pedir perdão a ela, ao marido e ao meu neto. Vou mudar totalmente! – Disse em voz alta para poder ouvir a própria voz.

Olhou para o horizonte mas ainda não conseguia ver o final da estrada.

– Não posso continuar aqui, Josias não vai voltar, preciso continuar andando.

Começou a andar, mas agora devagar, porque estava muito fraca. Andou por várias horas. Parava, sentava no chão, mesmo com toda aquela poeira, mas nada mais importava. Não encontrou ninguém. Por mais que andasse, não conseguia ver nenhuma casa, ninguém ou o fim da estrada. A noite estava chegando e ela ficou apavorada, pois tinha medo da noite, do escuro, quando não podia ver o que acontecia à sua volta. Olhou para ver se encontrava um lugar onde poderia se encostar, como havia acontecido na noite anterior, mas não havia coisa alguma, somente a estrada poeirenta e solidão. Quando escureceu totalmente, sentou-se na margem da estrada e, colocando a cabeça sobre os joelhos, fechou os olhos e ficou aguardando os ruídos e sons que tanto a haviam aterrorizado na noite anterior, porém eles não voltaram. Tentou dormir, mas não conseguiu. A fome e a sede, e agora o frio, não permitiam. Passou o dia todo se lembrando de tudo o que havia feito na sua vida e, agora, continuava a pensar. Lembrou-se de quando Mario Augusto e Selma eram pequenos e do que dizia a eles sobre o dinheiro e o poder que tinha sobre as outras pessoas. Quando se lembrou disso, chorou com mais força.

– Meu Deus, como errei! Selma tem razão, fui eu que fiz que ela fosse como é. Preciso conversar com Selma, dizer que reconheci todo o erro que cometi e dizer que estou feliz por ela, depois de tudo o que aconteceu, ter conseguido se redimir. Dizer também que estou feliz por ela ter me dado um neto lindo. Mario Augusto, meu filho amado, não sei se existe vida após a morte, nunca me preocupei com isso, mas, se tiver, e você puder me ouvir, quero pedir perdão por tudo o que fiz. Hoje sei que errei muito, mas já é tarde, você está morto e fui culpada por isso. Ensinei a Selma que o dinheiro podia tudo, e ela, usando do dinheiro, envolveu Matilde e fez o que fez. Perdão, meu filho, e se puder, me ajude a voltar para casa.

Matilde abraçou Mario Augusto, que chorava:

– Não fique assim, Mario Augusto. Ela está se redimindo.

– Sei disso, Matilde, e estou chorando de felicidade. Ela, agora, está no caminho da redenção.

– Estou chorando não por tristeza, Matilde, mas por entender exatamente isso. O que me deixa triste é saber que ela perdeu essa reencarnação. Deixou de cumprir o que havia prometido, antes de renascer, que era nos criar de uma maneira diferente, dando o justo valor ao dinheiro, mas nunca usá-lo para prejudicar outras pessoas.

– Mesmo assim, você nunca foi como Selma e sua mãe, Mario Augusto.

– Sei disso, mas não posso deixar de ficar triste. Sei que minha mãe precisa passar por tudo isso, numa tentativa de que ela repense e se arrependa, e isso ela está fazendo. Depois, quanto tudo passar e Selma e Flora retornarem, vamos ver o que poderemos fazer para uma próxima encarnação e como os enganos desta podem ser redimidos. Estamos todos envolvidos, Matilde. Cada um de nós tem um pouco de culpa nos acontecimentos.

– O bom é saber que teremos outra chance, Mario Augusto.

Mario Augusto sorriu e voltaram o olhar para Alda, que continuava com a cabeça sobre os joelhos, chorando, e não conseguia parar de pensar.

Meu Deus eu preciso de uma nova chance... Preciso voltar para casa e consertar tudo o que fiz de errado. Mario Augusto, se puder me ajude, filho. Você era muito bom, diferente de mim e de Selma.

Voltou a chorar com mais força e dor.

Mario Augusto, embora em lágrimas, sorriu. Olhou para Matilde e ambos estenderam os braços sobre Alda e jogaram luzes brancas sobre ela. No mesmo instante, Alda levantou a cabeça, abriu os olhos e viu, bem longe, uma pequena luz, trêmula, que se aproximava. Percebeu que os sons terríveis e que tanto a assustaram haviam cessado.

– Que luz é aquela que vem se aproximando? Parece a luz de uma tocha ou de um lampião. Finalmente, alguém apareceu. Tomara que me ajude. Preciso voltar para minha casa e tentar consertar tudo o que fiz de errado na minha vida. Assim que chegar, a primeira coisa que vou fazer é conversar com José Luiz e pedir que me ajude a encontrar Etelvina. Sei que ele tem meios para isso. Depois, vou procurar as pessoas que prejudiquei e ajudá-las no que for possível.

À medida que a luz se aproximava, ficava maior. Quando chegou perto de Alda, ela não conteve o grito, que saiu alto:

– Etelvina? É você mesma? Eu estava pensando em você e decidi que, assim que voltasse para casa, ia procurá-la para pedir perdão por tudo o que fiz!

Dizendo isso, abriu os braços e, chorando, abraçou Etelvina, que correspondeu.

Alda ficou agarrada em Etelvina e não a soltava.

Etelvina, com esforço, conseguiu se afastar.

– Como foi que você apareceu aqui, Etelvina? Estou sozinha, perdida nesta estrada, com fome, sede e muito medo. Estou rodeada de bichos que, embora eu não os veja, sei que estão por aqui. Sei que não deveria pedir ajuda a você, pois não mereço, mas será que você poderia me arrumar ao menos um pouco de água? – Perguntou, chorando e soluçando desesperada.

– Como a senhora chegou aqui, dona Alda? – Etelvina perguntou, afastando-se do abraço.

– Não sei, quando acordei me vi aqui nesta estrada sem fim. Estava com Josias e ele me abandonou. Por favor, Etelvina, me ajude... – disse, chorando.

– Fique tranquila, dona Alda. Não tenho o que perdoar, o importante é que a senhora reconheceu o que fez. Já está amanhecendo e aqui bem próximo tem uma casa onde a senhora poderá ficar até se restabelecer.

– Obrigada, Etelvina. Sei que não mereço, depois de tudo que fiz a você, mas prometo que vou recompensá-la.

– Como, dona Alda?

– Não tenho mais dinheiro, mas encontrarei uma maneira de ajudá-la. Darei tudo o que você quiser e precisar. O que você está precisando, Etelvina?

Etelvina sorriu:

– Nada que a senhora possa me oferecer, dona Alda. Estou bem. Durante esse tempo em que está caminhando por esta estrada descobriu alguma coisa?

– Sim, Etelvina. Descobri que a morte de Mario Augusto, de Matilde e de Arlete foi culpa minha. Fui eu quem ensinou Selma que tendo dinheiro poderia comprar a tudo e a todos.

– Realmente a senhora teve uma parcela de culpa, mas não pode se culpar pela atitude dos outros. Cada um de nós é responsável por nossas ações. Quando criança, Selma poderia se deixar envolver e influenciar pela senhora, mas, quando se tornou adulta pôde escolher o que queria e optou por continuar a ser orgulhosa, prepotente e egoísta. Nessa história, além de orgulho, prepotência e ciúme, houve também apego não só a coisas como a pessoas, por isso todos terão de reparar seus atos.

– Não estou entendendo, reparar como?

– Tudo a seu tempo, dona Alda. Agora já está amanhecendo, podemos seguir a estrada.

Alda estava muito fraca para andar. Etelvina colocou o braço em sua cintura e as duas foram caminhando devagar.

Estavam caminhando já há algum tempo, quando viram, ao longe, um vulto se aproximando. Etelvina parou e fez com que Alda também parasse.

– Quem será que vem se aproximando, Etelvina?

– Assim que se aproximar mais, saberemos.

Ficaram paradas esperando. O vulto se aproximava cambaleando, parecendo ser alguém que estava muito cansado. Alda, curiosa, ficou olhando e esperando. Assim que o vulto foi se aproximando, Alda não se conteve:

– É Arlete, Etelvina? Não pode ser! Está muito diferente! O que aconteceu com ela?

– Assim como aconteceu com a senhora, dona Alda, ela está passando por momentos de reflexão e para isso teve de ficar sozinha nesta estrada. Aqui, está tendo mais uma chance de aprendizado e a oportunidade de arrependimento.

– É verdade. Foi aqui que pude reconhecer o que havia feito na minha vida e na dos meus filhos, principalmente com Selma. Estou muito arrependida, Etelvina.

– Sei disso, mas graças a Deus a senhora entendeu a tempo.

Arlete se aproximou e, quando estava chegando, Alda ficou impressionada mais ainda pelo seu estado:

– Arlete, o que está fazendo aqui? O que aconteceu com você?

Para sua surpresa, Arlete não as viu, e cambaleando, continuou andando.

– Ela não nos viu, Etelvina?

– Não, dona Alda. Ela está vivendo momentos difíceis.

– Ela está muito fraca e assustada, Etelvina. Está precisando de ajuda! Precisamos ajudá-la!

– Embora possa não parecer, Arlete está tendo uma ajuda preciosa. Vamos conversar com ela, dona Alda.

Assim dizendo, estendeu os braços em direção a Arlete, que já havia dado alguns passos à frente. Luzes saíram de suas mãos, que Etelvina jogou sobre ela:

– Pare, Arlete. Precisamos conversar.

Ao ver aquela luz, Arlete, muito assustada, parou e se voltou. Ao ver Etelvina, gritou:

– Graças a Deus, a senhora apareceu! Será que pode me ajudar?

– O que está fazendo nesta estrada?

– Não sei. Acordei aqui e, sem saber o que fazer, comecei a andar procurando ajuda.

– Encontrou?

– Não. Andei muito. Estou cansada, com muita fome, muito frio e também com muito medo. Precisei me esconder de alguns monstros que apareceram. Nunca vi coisa igual, nem sabia que existiam. Ainda bem que a senhora apareceu. Pode me ajudar?

– Não precisa me chamar de senhora, Arlete. Aqui não existem essas formalidades. Além do mais, eu não pertenço ao seu meio social. Como pode ver, estou vestida com roupas simples e sou negra. Sempre houve uma separação entre pessoas como você e como eu.

– Isso foi no passado. Hoje, depois de ficar muito tempo aqui sozinha, pude refletir em como foi minha vida e em quanto tempo perdi com preconceitos.

– Sobre o que mais pensou, Arlete?

– Não sei se a senhora sabe, mas eu cometi uma loucura que não tem volta. Matei Mario Augusto e Matilde e, pior, depois me matei.

– Sei sim, e é por isso que estou aqui. Estou ao seu lado o tempo todo em que está na estrada e só não apareci para você porque precisava ficar sozinha.

– Eu nunca vi a senhora. Pensei que estivesse sozinha. – Disse, chorando muito.

– Embora possa parecer, nunca estamos sós, Arlete. Agora, chegou a hora de conversarmos. O que aconteceu com você?

– Eu não sei por que estou aqui. Estava ao lado de Selma intuindo dona Alda, na delegacia, quando fui trazida para esta estrada.

– Entendeu o que aconteceu aqui?

Antes de responder, Arlete ficou olhando para Etelvina e exclamou:

– Espere! A senhora não é Etelvina, que foi a babá de Selma?

– Sou eu mesma. Pensei que não ia me reconhecer. Quando fui babá de Selma, você era muito pequena.

– Agora, estou me lembrando. Selma ficou muito triste quando dona Alda mandou a senhora embora. Ela gostava muito da senhora.

– Também fiquei muito triste. Tudo passou. Hoje, Selma está bem, embora passando um momento muito ruim. Ela está resgatando, através do amor ao próximo, tudo o que fez.

– Sei que ela está bem, o que me causou muita raiva. Aqui nesta estrada pude refletir sobre tudo que aconteceu e acho que todos nós tivemos culpa, menos Mario Augusto. Ele sempre foi diferente. Neste momento, o que mais quero é ter uma nova chance para poder recomeçar e fazer tudo diferente. Quero e preciso reencontrar Mario Augusto, o amor da minha vida! Sei que está em algum lugar, só não sei onde...

– Sempre temos novas chances, Arlete. Deus nos ama muito e só quer o nosso bem.

– Como posso ter outra chance? Estou morta!

– Você está morta, Arlete? – Etelvina perguntou, sorrindo.

– Sim, estou. Demorei muito para entender, mas hoje sei que estou morta, embora a morte que eu conhecia ou ouvia falar não seja dessa maneira.

– Por que está dizendo isso?

– Embora saiba que estou morta, não me sinto assim. Sinto fome, sede e frio, além de muito medo, coisa que nunca senti antes.

– Do que se lembra antes de se ver aqui, nesta estrada?

– Lembro-me que estava muito feliz. Eu e Mario Augusto íamos ficar noivos e foi preparada uma linda festa. Eu estava usando um lindo vestido que foi comprado para aquele dia. Fui até o jardim, onde Selma disse que ele estava, e o encontrei abraçando e beijando Matilde. Fiquei muito nervosa, fui até a sala do meu pai, peguei um revólver e atirei neles. Não sei o que aconteceu. Quando acordei estava em um lugar apavorante. Havia um mau cheiro horrível e gritos que chegavam de todos os lados, que me apavoravam. Pessoas perambulavam, mais parecendo mortos-vivos. Fiquei com muito medo e tentei me esconder, eles me achavam e me chamavam de assassina. Senti muito medo e corria de um lado para outro, mas não encontrava saída. Pensava em minha casa e na segurança que sempre tive lá. Procurei muito por ela, mas foi em vão. Não sei quanto tempo fiquei ali, só sei que foi terrível. A todo instante me lembrava do momento em que cometi aquele ato tão horrível. Escondida daqueles monstros que me perseguiam, continuei procurando uma saída e por Mario Augusto. Embora quisesse, não conseguia afastar a imagem de Mario Augusto e Matilde deitados no chão e rodeados de muito sangue. Também me via deitada ao lado deles. Aquele pensamento e lembrança me atormentavam. Eu sabia que havia feito aquela coisa deprimente. Sentia que se eu encontrasse Mario Augusto, ele me tiraria dali. Muito tempo depois, eu estava perambulando sem saber o que fazer, chorando e pedindo muito para que alguém surgisse para me ajudar a encontrar o caminho de casa e Mario Augusto, quando um senhor apareceu, não sei de onde e sorrindo, pegou na minha mão e disse:

– *Como você está, Arlete?*

– *Quem é o senhor, como chegou aqui?*

– *Meu nome é Péricles e estou aqui para ajudar você.*

– *Ainda bem, não sei mais o que fazer...*

– *O que está sentindo?*

– *Estou com muito medo e me sentindo perdida.*

– *O que está fazendo aqui?*

– *Não sei como vim parar aqui nem sei que lugar é este! Por favor, me ajude a sair daqui!*

– *Vou ajudá-la.*

– *Obrigada, senhor, obrigada!* – Disse, pegando sua mão e beijando.

– *Ele afastou a mão e sorriu:*

– *Vou levá-la para um lugar onde vai encontrar a paz que tanto procura, onde poderá refletir sobre o que aconteceu e encontrar uma maneira de se redimir.*

– Ele me levou a um lugar com muita claridade e paz, muito diferente daquele em que eu estava. Fui recebida com carinho e em poucos dias eu estava muito bem, mas eu sentia muita saudade de casa, de Flora e, principalmente, de Mario Augusto. Perguntava, mas só me respondiam que estava tudo bem. Com o tempo fui ficando ansiosa e irritada. Alguém me alertou do perigo que eu corria se saísse dali e continuasse com aqueles pensamentos destrutivos. Disseram também que se eu quisesse partir não podiam me impedir, pois eu tinha meu livre-arbítrio. Eu ouvia o que diziam, mas não me importava. Precisava sair dali, precisava encontrar Mario Augusto. Em um dia, eu estava passeando pelo jardim, que era lindo, quando senti uma irritação muito forte, diferente daquela que sentira até agora. Foi como uma força que me atraía. Senti uma vontade enorme de ir até o lugar de onde aquela força partia. Não sei como, mas de repente me vi na minha casa. Ela estava diferente. Sempre foi muito clara e transbordava felicidade, mas o que encontrei ali foi muita tristeza e ódio. Suas paredes, embora ainda fossem pintadas com cores claras, não conseguiam retirar aquela energia ruim e tudo estava escuro e nebuloso. Ouvi vozes que vinham da sala. Correndo, fui até lá. Encontrei Flora e Esmeralda, que conversavam.

– Consegui, Esmeralda! Consegui descobrir onde Selma está!

– Não fico feliz com isso, Flora. Você está há tanto tempo pensando só em sua vingança... O tempo está passando e continua parada, sem nada fazer da sua vida.

– Não venha com essa conversa novamente, Esmeralda. Encontrei Selma e ela vai pagar por tudo o que fez com Arlete!

– Nada que você faça vai trazer Arlete de volta, Flora.

– Sei disso, mas Selma não pode ficar impune! Vou me vingar!

– Flora disse isso com muito ódio na voz e no coração, Etelvina. Aquele sentimento dela me atingiu totalmente. Parecendo que Flora sabia que eu estava ali, continuou falando:

– Foi Selma quem preparou aquela armadilha que fez com que Arlete matasse Mario Augusto e Matilde e depois se matasse! Isso não pode ficar impune, Esmeralda. Selma precisa pagar!

– Enquanto Flora falava, eu ia me relembrando daquela noite. Foi assim que fiquei sabendo o que havia acontecido realmente. Fiquei tomada de ódio por Selma e gritei:

– Ela não pode ficar impune, Flora! Destruiu as nossas vidas! Por causa dela fiz aquela loucura e não consigo encontrar Mario Augusto! Ela é a única culpada!

– *Flora, como pretende se vingar de Selma?* – Esmeralda perguntou, preocupada.

– *Amanhã estou indo para a cidade onde ela mora. É uma cidade pequena, por isso nunca foi encontrada, mas eu vou encontrá-la!*

– Ao ouvir aquilo, fiquei entusiasmada, e me aproximando de Flora, irritada, falei:

– *Vou estar ao seu lado, minha irmã, e juntas vamos nos vingar e fazer com que ela confesse o crime e seja penalizada!*

– Daquele dia em diante, fiquei ao lado de Flora. Fomos para a cidade onde Selma morava e a encontramos. Flora tinha tudo planejado e eu sempre a incentivava mais. Porém, um dia, Esmeralda a convenceu de que Selma havia mudado e que estava vivendo de uma maneira simples e ajudava aquelas crianças. A princípio Flora relutou, mas depois, diante dos argumentos de Esmeralda, resolveu deixar tudo para lá. Veio embora e as duas foram para a Europa. Fiquei com muita raiva e desesperada. Saí dali correndo, e na rua vi alguns vultos que caminhavam. Fui até eles e contei o que havia acontecido. Eles, que também se julgavam injustiçados, disseram que me ajudariam na vingança. Aceitei a ajuda e, juntos, ficamos o tempo todo ao lado de Selma. Eu estava lá, quando dona Alda chegou e fiz com que ela ficasse com muita raiva também. Estava feliz por ver Selma atrás das grades e por ela ter contado o que aconteceu e reconhecido sua culpa, mesmo assim, eu queria mais. Queria que ela ficasse presa pelo resto da vida. Foi quando Péricles voltou e vendo que eu não ia mudar de atitude, disse que eu não poderia ficar mais ali e me trouxe aqui, para essa estrada horrível. Aqui, sozinha, senti o mesmo medo que antes, naquele lugar tenebroso. Comecei a pensar em tudo o que havia acontecido e vi que, embora Selma tenha tido culpa, também tive, pois me deixei levar pelo orgulho, ciúme e apego. Eu sempre me julguei superior às demais pessoas. Achava que Mario Augusto era meu e que nunca poderia pertencer a outra pessoa! Aqui descobri que tudo isso não passava de ilusão. Que somos livres, portanto ninguém pertence a ninguém. Sinto muito pelo que fiz.

– O que pretende fazer agora, Arlete?

– Quero, se possível, voltar para aquele lugar iluminado e de paz. Sei que ali, um dia, vou rever Mario Augusto e Matilde. Preciso pedir perdão a eles. Pode me ajudar a voltar lá e a encontrá-los, Etelvina?

Etelvina olhou para Alda, Matilde e Mario Augusto, e sorriu. Arlete, ao vê-los chorando, gritou:

– Mario Augusto? Está aqui, meu amor! Procurei você por toda parte! Preciso que me perdoe...

– Sempre estive ao seu lado, meu amor. Eu amo você e nunca poderia abandoná-la. Só não podia me ver porque estava com muito ódio e, por isso, cercada de uma nuvem densa que impedia a nossa aproximação. Graças a Deus, você entendeu que o ódio não nos leva a lugar algum.

Ainda abraçados, ela, chorando, disse:

– Perdão, meu amor. Perdão...

Olhando para Matilde, sem se afastar, Mario Augusto estendeu a mão, que Matilde apertou.

– Preciso do seu perdão também, Matilde. Sei que fui má e que a explorei ao lado de Selma e de Flora, mas não sabia o que estava fazendo. Estava iludida pela minha posição social. Achava-me superior e poderosa...

Matilde sorriu:

– Todos nós tivemos a nossa parcela de culpa, Arlete. Ainda bem que você entendeu isso. Assim fazendo, pode seguir ao nosso lado.

Alda, ao ver o filho, ficou paralisada. Depois, começou a chorar:

– Meu filho, você está aqui?

Afastando-se de Arlete, ele abraçou a mãe, também chorando:

– Estou, mamãe. Embora não pudesse me ver, sempre estive ao seu lado...

– Meu filho querido! Sofri tanto quando morreu! Não se passou um só dia em que eu não me lembrasse de você. Eu não entendia por que aquilo havia acontecido e não achava justo. Você, tão jovem, bonito e com um lindo futuro pela frente, não poderia morrer daquela maneira...

– Sei que sofreu, mamãe. Por isso, estive sempre ao seu lado. Sofria mais ainda por ver que a senhora se entregou ao desespero. Eu não tinha nada que pudesse fazer a não ser ficar ao seu lado. Ainda bem que hoje está bem, entendeu que o dinheiro, quando mal usado, só pode fazer mal ao nosso espírito e que não passa de ilusão. Aprendeu, também, que ninguém é superior ao outro. Somos todos caminhantes e aprendizes. Tudo está sempre certo, mamãe.

Ao ouvir aquilo, ainda chorando, Alda se afastou e ficou olhando para eles, que também a olhavam e sorriam:

– Esperem, se estão todos mortos e eu posso conversar com vocês e vê-los, significa que estou morta também?

Eles sorriram. Mario Augusto foi quem respondeu:

– Está, mamãe, mas não se assuste. Estamos aqui.

– Como não me assustar, Mario Augusto? Não posso morrer agora!

– Por que não, mamãe?

– Agora que entendi tudo o que fiz de errado? Preciso consertar o que fiz! Preciso rever Selma, seu marido e filho! Preciso dizer que quero todos eles ao meu lado! – Voltando-se para Etelvina continuou: – Preciso recompensar você, Etelvina, pelo grande mal que fiz!

– Terá chance de fazer isso, mamãe. Sempre temos novas chances, mas não agora. –Disse Mario Augusto

– Não estou entendendo. Como morri e quando?

– Isso, agora, não tem mais importância. O que importa é o que será daqui para frente.

– Dizendo isso, Mario Augusto olhou para Etelvina:

– Agora podemos ir embora, Etelvina?

– Sim, Mario Augusto. Graças a Deus, está tudo bem.

Seguraram nas mãos de Arlete e de Matilde e desapareceram.

Acerto de contas

O tempo passou. Quatro meses depois, Selma estava no galpão envolvida com os trabalhos que estavam sendo preparados para a próxima exposição e não viu quando Marília, acompanhada por José Luiz e Flora entraram.

– Olhe quem veio nos visitar, Selma!

Selma se voltou, abriu um sorriso feliz e correu para abraçá-los.

– Que alegria! Estou muito feliz por estarem aqui, mas aconteceu alguma coisa?

– Aconteceu, Selma. Vim acompanhar dona Mirtes e as meninas para receberem a sentença do juiz.

– Já foram sentenciados?

– Sim. Estamos voltando do fórum. Foram condenados a prestarem serviços comunitários. Como não moram na cidade, deverão, em sete dias, comunicar as entidades que ajudarão. Isso não é comum, mas, neste caso, o juiz decidiu que seria uma boa sentença. Assim, eles entenderão o que significa ajudar e poderão pensar a respeito do trabalho que você faz aqui.

– Essa sentença parece ser justa, embora entenda que ela é melhor do que parece. Só fará bem a eles. Ajudar sempre nos causa um bem imenso.

– Olharam para Marília, e Selma, piscando os olhos para os outros, disse rindo:

– Está puxando a sardinha para o seu lado, Marília?

– Não, Selma! Realmente achei que foi uma boa sentença. – Marília falou, com o rosto vermelho.

– Estava brincando. Seu marido é um bom juiz, Marília.

– Também penso assim, Selma, e Eduardo foi um sábio em pensar nisso. – José Luiz disse, também rindo.

– Quanto a Joel e Sandra, que moram aqui, como pagarão?

– Eles terão de trabalhar algumas horas por semana aqui no orfanato.

– Sandra mora e trabalha aqui há muito tempo...

– Não sei o que fazer. Preciso conversar com o Juiz.

– Ela quer muito frequentar uma faculdade e, depois de ver sua atuação, quer ser advogada. Com meu dinheiro pessoal, posso pagar a faculdade e um lugar para que fique morando, mas ela precisaria ter um trabalho.

– Advogada! Que bom, é uma ótima profissão. – Ele disse, rindo.

– Acha que podemos ajudar, José Luiz?

– Acredito que sim, Flora. Sei como fazer. Se ela conseguir entrar na faculdade, eu dou um emprego de estagiária no meu escritório; assim, além de aprender a teoria, poderá aprender também na prática.

– Nem sei como agradecer a vocês. Vou conversar com Eduardo e ver como pode ser feito.

– Faça isso e me avise da decisão dele. Tenho certeza de que vai aceitar.

– Aproveitei para trazer esses documentos para você assinar, Selma. Como o combinado, o carro de sua mãe foi vendido e o dinheiro da venda usei para indenizar os empregados da casa. Ainda sobrou um pouco e tomei a liberdade de trazer para que você use como quiser.

– Eu disse que não preciso do dinheiro da minha família, José Luiz. O salário do meu marido sempre foi o suficiente para que tivéssemos uma vida tranquila. Agora que está recebendo o dobro, nossa vida está melhor ainda, além de ele estar feliz no emprego, mas vou aceitar esse dinheiro que trouxe. Vou dar para Marília, sabendo que ele ajudará ao orfanato e às crianças.

– Imaginei que fosse fazer isso. Trouxe, também, esta escritura do apartamento para que assine. Josias ficou muito feliz, emocionado e agradecido. Disse que qualquer dia vem até aqui para visitar você e sua família.

– Também estou feliz por ele. Está há muitos anos na nossa família, e desde que eu era criança foi um grande amigo e sempre me ajudou. Era o mínimo que eu poderia fazer por ele. Só estou preocupada porque, com a idade que tem, talvez não encontre outro emprego.

– Não se preocupe com isso. Nosso motorista ficou viúvo e foi morar com a filha. Eu contratei Josias para ocupar o lugar dele.

– Que boa notícia, Flora! Não imagina como estou feliz!

– Sabia que ficaria e espero que fique mais ainda com a novidade que vou contar.

– Que novidade?

– Pegue este envelope e abra.

– Selma pegou o envelope, abriu e soltou um grito:

– Vocês vão se casar? Não acredito!

– Pode acreditar! E estamos aqui não só para entregar o convite mas também para pedir que você e seu marido sejam nossos padrinhos.

– Como isso aconteceu? Sempre foram só amigos!

– Você foi a culpada.

– Eu, por quê?

– Com a sua prisão nos unimos para tentar inocentá-la e, por conta disso, ficamos nos vendo e conversando quase todos os dias. Um belo dia, sem saber bem como, descobrimos que o que sentíamos um pelo outro era mais do que amizade e aqui estamos.

– Estou muito feliz por vocês e acho que merecem e terão toda a felicidade do mundo. Quanto a ser madrinha, não sei, Flora.

– Não sabe? Por quê?

– Não pertenço mais ao seu mundo. Aquela Selma deixou de existir há muito tempo.

– Sei disso. Aquela Selma se transformou em uma pessoa maravilhosa, e é essa pessoa que quero para minha madrinha.

– Está bem. Agora só me resta pensar no vestido que vou usar!

– Não se preocupe com isso. Quando abri minha loja comprei vários vestidos e, quando fechei, fiquei com todos, estão em minha casa. São lindos, e você poderá escolher qualquer um deles.

– Está bem. Estou muito, muito feliz por tudo o que está acontecendo em minha vida.

– Este convite é para você e seu marido, Marília. Ficaria muito feliz se seus pais e seus sogros fossem também.

– Para mim?

– Sim, você foi o anjo bom na vida de Selma, e pretendo que seja minha amiga também.

– Tenho muito orgulho de ter conhecido vocês, e foi Selma quem surgiu na minha vida e a transformou completamente. Acredito que nos conhecemos há muito tempo e que nesta encarnação renascemos para aparar arestas do passado. Estou contente por este final feliz. Claro que vamos ao seu casamento, Flora. Garanto que, assim como eu, minha mãe também ficará feliz pelo seu convite. Vamos aproveitar para ir com Selma até sua casa escolher os vestidos que vamos usar!

Obrigada, Marília. Estarei esperando por vocês.

Quanto a Sandra, também foi condenada a servir, mas ela já faz isso desde pequena.

Despediram-se. Flora e José Luiz, não conseguindo esconder a felicidade que sentiam, foram acompanhados por elas até o carro e foram embora.

Assim que partiram, Selma, eufórica, disse:

– Estou muito feliz por eles, Marília! Agora, só preciso convencer Roberto e Carlos a irem ao casamento.

– Eles irão, Selma. Você é muito amada pelos dois.

Selma sorriu e, juntas, voltaram para o galpão.

Péricles e Etelvina sorriram e desapareceram.

Reencontro feliz

Na noite anterior ao casamento de Flora, Selma abriu os olhos e ficou espantada:

Que lugar é este?

Ficou olhando e percebeu que estava em um lindo jardim com flores coloridas e brilhantes. Folhagens verdes por toda parte.

É lindo demais!

Continuou olhando e, para sua surpresa, viu Etelvina sentada em um banco e conversando com Alda. Não se conteve, correu até elas:

– Mamãe! A senhora está aqui e viva?

Alda, levantando-se, abriu os braços.

– Selma, minha filha! Como eu queria ver você!

– Perdoe-me, mamãe, por tudo o que fiz e que fez a senhora sofrer! Fui uma filha horrível. – Selma disse, chorando muito.

– Não diga isso, minha filha. Aqui, aprendi e entendi que todos somos culpados. Fracassei como sua mãe que, ao invés de ensinar a você o amor ao próximo, respeito, solidariedade, fiz exatamente o contrário e ensinei o egoísmo, a prepotência e o preconceito. Errei muito...

– Quando a senhora morreu, fiquei muito triste e estou até hoje por não ter me despedido e pedido perdão. Chorei não só por sua morte, mas pelo remorso em não ter sido uma boa filha. Naquele dia, eu estava nervosa e revoltada...

– Não, filha. Não é assim. Eu fui cruel não só com você, mas também com seu marido e, pior, com seu filho, apenas uma criança.

– Espere, mamãe! Sei que está morta, então como pode estar aqui?

– Acha que estou morta?

– Não, mas eu enterrei a senhora!

– A morte não significa que tudo acabou; é simplesmente uma mudança de plano. Deste lado, a vida continua e tomamos conhecimento daquilo que fizemos de certo ou que deixamos de fazer.

– Não estou entendendo muito bem; mas, mesmo assim, estou muito feliz por ter reencontrado a senhora. Estou aliviada por saber que não guarda mais ódio e rancor por mim.

– Está feliz? Pois vai ficar mais ainda. Olhe para lá. Disse, apontando com o dedo.

Selma olhou para onde ela apontou e gritou:

– Meu Deus! Vocês também estão vivos?

Mario Augusto, Arlete e Matilde, que sorriam para ela, abriram os braços, e Selma correu para eles. Abraçaram-se e, chorando, ficaram assim por muito tempo. Não conseguiram dizer uma palavra. Depois de algum tempo, Selma, ainda chorando, disse:

– Perdão, perdão, perdão. Fui a culpada do que aconteceu com vocês e tenho sofrido muito por isso. Eu não sabia o que estava pensando, me deixei dominar pela inveja e pelo ciúme. Sei que você, Matilde, invejava a vida que eu tinha, mas nunca imaginei que terminaria como terminou.

– Esqueça-se disso, minha irmã. Todos nós tivemos nossa parcela de culpa. O importante é que está aqui e que um dia, quando voltar definitivamente, poderemos conversar muito e resolver como será nossa próxima encarnação.

– Encarnação? O que está dizendo, Mario Augusto? Quem fala isso é Marília!

– É verdade. Mas isso, agora, não tem importância. O que importa é o casamento entre Flora e José Luiz. Estamos, todos, muito felizes. Sabíamos que isso aconteceria e que era só uma questão de tempo. Estamos torcendo para que sejam felizes! Não é Péricles?

– Péricles? O senhor é o marido de Marília? Ela me contou a história de vocês! – Selma perguntou, admirada.

– Sim, sou eu. Marília foi uma companheira maravilhosa no tempo em que estive na Terra.

– Não sente ciúmes por ela ter se casado com Eduardo?

– Não, Selma. Aqui, os sentimentos são outros. Somo todos caminhantes na estrada do conhecimento. Entre mim e Marília tudo aconteceu como deveria acontecer. Ela está feliz ao lado de Eduardo, que também faz parte de nossa vida há muito tempo. Ele é mesmo um homem muito bom.

– Isso é verdade. Ela está feliz, e ele é mesmo um homem muito bom.

– Que bom ver você por aqui, menina. Você conseguiu sua redenção e eu estou feliz por isso.

Selma abraçou-se em Etelvina.

– Obrigada, Etelvina, mas tudo o que consegui foi graças a você. Foram seus conselhos e conversas que fez com que eu tomasse conhecimento do significado da palavra felicidade.

– Todos nós, além de cumprir nossas missões, tínhamos como missão especial ajudar você, estando sempre ao seu lado. Nunca esteve só. Sempre teve amigos na Terra e aqui também. Hoje, todos estamos felizes por termos o nosso dever cumprido.

– Eu amo todos vocês. Obrigada por nunca terem me abandonado. Estou tão feliz que não queria mais retornar...

Dizendo isso, Selma acordou, num sobressalto, ainda ouvindo sua própria voz.

O pulo foi tão forte que Roberto acordou:

– O que aconteceu, Selma? Parece assustada...

– Não sei, Roberto. Estava sonhando, acho que com minha mãe e todos eles. Pareciam felizes.

– Que bom, mas por que será que acordou tão assustada?

– Não sei. Não me lembro muito bem do que aconteceu. Agora, vamos nos levantar. Hoje é o grande dia e precisamos nos preparar.

– Não sei como vou me sentir naquela roupa que José Luiz me deu.

– O nome é fraque, Roberto. – Ela falou rindo.

Levantaram-se e foram acordar Carlos, que dormia tranquilamente.

Epílogo

A igreja estava toda enfeitada com muitas flores. De um dos lados do altar. José Luiz estava olhando, ansioso, para a entrada. Do outro lado, Roberto e Selma, também ansiosos, faziam a mesma coisa.

Roberto estava incomodado por estar vestindo aquela roupa que ele só tinha visto em filmes. Selma se divertia ao ver seu rosto.

– Você está lindo, Roberto...

– Fique quieta, Selma! Olhe o que estou fazendo por você! Não só por esta roupa ridícula, mas porque todos estão olhando para nós. Parece que somos mais importantes que os noivos!

– Não se preocupe com isso. São pessoas que não têm mais o que fazer além de ficar falando da vida alheia. Ainda não se conformam que eu tenha mudado tanto; mas, para mim, o que importa é a felicidade de Flora e de José Luiz. Logo mais tudo vai terminar e voltaremos para nossa casa, para nossa vida.

– É verdade. Eles merecem toda a felicidade do mundo.

– Olhe como Marília está linda ao lado de Eduardo. Dona Berta e dona Clara também estão lindas ao lado dos maridos. Algumas vezes, cheguei a pensar que a felicidade não existia; mas, hoje, sinto que ela pode existir sim.

– Pare de falar, Selma...

Selma começou a rir por entender a situação do marido.

Etelvina, que também estava ali, falou no ouvido de Roberto:

– Você está lindo, meu filho, e estou orgulhosa pelo homem que se tornou.

Roberto não ouviu, mas sentiu uma brisa suave passar pelo seu rosto e, no mesmo instante, lembrou-se da tia e sorriu.

Selma, alheia ao que estava acontecendo, apertou o braço de Roberto e com os olhos fez com que ele olhasse para Carlos, que estava sentado ao lado de Marília, que naquele momento se levantava:

– Para onde ele está indo, Roberto?

– Não sei, Selma.

Acompanharam Carlos e viram quando ele entrou em uma fila de bancos e, para surpresa deles, Fabiana estava sentada ali. Carlos se aproximou e, sentando-se ao lado dela, perguntou:

– Por que não voltou à minha cidade, Fabiana?

Ela, abaixando a cabeça, respondeu baixinho:

– Por vergonha, Carlos. Sei que deve estar me odiando e não o culpo por isso. Fiz somente o que minha tia pediu; mesmo assim estou envergonhada e não sabia como falar com você.

– Confesso que quando tomei conhecimento do que você havia feito fiquei com muita raiva, mas minha mãe conversou comigo e me fez ver que todos nós podemos cometer algum engano, e que todos, também, sempre têm chance de se arrepender. Apesar de tudo, gosto de você e, quando quiser, pode nos visitar. Garanto que sempre será bem-vinda em nossa casa.

Fabiana ia dizer alguma coisa, quando começou a tocar a marcha nupcial e todos se levantaram para ver a noiva, que estava na entrada da igreja. Eles também se levantaram.

Flora estava linda vestida de noiva e começou a caminhar com passos lentos ao lado do tio, irmão de seu pai. Enquanto caminhava, foi distribuindo sorrisos para os convidados.

No altar, José Luiz tremia ao vê-la se aproximando. Selma, também emocionada, chorava feliz ao ver a felicidade da amiga de tantos anos.

A cerimônia foi linda. Embora ninguém tenha visto, Arlete, Mario Augusto e Matilde também estavam ali. Quando o padre começou a falar, Péricles, que estava atrás dele, estendeu as mãos, no que foi acompanhada pelos outros, e luzes começaram a cair sobre o casal e toda a igreja.

Depois da cerimônia, todos foram para a casa de Flora, que estava toda iluminada e florida. A festa foi requintada, todos caminhavam de um lado para outro e conversavam. Esmeralda se aproximou de Selma:

– Hoje, estou muito feliz, Selma, não só pelo casamento de Flora, que foi o que sempre desejei, mas por ver você aqui, também linda e feliz.

– Estou feliz mesmo, Esmeralda, pois mesmo tendo feito tanta coisa errada, ainda fui abençoada com um marido e filho maravilhosos.

– Tudo o que conseguimos é só questão de merecimento e, se está feliz, é porque merece.

Alda, que também estava li, falou:

– Tem uma coisa que não estou entendendo, Péricles.

– O que, Alda?

– Mesmo tendo feito tanta coisa errada, no final todos nós fomos perdoados e estamos felizes. Isso é certo?

– Tudo está sempre certo, Alda. Todos nós, ao renascer, temos a oportunidade de melhorar; mas todos nós também, durante a vida na Terra, cometemos alguns acertos e erros que podem ser resgatados na Terra ou aqui. Sempre caminhamos juntos, uns ajudando os outros. Nesta encarnação, você e Selma teriam de encontrar o caminho da luz e da paz. Foi difícil, mas conseguiram. Para isso foram muito ajudadas, tanto pelo plano espiritual, como por todos com quem conviveram. Você, infelizmente, só conseguiu depois de ter voltado; mas Selma, através do amor ao próximo, da humildade e do grande amor, sem interesse, pelas crianças do orfanato, conseguiu encontrar o caminho da redenção.

Todos se olharam e sorriram.

– O que vai acontecer agora que tudo está bem, Péricles?

– Por enquanto, nós voltaremos para o plano espiritual e seguiremos o nosso aprendizado. Eles continuarão suas vidas. Vamos continuar torcendo por eles e tentando ajudar se for necessário. Quando todos retornarem, faremos uma reunião para que os caminhos da próxima encarnação sejam decididos. Falando nisso, está na hora de irmos embora.

Todos sorriram e, envolvidos em muita luz, desapareceram.

FIM

Livros de Elisa Masselli

Apenas começando

Ao passarmos por momentos difíceis, sentimos que tudo terminou e que não há mais esperança nem um caminho para seguir. Quantas vezes sentimos que precisamos fazer uma escolha; porém, sem sabemos qual seria a melhor opção?
Júlia, após manter um relacionamento com um homem comprometido, sentiu que tudo havia terminado e teve de fazer uma escolha, contando, para isso, com o carinho de amigos espirituais.

Não olhe para trás

Olavo é um empresário de sucesso e respeitado por seus funcionários. Entretanto, ninguém pode imaginar que, em casa, ele espanca sua mulher, Helena, e a mantém afastada do convívio social. O que motiva esse comportamento? A resposta para tal questão surge quando os personagens descobrem que erros do passado não podem ser repetidos, mas devem servir como reflexão para a construção de um futuro melhor.